現代圖書館學

顧　敏／著

臺灣學生書局

增訂版序言

現代圖書館學探討初版於公元一九八八年。近十年來由於海峽兩岸圖書館學的交流,以及台灣地區圖書館學系紛紛易名爲圖書資訊學系，並增設研究所碩、博士班，大中華地區的現代圖書館學研究，更掀起了另一次高潮。最近兩岸的圖書館學同道，紛紛向筆者探尋拙著之下落，著實令筆者一則慚愧一則驚喜。慚愧的是一幌十年沒有再出版一冊專書，驚喜的是十年前的舊作仍然受兩岸學者的關注、討論、與研究。

一九九八年三月底在廣州中山大學出席海峽兩岸第四屆圖書資訊學學術研討會，遇見大陸地區三代圖書館學者，包括北京大學信息管理系兩位前後任的系主任，周文駿教授及吳慰慈教授，北京師範大學信息技術與管理系袁名敦教授，武漢大學圖書情報學院彭斐章、詹德優教授，廣東省中山圖書館黃俊貴教授，中山大學信息管理系譚祥金教授、趙燕群教授，天津南開大學信息管理系鍾守眞教授、中國科學院孟廣均、辛希孟教授，以及南京大學信息管理系倪波教授，同時有機會和大陸地區中生代及新生代的圖書資訊學者交換了許多寶貴的現代圖書館學理念與實務經驗，包括四川聯合大學信息管理學系主任張曉林教授，廣州圖書館惠德毅館長及張曉源副館長，廣州中山大學信息管理學院副院長程煥文教授，深圳大學伍憲副館長，深圳圖書館甘琳主任，以及霍國慶、張曉娟、趙雄、黃曉斌、羅春榮等年輕教授級學者。

我們除了在研討會上談現代圖書館學之外，在餐桌、在夜晚仍然談的還是現代圖書館學，也許是大陸學者習慣性的恭維話，總是一句「我讀過您的書」，然後就是一番見解的交流。尤其是年輕一代的學者如霍國慶、張智雄等人更是帶了自己的著作與問題，希望交換及交流到各方面的看法與見解，這種精神是讓人感佩的。

台灣地區年輕一代的圖書資訊學者如陳昭珍、陳文生、林呈潢、蘇倫伸、蔡明月等人，在上項研討會中穩健地坐上了學術討論的主持人位置，可喜可賀。這一次的廣州學術研討會，使筆者從國際圖書館的活動中；包括擔任國際圖聯IFLA常務委員四年，以及在亞太國會圖書館協會擔任八年副會長與會長的工作，暮然回首，再度進入令自己深思多年的中國圖書館學，筆者在廣州回台北的途中，決定重拾舊書包，首先出版「現代圖書館學探討」增訂版，承台灣學生書局新一代的主事者，概然允諾。

增訂版是在第一版的基礎上，進行了二十六處的更正與補正，這要謝謝我以前班上的高材生劉秀惠小姐的細心核對。另外，爲了配合「數位圖書館」的來臨，增加新的一章「全文檢索」，詳細地就近十年迅速開展的電子化全文資料與其檢索的特性方法與問題，從理論實務兩方面綜合說明。並將原「索引技術」乙章補強，另加乙節「概念詞彙索引方法」，使得「索引技術」這章更完備，包括了「文獻詞彙」、「概念詞彙」、以及筆者所獨創的「索引聯用系統」，以期更能符合後電腦化時代中，圖書資訊界在數位資料庫建設方面或是發展網路搜索引擎方面的參考。另鑑於北京圖書館副館長孫培欣教授，不只一次地向台灣地區的圖書館界元老王振鵠教授客氣地提起，曾翻譯參用筆者的英文作品，故特將九〇年代的英文作品「中文資訊專業暨服務新境界」乙文，內容包括因開發「立法資訊系統」各系列性中文資料庫，而附帶取得的中文資訊專業經驗與心得，收文錄於增訂版中，供海內外學者指教。

顧　敏　　謹識於台北
一九九八年四月

序　言

在圖書館學的發展過程中，現代圖書館學由於和其他學科的整合，很明顯的具有資訊化、國際化和服務化的研究傾向。

現代圖書館學的萌芽精神，可追溯自公元一九三一年藍甘納薩氏（S. R. Ranganthan）所提出的「圖書館學五大法則」，尤其是第五法則更強調「圖書館是一個成長的有機體」（Library is a Growing Organism），這項律則帶引圖書館界的同仁，時時注重「掌握最新技術，提昇服務層次」。所以如何運用近代科技發展的各項成就，使之推動圖書館的各種運作，發揮圖書館在現代社會的功能價值，是現代圖書館學探討的重點，亦是撰寫本書的緣起。

本書先以「現代圖書館學的理念」敍述圖書館學成長的軌跡，再以「資訊與自動化」的方向說明電腦科技對資訊服務與圖書館事業的影響，其次藉著「知識傳播」探索問答式傳播的利用途徑，然後說明「縮影媒體」在多媒體圖書館經營體制中所扮演的角色與意義，繼而以「索引技術」比較資訊儲存與檢索系統在中英文資料庫上的應用特性，關於讀者服務方面，以「參考資源」介紹屬於第二類知識服務的書目產品製作方法，附及提供世界各國圖書館發展的若干資料，以爲「比較研究」之參考。

從國立清華大學、中央圖書館，到立法院，個人服務於圖書館及資訊領域，將近二十年。本書除了試着探討現代圖書館學發展的若干問題之外，也希望能表達個人服務於圖書館的一些心路歷程。完稿匆促，舛漏難免，尚祈先進前輩及各位同學不吝指正。

顧　敏　謹識於
立法院法律資訊中心
民國七十七年三月

現代圖書館學探討

目　錄

肆、索引技術

伍、全文檢索

陸、參考資源

柒、比較研究

圖表目錄

現代圖書館學的理念

在過去的五十年中，人類的社會環境已從啓迪民智、普及教育的層面，提昇到「資訊分享、知識博雅」的境界。這種演變使得圖書館學在表面上和實質上都有所革動，玆將圖書館學研究分為古典圖書館學、新古典派圖書館學、和現代圖書館學等三個段落，以探討每個階段圖書館學的時代背景、研究重心、以及科際整合的情況。

一、圖書館學的演變

圖書館學基本上是一種研究知識成長而融合各種工藝及技術的學問。不同時代的圖書館學，融合了各種不同的工藝與技術；從古代發展圖書的修補技術，到近代的資料庫及通訊網路的技術均爲例子，但是總的目標是在於知識的成長。

在自然科學裡，愛因斯坦的相對論和蒲朗克的量子論，是古典物理學和現代物理學的分水嶺，古典物理學大致包括力學、電磁學、光學、聲學、熱力學和古典統計力學，現代物理學則以相對論、核子物理、基本粒子，電漿物理、量子統計力學等所組成，兩者涇渭分明，彙流於物理界。社會科學的成長，其發展脈絡，則往往受到社會環境變遷而來，例如社會中對於「全民知識的關注與需求」，導致了圖書館運動和圖書館學的演進與發展。圖書館學在過去半個世紀中的變革，其速度在表面上雖不若物理學的快速，然而其回饋到人類社會的影響力，却不下於物理學的發展。

十九世紀末期以來圖書館學的沿革深受圖書館運動的影響，此點和其他的社會科學並無二致，西方國家當時爲了提倡國民教育，而有普設圖書館的運動；二十世紀初的中國有識之士，也爲了「啓廸民智」，將各地的藏書樓紛紛改設爲圖書館，而形成爲一股風氣。隨著人類社會在過去五十年中的急驟變化，對於「全民知識」的問題，也從啓廸民智，普及教育的層面，提昇到「資訊分享，知識博雅」的境界。社會環境中的這一項轉變，也給圖書館的發展，帶來了一波又一波的衝擊，使得圖書館學在表面上和實質上都有所革動。

二、傳統的古典圖書館學

古典圖書館學最早可推溯至人類設置藏書樓的開始，我國漢代對於「石渠」與「天祿」兩大藏書樓在防火及防水的措施，堪稱是絕佳的設計與方法。

古典圖書館學聚合爲一門研究學問，則大致可溯自公元一八八七年，該年德國和美國兩個國家的高等教育，分別列入了圖書館課程，尤其德國圖書館學家斯雷丁格（Marti Wilibald Schrettinger，1772～1851） 和狄札茲克（Karl Dziatzko，1842～1903）在這方面的貢獻甚大，我國則遲至清末光緒年間才發端，後受美籍韋棣華女士之影響深遠。

古典圖書館學最早基築於目錄學（bibliography）和圖書學（ science of books ），亦稱書誌學。沒有數學和力學就不能組成古典物理學，同樣地，圖書學和目錄學在古典圖書館學中的地位，亦復如此。隨後由早期的管理學融合了圖書館的實務而成爲圖書館經營學（library economy），至此，目錄學、圖書學和圖書館經營學結合了古典圖書館的基礎。

古典圖書館學的歷史氣質很重，例如目錄學史，收藏史、版本、圖書裝潢史、書寫印刷史、校讐學史、圖書館史等在

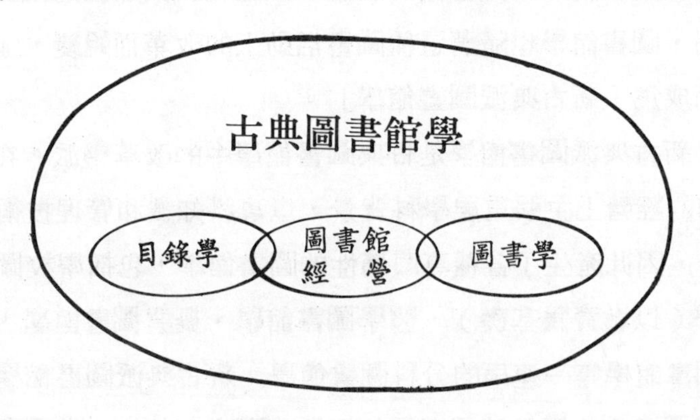

圖一　古典圖書館學的組成

古典圖書館圖中均佔有相當的份量，另一方面古典圖書館學包括圖書管理，圖書採購、圖書分類編目、圖書典藏與流通，圖書利用等實務性技術。從十九世紀末期到二次世界大戰前後的六、七十年之間，古典圖書館學一直在穩定中成長。同時這門學問也從早期濃郁的人文觀點，逐漸地向社會科學的領域探索前進。

三、從古典到現代的過渡

二十世紀中葉，世界各國的國民教育逐漸普遍，知識人口不斷地增加，「啓廸民智」的社教時代，亦隨著時代的巨輪，而隱沒於歷史的浩瀚之中。圖書館面臨這種社會變遷的壓力，也產生了許多新的活動，以資因應。其中最大的特色有二，其一爲分科圖書館的設立；其二爲新興媒體的發展與運用，圖書館學也隨著這種圖書活動上的改革而蛻變，並孕育而成爲「新古典派圖書館學」。

新古典派圖書館學是古典圖書館學中的改革學派。在圖書館的經營上主張重視學科背景，以專科知識和管理技術相結合，因此產生了各種專門屬性的圖書館學，包括學校圖書館學（以敎育爲基礎），醫學圖書館學、農業圖書館學、地圖圖書館學等一連串的分科圖書館學。新古典派圖書館學除了將圖書館的經營按照不同的性質來研究之外，亦做國際性的比較研究「比較圖書館學」便是這樣發展而來的，另一方面新古典派圖書館學，亦把圖書管理的範圍擴大到視聽資料和非書資料的管理，而且儘量著重其學科性和科學性。新古典派圖書館學一直懷舊，試圖將圖書館學推向更爲實用的境界，並挪步社會科學和自然科學的範疇。公元一九三〇年代至一九六〇年間的許多圖書館學的改革者，都是新古典派的核心代表。在這段期間之內，許多新興媒體的圖書資料亦被引進圖書館學的範圍之內，例如視聽資料、縮影資料、非書資料以及非營利性的資料，尤其是政府出版品。

新古典派圖書館學的研究架構，把圖書館形式和“圖書”形式均做了大幅度的拓展，而且也很重視圖書館的各種讀者服務，包括如何利用圖書館，圖書資料的疏通，閱覽室的服務，以及讀者問題的回答等等。傳統派古典圖書館學中的圖書學，已經被發展成爲媒體學（media science），目錄學的方法與範圍，也有相當的改良，凡此種種，新古典派圖書館學，確實把圖書館學推進了一大步，同時也使圖書館工作及圖書館學步向大衆化及社會化的領域，並替現代圖書館的萌芽，埋下了一定的因素。

四、現代圖書館學的興起

自從人造衛星昇空後，人類進入了太空時代，由於一連串的科技競賽，帶動了科技發展的突飛猛進，各種有關知識及相關知識的成長，更是相互交集而呈幾何級數暴漲，因此，在現代化的社會中，我們所面對的是一個極爲複雜的知識系統，在這種背景之下，我們要討論「全民知識的問題」，必須要有一套統合而納入軌道的資訊服務系統，以協助個人或社會上的知識生產與知識消費的運作，以資解決我們所面臨到的問題，現代圖書館學就是在這種環境下孕育而成的。

現代圖書館學是由傳統的圖書館學做爲胚底，融合了行爲科學、傳播科學、資訊科學、電腦科學和科學性的管理學（scientific management），然後，整合而成爲一門新學問面對著即將來臨的被稱爲「資訊世紀」的二十一世紀，圖書館勢必成爲公共資訊系統，和公共知識系統的重要樞紐區，因此現代圖書館學基本上是以“資訊”做爲發展基因，並交力合流各種資訊有關的學門，而以傳播知識資訊，促進知識資訊的成長，以及提高個人和社會上的資訊生產力爲其研究的目的，故現代圖書館學又可稱爲「資訊的圖書館學」。

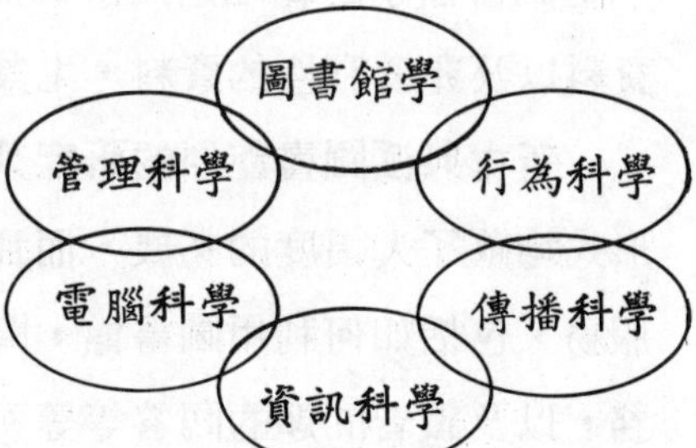

圖書館學
管理科學
行為科學
電腦科學
傳播科學
資訊科學

圖二　現代圖書館學的組成

現代圖書館學的研究架構建築在資訊資源的開發，資訊傳訊的提昇，資訊系統的運用、資訊產品與資訊生產力的發展等方面，廣義而言，凡是和資訊服務系統有關的資訊環境問題，資訊技術問題均包括在研究範圍之內。

圖書館學的社會價值，和圖書館的社會角色息息相關，互為因果。由於圖書館社會角色的變動，也促使了圖書館學的沿變，因此，不論是傳統的古典圖書館學，或者是現代圖書館學，乃至於廿一世紀的新世紀圖書館學，都有其一定的社會功能與價值。

五、 新世紀圖書館學的萌芽

新世紀圖書館學，除了在古典圖書館學、新古典派圖書館學，以及現代圖書館學的基礎上，持續發展之外，新世紀圖書館學的走向，將由「傳統圖書館」的讀者服務與技術服務為學門基礎理論，加上二十世紀七〇年代開始的圖書館自動化、標準化、國際化、消費化等實務趨勢，以及二十世紀九〇年代的網路化、數位化、資訊／信息化和多媒體化的現實環境因素，而必須趨向一個新的領域。

這個以圖書館本體為變動中主軸的研究，無可避免的將由資訊時代的「自動化的圖書館」，再邁入資訊化社會的「電子化圖書館」，然後逐步「數位／數字化圖書館」，再演化為「虛擬數位／數字圖書館」，在新世紀虛擬實境並存的信息環境與社會環境下，繼續生存、繼續服務與繼續發展。

壹、資訊與自動化

「資訊」的界說分散於各種不同的應用層次，基本上，資訊包含了「資料」、「資源」、「訊息」、「電訊」這四個名詞所概括的範疇，經過聚煉而彙成的整體性意義。

資訊的概念

資訊這個名詞起源於英文中的 Information，其意義在用語言或文字來表達特定範圍內具有特定意義的資料，簡而言之也就是可以被人理解和被人接受的訊息，本文乃就資訊的結構，來探討模控學、波動論、量子論，以及二進位數樣論等原始理論的密切關係。

一、資訊的組成與解析

從語意學的立場看，資訊（ Information ）是一種帶有意義的資料，也是一種有機性的資料；資訊這種有機性的資料，是由元素性的資料所組合而成的。

元素性資料也就是英文裏的Data, Data 是一種文字符號，一種數據符號，或是一種特殊符號，例如「丶」「一」「丨」「丿」「乀」是組成中文的文字符號，「A、B、C、D……」是組成英文的文字符號，「 0,1,2,3,4,5,6,7,8,9」是數據符號，「？」「！」「％」是特殊符號，Data 就是符號的記錄， record as symbols. 這種元素性質的資料，本身並不具有任何獨立的意義，只有當它們組合成資訊

Information時才有意義存在；因此海斯在「圖書館事業中的資訊科學」（ Information science in Libraryship ）一文裏，指出資訊是由元素性資料Data 生產而來的，資訊也是Data 處理的結果，這種處理可能是一種元素性資料的選擇Data Selection，也可能是元素性資料的一種組合Organization，或者可能是一種分析Analysis ❶。

當我們瞭解資訊是由各種元素性資料Data 選擇或分析所組成時，相對地，我們也可以知道，一件資訊可以分解成爲若干最簡單最元始的元素或因子；正如同我們知道水是「氫」和「氧」兩種元素組成的，那麼我們也可將「水」分解成「氫」和「氧」，其間的道理是一樣的。

二、連續與非連續的概念

在我們談論資訊理論之前，也就是談論「模控學」之前，有兩個觀念必須要先行思考一下，那就是在基本上，我們可以把各種事務分成爲「連續性」的和「非連續性」❷的兩種現象。

謹舉個例子說明一下，我們有一句成語叫做「麥浪滔滔」。運用這句成語我們來形容整片田野被微風吹過的情景，站在田埂或站在遠處，我們以一個較大的空間投視時，的確我們看到了一整片麥浪，排來倒去的。可是如果我們躬身在田邊或用望遠鏡照視田間時，所看見到的情景就不是麥浪，而是一根一根的麥桿子在搖擺，麥浪之所以爲麥浪，是由許多的麥桿在一起搖擺所造成的，於是乎我們瞭解到把一片麥田看成一個整體時，便呈現着連續性的麥浪，同樣的，把一片麥田仔細的看成一根根的麥子時，便呈現了非連續性的麥桿搖動。這決不是文學家和科學家之間單純地不同看法，而是兩性具體存在的現象，人類的偏向，不會影響到眞實的存在現象。另外一方面而言，任何的一種現象，都可以獲得人類在感性或理性上的應用。

模控學的基本原理就是建立在連續性與非連續性的概念之上，模控學運用到資訊的解析上面時，資訊也可以呈現連續性狀態與非連續性狀態這兩種現象；尤其運用機械來控制資訊的傳遞速度時，資訊的連續性和非連續性兩種現象，更爲顯然與明白，譬如球賽鏡頭的慢動作重播等便是大家都熟悉的應用實例。

三、波動論與量子論

模控學這個名詞是沿用自希臘文裏的Kybernetes ，原意爲船上的操舵者，在英文裏叫做Cybernetics❸，一九四八年時第一次由美國的數學家溫那Nobert Wiener正式加以使用，溫那用「數學的分析」的方法來解說資訊的傳送（The Flow of Information）乃控制過程的應用理論，在前一段我們所談的麥浪與麥桿的例子裏，可以知道由於觀察角度與思考形式的不同，就會產生兩種完全不相同的情況，一種是整體的波動傳播——麥浪，另一種是個別的單體運動——麥桿的搖晃；物理學中的波動論與量子論，也就是指連續性與非連續性的這兩種情況，同時這兩種情況在科學研究的每一個境域中幾乎都會出現。資訊的原理自不例外。

如果我們不去勉強的判定這兩種情況一個爲眞，另一個爲假，而是把觀察角度放在更超然的位置，那麼我們便可發現事物本身是超然的，並不因爲解說的不同而引起任何的改變；對於一件事物而言，所有各種學理的解說，只不過是很接近的解釋了「現象」，但未必能完全解釋事物本身的眞義，連續性的波動論與非連續性的量子論是互相併存而不是單獨存在的。「模控學」即是以這項觀點做爲立說的基礎，一方面利用非連續性的情況，計算設計與檢查各種作業能量與效果，另方面以連續性的情況，促成作業運行，提高進行速度與目標達成。

四、模控學與數學驗證

公元一八二〇年數學家傅立葉Fourier 證明，任何的非連續性方程式，可以改寫成爲連續性方程式，於是發明了傅立葉式「連續函數法」Fourier Series，此法無疑地證明用數學的方法可把非連續性改變成爲連續性。相反地由連續性改爲非連續性的數學方法，一直到一九四八年才由溫那Wiener 發現的數學理論加以證明，在數學界被稱爲「溫那定理」Wiener Theorem。「溫那定理」的出現，使得視爲是連續性的事物，可以用非連續性的個體，脈動狀態的總合來解說，換句話說，溫那定理運用數學上的計算推理方法做爲根據，可以把個體推論的過程，用來研討整體的效應，並且把一項複雜的連續性現象，化成爲較爲單純的個體，以求出個體與整體之間的關係，這是模控學與資訊理論的基礎。

五、二進位資訊的表示法

模控學的這項基本原理，首先被實際運用在資訊的傳播理論上，山農（Shanon Claude）最先研究如何將一件資訊的內容設法分解成爲最簡單的資訊單元？而且這項單元必須簡而不能再簡的，山農研究的最終設計是以二進位系統「是」或「非」兩種方式來表示資訊的單元，這種二進位的數元通常以「筆」bit 做爲單位❹，例如以一盞電燈做爲例子來代表一數元，燈亮的時候表示「是」，燈熄的時候表示「非」。利用這種方式設法把訊息的內容，化解成爲許許多多的「是」與許許多多的「非」，然後用「是」、「非」兩種狀態的單元，改爲脈動電流的方式輸送，或者加以儲存。

如此一來，原先爲連續性的資訊，便可化成個別之單元，再以非連續性之方式加以輸送或儲存，當然反過來也可以把存在於非連續性狀態中的資訊，變成爲連續性的資訊，以便達成人對資訊的辨認，山農的「傳播的數學理論」The Mathematical Theory of Communication 也就是根據模控學的原理蛻演而來的。

六、資訊基因與資訊媒体

公元一九九五年英特網Internet開始發展成為全球資訊網，或稱為萬維網www on Internet，容納了語意、傳統數據與影像三種數據化的訊息，使得資訊科學與技術應用界，高興的找到了資訊的基因DNA，這個資訊基因的組成份子就是二進位的數位bit。資訊基因的發現與實驗，使得所有的訊息都以透過數值化的方式來處理，因而發明了數位照像機，把影像也直接的數位化了，語音的數位化更是早一步的，由於數位電話的誕生而正式的加入了數位資訊大家庭。資訊基因的發現與實驗，使得資訊的傳輸得以獲得一体化的功能與功率，只要資訊傳輸的頻寬問題獲得解決，資訊高速公路上所傳達的語音、文字、圖像和複合媒體均能無障礙的直通無阻，另外，更重要的是資訊媒體之間的轉換也變成可能，只要符合成本效益，資訊媒體之間例如語文轉成語音，動畫語音複合媒體分解成靜態圖片與文字等等，均可達到，這是資訊原理對資訊應用的另一種新貢獻。

七、訊息原理對傳播的影響

基於資訊可以「解」也可以「合」，使得機械可以代替了許多的人腦作業，於是在資訊傳播的輸送上，打破了局部的時間與空間的限制，使得電訊傳播和遠距離傳播不僅成為可能，並且不停地發達起來，同時在資訊儲存的媒體上，也打破了傳統的特質形態，而使得資訊的檢索能夠更為準確與迅速。

資訊原理的發展，使得人類的傳播活動，突破了人類的天賦條件，也使得人類的傳播活動透過讀、說、聽、寫的基本技能之後，到達更新的領域，因為當資訊是連續性狀態時，人類便可在自己的能力範圍之內直接的運用讀、說、聽、寫的技能，來進行傳播活動，而當我們要克服時間、空間的環境時，我們就把連續性的資訊，化解成為非連續性的資訊，交給機械去處理、傳送、儲存；等到我們需要的時候再透過機械復原成連續性的資訊。

這於是乎擴展了我們的傳播範圍，也擴展了我們的傳播能力，更加強了我們的傳播效應，在一般的傳播活動中如此，在圖書館的知識傳播活動中，亦復如此。

資訊原理與傳播的關係到底如何呢？可以從沙瑞史維克（Saracevic）於一九七五年在美國資訊學會會上所指出的論點，而獲得肯定的答案，沙氏認為資訊原理所論述的事項，便是傳播的技術問題。我們要研討圖書館中的知識服務工作；尤其是電腦化的圖書館傳遞工作，和資訊的概念是不可脫節的。

附　註：

❶ IFLA Communications, 1969, No. 1. p. 218-219.

❷ Soergel, Dagobert, Organization of Information, 1985, p. 45-46.

❸ White, H. Library Trends, 1982, No. 21, p. 91-94.

❹ Shanon, C. Computer Today, 1981, p. 51-53.

資訊的領域

由「資」與「訊」二字所組合而成的詞彙「資訊」，代表著一個統合性的概念，它所涉及的知識範疇相當廣泛，包括文字符號、傳訊處理、行為社會、以及經濟生產等四個領域，本文乃探索此四個領域的應用層次及整合性。

資訊二字在中文裡是個新名詞，它的詞齡僅有十歲左右。然而「資訊」是一個人人所耳熟的名詞，例如我們常常會聽人談起資訊週、資訊工業、資訊科學、資訊中心、資訊服務等。可是我們在許多中文字典、辭典和百科全書之中，尚查不到它的定義和界說。

嚴格地講起來，資訊這個名詞所代表的概念，早在這個正式名詞誕生之前，便已存在了。只是早期的資訊概念是由幾個不同的名詞，同時分擔著；每個詞彙都各領一部份的意義。例如信息、資料、情報、訊息、消息等各名詞都曾經被用來表示資訊的意義。但是這些詞彙大家用來用去的結果，總覺得在概念上不夠清楚，在界說上也不甚明顯，似乎上述任何一個既有名詞都不能完全盡達資訊的意義。因為不論是信息、資料、情報或是其他名詞都已經有了他們自己固有的概念範圍，而這些固有的概念範圍早已被人所熟知和有所認定，容或這些詞彙所代表的意義，在解釋上可以延伸涵蓋，或遮及一些相關的資訊意義，却難以完全表達出資訊的整體概念；更無法指出資訊的總體領域。

尤其是一個既有的名詞，當它的界說已經深植人心之後，容或被注入了新詮釋的意思，新舊意義之間的劃分和界定也不是一件人人所能把握和樂於去仔細理解的事情。於是乎大家想到了要創造一個新詞彙，將分散於資料、信息、情報等各名詞中的資訊含義聚合起來，以建立一個完整的資訊概念。當時資料處理界、數學界、電腦界、圖書館界以及各方面的學術界人士，大家紛紛地提出了各種看法，希望能找出一個可以完全代表英文中 Information 這個單字的全部含義的中文名詞。最後，在中央研究院和國立台灣大學的聯合研討之下，終於誕生了「資訊」這個中文新名詞❶。

資訊這個名詞很快地被大家所接受了❷。就這個名詞的字面而言，資訊是由「資料」和「訊息」所組合成的，但進一步推演起來，「資」取自於「資料」和「資源」的資字，「訊」取自於「訊息」和「電訊」的訊字。合「資」「訊」二字所組成的這個詞彙，代表著一個統合性的概念，這個概念就如同文化、科學、社會等名詞所代表的概念一樣，它的領域非常的大，所涉及的範圍也相當地廣泛。而每一個範圍都值得我們仔細地去探討。

基本上，資訊的定義和界說是由「資料」、「資源」、「訊息」、和「電訊」這四塊基石所砌成的一個整體性的概念。當我們從不同的時空、不同的角度，透過不同的基石去觀察、瞭解、和接觸時，便會因爲見人見智而產生不同的體認。自然而然對「資訊」導引出了一系列的界說和定義。

由於資訊所牽涉到的知識不限於單一的範 。因此，正如同任何一個被廣泛應用的名詞一樣，資訊的定義也分屬於各種不同的應用層次裡，我們必須將若干層次內的含義加以統合起來，才能對「資訊」獲得一個較爲完整的認識。簡單而言，資訊的意義可以歸成四個領域說明：

一、文字符號方面的領域

資訊最原始的意義存在於語文符號的應用層次之內。在這個層次裡，資訊就是以我們的習知和設定，賦予文字符號、數據符號、和特殊符號予意義，克布倫曾指出❸：

文字本無意，人們賦其意；

資訊原無意，隨人臆而意；

取其意而謀，用其義而行。

對於一般的人們而言，符號之成爲意義，在於某種符號所代表的意思，譬如我國古代的「結繩紀事」，便是以結繩做爲一種符號，來代表一個意義。當結繩這種符號不能滿足代表意義的時候，便產生了文字，中國文字爲求意義表達上的方便和正確，歷代又產生了許多不同的書法和文法。由此可知，符號不但要能夠代表意思，而且要能夠爲人所共同知曉，和爲人所共同理解。文字符號如此，其他的符號如音樂符號等亦復如此。符號之爲意義，除了單個符號所表達的意思之外，人們可以透過一組一組共同瞭解的符號，達到在彼此之間分享思想，分享態度，及分享消息的基本需要。相反的，如果是一個或一組不可解，或是不被認識的符號，就不能算是資訊。在這個領域裡，資訊就是有意義的訊息和符號。

二、傳訊處理方面的領域

資訊的第二個界說可從物理學上的現象說起。就物理而言，任何事物均可呈連續性與非連續性兩種狀態存在，這兩種狀態並且可以互相地轉換。原先資訊的傳佈，都是以人工方式進行的，也就是以非連續性的狀態進行資訊轉換，自從數學原理中的「傅立式連續函數法」與「溫那定理」被應用到資訊處理上並產生資訊理論後；資訊的傳佈與轉換，逐漸地偏重機械處理❹。例如，資料庫的建立，自動化索引的服務等，都是連續性資訊處理的某一種結束。文獻資料與元素資料兩者之間的轉換都是資訊處理（分析、組合）的主要流程。曾經數度來華出席會議的美國加州大學圖書館暨資訊科學研究院院長勞伯·海斯指出：資訊是由元素性資料Data生產而來的，資訊也是元素性資料處理的結果，這種處理可能是一種選擇、一種組合或是一種分析❺。因此，在這個層面裡，資訊的意義就是訊息符號的處理與轉換。目前，許多人認爲資訊的發展應該和電子計算機的發展有更密切的關係，便是向這個界說所延伸出來的觀念，因爲大量的將元素性資料Data 加以分解和組合，惟有仰賴機械處理，尤其是電子計算機的處理才能達到效果。更由於電子計算機的功能和影響力，逐漸地達到弗遠而至的地步，時下我們的社會人士中，許多人誤認爲資訊即是電腦，也可以說是由此導源出來的。事實上，電腦只是處理資訊的機器；電腦硬體設備的作用在於接納、載負、傳遞資訊、電腦軟體程式的作用在於安排方法、程序以分解，結合資訊。在這個領域裡，資訊就是可以傳遞和分解，組合的訊號和資料。

三、行爲社會方面的領域

資訊的第二個界說係以行爲科學上的認知價值而言。曾經擔任美國資訊科學學會會長及美國尼克森總統資訊政策顧問，並於去年九月中旬訪華乙週的約瑟夫·貝克說：「當我們呱呱墜地時，便已接受了資訊」❻。誠然，人們自初生而後長大，隨著年　的增長，我們不斷地接受各種的資訊，包括自然的資訊，例如日常生活所產生的資訊；和經過組織的資訊，例如閱讀書報、課堂聽講。另方面，我們也不斷地生產資訊，這兩種自然的資訊與經過組織的資訊。個人的情形如此，社會的情形也是如此，每一種社會都需要一定程度的資訊，原始的社會由於行爲和活動的能量小，所需的資訊也就少，相反地，愈是邁向開發的社會，由於個人活動的能量已提高，社會團體的行爲也愈趨繁密，因此所仰賴的資訊便跟著增多，尤其在準備步入二十一世紀的當今社會更是一個錯綜交流的社會，資訊已成爲是一項不可或缺的活動能源。從行爲科學的角度而言，個人的智慧與社會的知識，都是起自於資訊的活動。一個高度發展的工業社會 post industrial society 對於資訊活動就更爲重視，因爲它更加需要智慧的溝通和結合，以組織「人」的社會。因此，在這個社會行爲的領域裡，資訊就是人類活動的基本的能源。

四、經濟生產方面的領域

根據一九七四年聯合國教科文組織召開關於「全盤規劃文獻處理，圖書館檔案基本架構」的政府之間國家資訊系統會議時❼，與會代表們認爲資訊是一種實質體的財產、商品或資源，這種概念把資訊視同鋼、小麥和電力一樣，認爲資訊是一種經濟資源，這是資訊的第四個界說。該次會議亦認爲創建一個現代化的社會，最主要的工作是將文化、科學、技術的知識，傳播至社會上的各行各業去，這種知識推展工作，大半係仰賴政府機構，或民間團體機構，利用各種媒體如印刷等，才能達 目的。美國圖書館學資訊教授威廉凱茲指出：資訊是一種社會財產，不論是中央政府和地方政府都有責任獲取資訊，供給民衆❽。這表示資訊是一種社會性的事業，正如同其它的生產事業和經濟事業一樣，需要大家普遍的參與，廣泛的支持。但是，本國生產的資訊不一定敷本國的需要，各種不同類型的資訊，往往在各個國家之間相互支援。因此，資訊不僅是一個國家的資源，也是一種國際資源。這種資訊經過適當的提煉或加工，便可以像其它的商品一樣，進行流通，以達到消費的目的。在這個領域資訊是一種可供開放，和生產的知識資源。

資訊工業的誕生，也就是把資訊當做是一種強而有力的生產財貨，然後以工業經營的方式而爲之，以求取經濟上的利益。

總合而言，資訊的領域不但包括了「資訊學」Informatics所探討的許多範圍，同時也包含了資訊工業所涉及到的各種相關問題，資訊意義的領域，正如宇宙中的星系一樣，急待人們去探索，去瞭解。

附　註：

❶ 根據國立台灣大學前任校長閻振興在「資訊系統研討會」上的致詞所作的透露。詳見資訊系統研討會會議實錄；民國67 年7月28日～29 日，行政院國家科學委員會科學技術資料中心，第三頁。

❷ 例如華人圖書館界率先出版了乙份取名「圖書館學與資訊科學」的期刊：台灣大學也成立了資訊工程學系；接著資訊工業策進會也成立了。

❸ Kaplan, Abraham, 1965, The Age of the Symbol. A Philosophy of Library Education in the Intellectual.

Foundations of Library ed by D. R. Swanson, Univer--sity of Chicago Press, P. 8.

❹ 顧敏著「資訊的概念」乙文，刊於教育資料科學月刊，第十五卷，第一期，第26-27頁。

❺ Hayes, Robert M, Information Science in Librarianship, IFLA Communications, 1969. No. 1. P. 218-219.

❻ 李德竹譯「資訊科學概論」。

❼ Intergovermental Conference on the Overall Planning of National Documentation, Libraries and Archive Infrastructures in Paris, 1974.

❽ William Katz, Introduction to Reference Work. Vol. II. 3rd, ed. 1978. P. 40.

資訊與文化發展

個人氣質可以集合成為社會氣質，
而社會氣質即構成了一個文化的主體。
一個社會的資訊活動如果是積極的，
資訊交流活動亦就愈頻繁，更能孕育
培養出一種被認同的文化素質。

資訊屬於一種極爲重要的國家資源和國際資源。資訊工業則是資訊的開發事業和生產事業，目前資訊工業的發展，趨向於應用電腦作業。但是任何一個電腦系統，或是任何一項研究計畫，都少不了資訊，若是缺乏資訊的有效支援，這項計畫或系統便無法生存。當然「資訊」這個名詞如同其他一個廣泛被應用的名詞一樣，它的界說往往分散於各種不同的應用層次裏，並且在短時間內，難以取得一個簡單及清晰的概念，必須將若干層次的意義加以統合起來，才能獲得較爲完整的認識。至於資訊的需求，是人類的一種基本需要，尤其是處在資訊時代的今日，每一個人的資訊需求，除了是個人本身的問題外，也是一件社會的事情。

一、文化即社會內涵

人類的生活具有很濃厚的羣體性，從家庭（族）、鄰里、省郡到國家，都是以個人爲基礎而組合成的羣衆體。這種因共同目的而生活在一起的羣衆體，由於接受共同的生活模式，而形成相互工作，相互享有權益的團體，統合起來都稱之爲「社會」。

社會由許多個體組合而成，每個個體之間有相同點，也有相異點，同異之間的共同認識便是價值的問題，每一個社會均依靠着價值系統的認同和信仰的共通性，而架構成一種特定的生存形態，因此，中國人有中國人的生存型態，阿拉伯人有阿拉伯人的生存型態；中國人的生存型態建立在中國人對價值系統的認同，和對信仰上的共通性而形成的，阿拉伯人或其他人的固有生存型態也都如此。

任何一種的生存型態都不是一朝一夕驟然間形成的，人類學家認爲，任何一種社會都需要憑藉着一股內附力量或凝聚力量，才能發展和運成一定的社會力。任何一種不同大小性質型態的社會，如果缺少了內附力量和凝聚力量時，這個社會的機能即將逐漸衰退，這股具有維繫情質和左右作用的內附力及凝聚力便叫做「文化」。

每一種社會必有屬於該社會的文化，中國的社會綿延了五千年以上的時間，便因爲所謂的「中國文化」這股內附力維繫了五千年的時間，近百餘年來，中國社會波瀾迭起，也是因為中國文化遇上了風雲際會的影響而產生的影響。

一個單純的社會，它所屬的文化也是單純的，一個複雜的社會，它所屬的文化也是複雜的，若一個社會的文化消失了，該社會也就要消失的，相反地，文化若發達起來不斷地長進，該社會便一定會興旺起來。

每一種文化都是總合體，這個總合體包括了物質與方法的發明，藝術上的探尋，理念與信仰的養成，並且基於各種成份綜合的結果，而形成一種特別的氣質，便是一種文化人格包括了學養及道德勇氣。

由個人所集合成的社會氣質，則往往代表了一個文化的主體，也顯示了一個文化的價值與力量，因此，所謂的文化發展，也就是在於培養一種社會的氣質。具體的講起來，就是要從物質與方法的發明，藝術上的探尋，理念與信仰的養成等方面去着手，待社會上孕育了這種氣質之後，文化便發展起來，整個社會也就朝着發展下去。

二、發展文化的導因

發展文化必有其動力，這些動力就是發展文化的因素、包括物質設備、學識和社會組織三方面。

(一) 物質設備的因素

物質設備指的是各種工具與機械，我們人類運用了各種零星的和成套的物質設備，而可以履行許多的工作，從石器時代的石刀石斧，進展到金屬陶瓷的器具，再進展到今日的電子光學器具，在本質上這些都是物質設備，物質設備的演變是人類外在經驗的具體表現。

老實說，我們對於文化的評鑑，有一部份是依據物質設備的演進而評給的，在考古學上，我們往往推算一個一個民族，開始於何時懂得鑄鐵，而給予相當的文化評分；現在，我們又以一個社會使用了多少架的電子計算機，而給予該社會現代化的評分。不錯，物質設備的確是一種文化的結果。但不是文化的惟一結果，如果物質設備脫離了其他兩項因素的配合，物質設備的本身將無法進一步的求取發展，甚至也難以繼續保存，不過，可以肯定的是物質設備對於文化的發展，具有一定程度的作用。

㈡ 學識的因素

學識指的是各種知識的總合，一個人的學識是這個人所擁有的各種知識的總合，一個社會的學識是這個社會所擁有的各種知識的總合。知識的種類很多，包括驗證的知識，理論的知識，信仰的知識，言理的知識，傳言的知識，想像及創見的知識等。

從各種知識綜合觀之，我們可以追溯出人類立本的哲學體系，找出個人與個人，或個人與整體之間的關鍵性，進而求出人類在天地之間的生存之道。

人類運用學識追求生存之道，而發展出具有知性和靈性的文化氣質來。一個社會的文化氣質，取決於該社會中大多數人對生存之道的認同而形成的，古代東方人的生存之道是天人合一，西方人的生存之道是天人相抗，因此，東西方社會所孕育出的文化氣質也是不同的。仔細辨別近代西方社會原講求的是不斷的開發資源，不斷地使經濟成長的生存之道，而最近所講求的是管制能源和避免污染的生存之道，其文化氣質和十年前的文化氣質是不同的，究其原因，就是他們對於生存之道的認同，有了改變，而這改變便是整個社會在知識上的一種改變，世界其他地區的情形也是如此的，知識對於社會發展的影響是一種根本的影響。

㈢ 社會組織的因素

社會組織指的是各種機構和單位，包括教育事業機構，公私立各種營業單位，以及政府和議會都是社會組織。社會組織是從社會而來的，有社會便一定有社會組織，從表面上看來，社會乃是許許多多的「獨立而各行其事」的個人，若仔細探視一下，我們或可發現社會中許許多多的個別行動，都含有一定程度的「規範」，也都有某一程度的連繫性存在。

這種若似有形却無形，若似無形却有形的規範，便是社會組織的具體表徵，例如學校、議會等即爲具體而有形的社會組織，也有一些社會組織並非如此的「具體」，中國傳統的廟會便是一例，簡而言之，有人羣的地方就有社會組織。

社會組織可以產生一個文化，保存一個文化，也可以延伸一個文化。社會組織提供了社會中每一份子一個適當的參與機會，供其表達，供其交流，供其融匯。社會組織是文化氣質的鞏固者，也唯有各級社會組織，可以駕馭和確保文化。

個人固然可加入不同的社會組織，得到不同的社會經驗，承受不同的文化氣質，同樣的，一個社會組織因容納不同的個人，而有機會獲得各種的意見和各方面的支持，並且朝着一個更加完整的方向去努力，社會組織的健全發展，必然有助於文化的擴散與發達。

三、資訊推動文化

物質設備、學識和社會組織是發展文化所不可少的因素，這項因素必須要訴諸於人的行為和活動，方能產生推展的功能。

人的行為和活動，一般而言，取決於人對於資訊的反應而定，這種反應包括對資訊的運用和判斷，不論是學習使用物質設備的行為，熟習知識的行為和參與社會組織的行為，均取決於對資訊的反應而定，例如一個人能順利的接受關於某一種器具的操作說明，此人便能順利的操作該器具。所以，資訊是現時代每個人的必需品，以一個人成年人的資訊需求來說明，它包括了下列幾種基本項目。第一：基於日常生活及社會行為上的資訊需要，例如搭乘交通工具的資訊需求，上市場選物的資訊需求等。第二：基於休閒娛樂上的資訊需要，例如看電視的資訊需求，打球或戶外活動資訊需求，及培養興趣的資訊需求等。第三：基於專業工作上的資訊需要，例如各行各業的專門資訊需求；商業有商業的資訊需求，工業有工業的資訊需求，農業有農業的資訊需求等。第四：基於教育行為上的資訊需要，例如參加某社團的資訊需求，學習語文的資訊需求等。

二個以上的人對於資訊的反應，便形成一種資訊交流，譬如一個人對於某社會機構特別感興趣，一方面經常聽取來自該社會機構的訊息，而自己更經常向該機構提供看法想法和意見，亦即提供資訊，則表示此人的資訊反應是積極而豐富的，他的參與行為也是積極而有作為的，這種行為包括了「對資訊的接受」及「對資訊的表達」兩個部份。簡而言之，資訊行為的目的就是為了分享訊息，相互的分享訊息。

資訊的表達是多元化的，舉凡語言、文字、畫面、聲音等都是表達資訊的主體。從社會的角度而言，每一位作家，以及每一位畫家、雕塑家、音樂家、攝影家的作品，便是該作家、畫家等所要表達的資訊。資訊表達的方式則包括口述的、錄音的、書寫的、印刷的等，在這些方式中許多是人工的，有一些是機械處理的。

換句話說，資訊的表達方式也是傳播的方式，就理論上的劃分而言，傳播是一項過程，一項安排資訊傳遞的活動過程；資訊則是傳播的訊息，代表一項思想、知識和態度的訊息的活動。資訊行為和傳播活動都是呈雙向發展的，分別包括了接受資訊和送出資訊。接受資訊是一種資訊的消費行為；

送出資訊是一種資訊的生產行爲。

資訊的大量生產，以及資訊有其大量的消費市場，導發出一項新組合的事業，就是資訊工業。資訊工業可以劃分爲兩大類，一類是資訊製造工業，另一類是資訊技術工業，所謂資訊製造工業是一種直接生產資訊的工業，其產品便是各種資訊的消費品，其工業基礎建築於媒體工業、傳訊工業、資料系統與管理系統之上，並經過了一定程度的統合而成，資訊製造工業的目的是以資訊消費者用品爲主，而以技術成品爲副，換句話說，資訊製造工業便是推廣資訊消費的工業，與國計民生、社會活動有更直接的關係；資訊技術工業是一種獨立的精密工業，其產品主要爲電腦系統、軟體系統及傳訊系統，其工業主要建築於電腦工業、傳訊工業、軟體系統和資料（資訊）系統之上，並因着組合的取向，會形成各種重點不同的資訊技術工業，資訊技術工業的目的是以技術成品爲主，著重的是技術的推展與更新。

資訊工業所用的資源，主要的是來自於腦力知識的應用，而知識資源如同森林資源一樣，可以靠培養而生長，只要有計畫的培養，資訊工業的原料必定是源源不絕的，此外，資訊工業所用的物料沒有污染性，不會破壞生態的平衡，其消費者也不會剩留污穢之物，不致產生環境污染的問題，它具有極大的經濟利益，是一種具有生產力的事業，行政院政務委員李國鼎先生認爲資訊工業是一項值得投資的新工業。

一個社會的資訊活動如果是積極的，這個社會所孕育成的氣質也是積極，一個社會的資訊活動如果是散漫的，它所形成的氣質也將帶有濃厚的散漫色彩，也就是傳播活動愈頻繁，資訊的交流也愈頻繁，也愈能推動和培養出一種被認同的文化氣質。總而言之，資訊透過資訊工業的發展，而普及成了全民相關的事業，目前我們惟有先建立起全國性的資料系統或各專業科目的分科資料系統，才能完善地發展一個全面的資訊社會，發展資訊社會的用意，一方面是爲了聚集許許多多的資訊資源，另方面也是爲了集合大量的智慧財產，因爲惟有擁有大量資訊資源和智慧財產的民族，才不致於遭到文化上的煩惱，同時也才有資格建設成爲一個文化大國與文明大國，今天我們提倡文化建設與文化發展，就須認識重視資訊活動的力量，並且積極地妥善處理有關資訊發展的問題。

圖書館自動化的理念

過去幾年中，推動圖書館自動化工作的最大成果，在於培養了大眾對自動化的共識，同時也在實務經驗中，了解如何建立圖書館資訊系統，但是若要更進一步擴展資訊服務時，顯然還有很多管理上及技術上的問題，需要運用適合的資訊理念，以克服這些困難。

一、為什麼圖書館要自動化

圖書館自動化作業在本質上是將圖書館事業從「圖書館的農業社會」帶進到「圖書館的工業社會」。為什麼圖書館要自動化？這個問題的另一種正面註解應該就是為什麼圖書館要工業化？

早先的資料及資訊服務，多半是由資料使用人提出要求後，圖書館才給予服務。圖書館員本身並未有「資訊消費」與「資料市場」的概念。圖書館所提供的服務都是屬於個別生產的服務，對於滿足諸者的需求，也是屬於個別性的單獨作業，圖書館只要小規模的生產資料與資訊，便可逐一地滿足諸者社會的需求這便是圖書館的農業社會。

隨著資訊社會的來臨，資訊需求量大幅度的提　，資訊消費市場在無形之中形成，傳統性的圖書館服務，已經不能完全滿足讀者的資訊需求，圖書館從業人員必須主動的去瞭解資訊消費的動向，配合資訊消費市場的需要，生產提供各種的資料與資訊。這是現代化圖書館在服務上的一次重大轉型與突破。換句話說，圖書館的服務工作，也要邁向制式化、標準化、以及品質控制下的數量化。這種轉變是一座運用傳統作業方式的圖書館所難以勝任的，圖書館只有走向自動化，才能面對新興的資訊消費者。

公元一九六〇年代至一九七〇年代，圖書館雖應知道需要自動化，應而很少人眞正知道「爲什麼圖書館要自動化？每當人們談論推動圖書館自動化時，總是以節省人力和節省物力做爲自動化的主要績效，和做爲進行圖書館自動化的有力理由。其次，才論及其他的功能，維那氏（Allen Veaner）在一九七六年論邇美國政府機構的圖書館自動化時，提出了比較正確而且具體的理由，他認爲有三大目的：

㈠節省人力物力，更精確、更迅速（Less Expensively, More Accurately, More Rapidly）。

㈡進展人工系統所無法有效完成的工作（Do Something in Manual System Overwhelming Volume of Processing）。

㈢開發新的功能與新的服務（New Functions,New

Services ）。

維那氏所提出的三個目的，前二項是任何自動化作業的共同基本目的，第三項則是具有相當伸遡性的；圖書館因自動化作業而發展的新功能與新服務究竟是什麼？也許有賴實際從事自動化的圖書館，自己去運用智慧開發功能與服務。但是，無論是那種類型的圖書館，總是以生產「書目性的資訊產品」，做爲其自動化後的生產力表現，也惟有這種資訊生產力，才能試圖解決因諸者的資訊需求，所帶來的業務壓力，如果這種資訊生產力是因應需要的，將能促進資訊消費的行爲，並引導整個社會走向高品質的資訊消費與知識成長的循廻道上去。

因此，圖書館如果要自動化，它的基本目的不是在於表面的節省人力和節省金錢物力的期望。而是爲了能夠大量的生產「書目性的資訊產品」，以一種新的，且具有工業化作業精神的服務制度，來滿足圖書館社會和大衆社會的資訊需求，使大家眞正的邁入資訊社會，享受資訊社會的福祉。

二、效益是自動化的溫度計

推行圖書館自動化作業的基本目標，在於把圖書館事業從「圖書館的農業社會」，帶進到「圖書館的工業社會」，並且以一種新的，具有工業化作業精神的服務制度，來滿足圖書館社會和大衆社會的資訊需求。如果這個目標可以持續維持而使其成長之，則圖書館自動化作業可引導此項事業，步入高度發展的資訊工業社會。由此亦可發現，圖書館朝向自動化發展的極終目標在於促使圖書館界的資訊社會，成爲人類大社會即資訊社會環節中的核心環節。

一年前，中國圖書館學會會務通訊第四十一期，曾以「爲什麼圖書館要自動化？」做爲「大家談」專欄的話題，這個話題我一直認爲很値得深思與探討，上面這一段文字，便是我認爲「爲什麼要」的原因，從會訊上我們更看到了各位同仁從各種層面上提出看法，但是大家的一個共同的，但沒有明說出來的意見是——「我們需要自動化」❶。圖書館需要自動化幾乎已是一個不可抗辯的事實，但是，我們需要的是怎麼樣的自動化呢？我們應該需要是一個符合「效益」的自動化作業，因爲一個不符「效益」的計劃，將無法生存下去。十五年前，國立清華大學物理系教授蔣亨進先生等人，利用 IBM 1130 的電腦，在清華物理中心圖書館，進行了兩項圖書館自動化的嘗試，其中一項是利用電腦處理而印製了一份物理中心圖書館的圖書目錄❷，這項試驗有了成果，但是就利用電腦的整體效益而言並不成功，大家覺得費了這麼多功夫所印製的目錄，並不見得比卡片目錄「運用自如」；蔣先生等人的另一項試驗目標，是準備把各種物理方面的英文期刊目次，利用電腦按照主題重新整編，以提供研究或教學之需，當時筆者剛剛在清華大學擔任西文編目的工作，腦中只有美國國會分類法，和主題標目表，而沒有索引典的觀念。因此，雖然和他們討論過「期刊管理」的問題，却沒有能夠對這項試驗，提供任何的幫助，這項試驗也是因爲「效益」的原因中途而廢。

效益是自動化作業的溫度計，十五年前清華大學的試驗，告訴我們惟有具有投資效益的自動化作業，才値得維持下去。從另一方面而言，進行自動化作業之前，須要先從效益方面加以分析，但是效益並不等於省錢，在一九八一年Richard De Gennaro曾說：「當十五年前我們開始利用電腦時，我們原以爲可以節省金錢，但是很快的，我們就意識到，在自動化作業中不能夠省錢，自動化的好處是使得圖書館的服務更有效率，以及能夠提供更多的服務」❸。圖書館自動化的效益，不在於節省現有的人力、物力，而在於提供許多未自動化作業時，所不能提供的服務，例如資訊檢索就能夠提高現有服務的效率和品質。

三、自動化是系統性建設

根據海斯（Robert M. Hayes）和貝克（Joseph Becker）這二位資訊科學先驅者的意見，圖書館電腦化資訊作業可分爲事務性的電腦化作業，參考服務的電腦化作業，作業研究的電腦化作業三方面❹，簡要說明如下：

(一) 事務性方面的電腦化作業

事務性的電腦化作業包括採購作業系統，編目及索引作業系統，連續性出版品作業系統，圖書館圖書出納系統，以及圖書館財務及人事管理等作業。這方面的作業其主要目的係以維持圖書館日常工作爲導向，電腦科技最早應用在圖書館領域的，就是這方面的作業，一般的圖書館也以此方面的作業，做爲自動化的開端。

(二) 參考服務方面的電腦化作業

以參考服務爲導向的電腦化作業，西方國家曾投入大量的人力從事研究與開發，從六〇年代開始發展資訊儲存與檢索，如醫學文獻分析檢索系統MEDLARS ，一九七六年以後，則以參考服務爲導向的電腦資料庫，紛紛建築完成，而產生了資料庫服務系統如DIALOG 。此方面的電腦化作業，在其初期亦被稱爲智慧性的處理 intellectual processes ，其意思是終端機上的檢索者，可以利用日常的語言進行檢索。就以DIALOG資料庫服務系統而言，至一九八五年元月時可提供各種參考性的資料庫達二百六十七個之多❺。

(三) 作業研究方面的電腦化作業

圖書館的自動化作業把圖書館事業從「圖書館的農業社會」帶進到「圖書館的工業社會」❻，因此，圖書館面臨着如何進行科學管理的問題，以適應內在、外在資訊環境的變化，而能達成一個現代化圖書館的應有功能。此方面的電腦化作業，在於把作業研究與系統分析等管理科學上的方法，引用到圖書館資訊系統整體作業之上，運用企業管理的方式，應付圖書館由點至線，由線發展到資訊交流網的經營需求。換句話說，一個圖書館的服務如果達到了「工業化」的分工階段，或者是進入了更高度發展的階段時，就必須進行這方面的電腦化作業。

上述三方面的電腦化作業，分別對於圖書館的日常事務管理，參考資訊服務，以及行政決策具有重大的意義。基本上而言，一個進行初期自動化作業的圖書館，至少需要做到能夠提供該館的書目性紀錄，以協助讀者透過資訊檢索直接取達方式，而充分運用到館藏資料❼，同時，也要漸進顧到資訊分享性的參考服務自動化作業，提高資訊消費的環境，再進而統合到作業研究的範圍，使得圖書館能夠用一種新的，具有工業化的精神和制度來經營，以滿足圖書館社會和大衆社會的資訊需求。我們必須體認，自動化是一種循序的系統性建設，惟有高瞻遠矚的資訊政策，配合良好的設計架構，而後逐步發展上去，才能發展成爲具有實質意義的資訊系統。

四、自動化提昇資訊生產

「圖書館生產力」是筆者最近的一個概念，傳統性的圖書館生產力非常地薄弱，主要以媒體加工及其副值生產爲主，亦即將圖書館採訪作業所徵集到的各種圖書資源經分類編目作業後貼上書標、書卡等加工作業，以及生產圖書目錄卡片，少數圖書館則另生產定期或不定期的册裝目錄，因此，圖書館的生產力被認爲和資訊生產沒有直接的關係。進行自動化作業的圖書館在生產力方面有顯著的改變，不但在媒體加工的生產方面，大量的減低了成本，如原始編目的減少即可顯著的降低分類編目的成本，而且也可提高媒體加工及其副值生產的產量，例如可以按照檢索款目直接檢索款目的增加，而輕鬆的增加不同需求的目錄片。

圖書館利用電腦所進行的自動化作業，應該是能夠大量的生產「書目性的資訊產品」❽例如採購作業系統可以生產「各種」新書書訊；編目及索引作業系統可以生產各種主題書目及期刊目次；參考性資料庫可以生產各種含有摘要的專業性書目資訊；以及各種統計性或全文性的資訊，更由於索引典的成功發展與運用，書目性資訊產品的品質大為提高，因此，圖書館遂成為「第二類知識❾資訊產品的重鎮。電腦應用到圖書館作業之後，徹底的改變圖書館生產力的基本結構，使得圖書館擁有了資訊生產的能力。資訊生產力將成為評鑑圖書館自動化作業是否具有效益的一項要件。

五、自動化促進資訊消費

自動化改變了圖書館的資訊生產力，也造就了一個嶄新的資訊環境，這個環境對於圖書館工作人員，圖書館的讀者群，各種學科的科學家，以及教育和研究工作人員，都帶來了一定程度的影響及衝擊。以目前世界各國的情況看來，系統化的資料處理，和快速的資訊運輸，使得大家的資訊行為和腦力活動產生了多元化的變化，這種變革使得知識消費量和知識生產量均大幅度的增長，尤其值得重視和注意的是，知識消費是在個人的總資訊消費量中，愈來愈佔着較大的百分比，因爲在非自動化的資訊環境裡，人們對於娛樂性資訊和生活上的資料之取得，遠較對於知識性資訊的取得來得容易，而自動化後的資訊環境，則知識性的資訊有如翻開報紙，打開電視一般的可透過電腦終端機「信手拈來」。

個人平均知識消費量的累積，使得一個社會的知識消費量，在該社會的總資訊消費量中所佔的比例亦大爲提高，一個社會的知識消費量和該社會對於「高層文化發展」所擁有的創造力成正比。圖書館在朝向自動化發展的過程當中，負有改造一個社會的資訊消費結構的使命——以自動化所能帶來的資訊產生力，規劃知識消費市場的需求，並導引出資訊服務的發展方向。在知識傳播系統的概念裡，圖書館原本擔任着知識生產和知識消費的中游區域⑩，這個區域交滙着知識生產和知識消費活動，其中知識消費活動是一項顯性的活動，自動化作業使得圖書館在知識傳播系統中所佔的「中游」地位更爲突出，也使得在推動整個社會進步上所擔任的角色更爲鮮明，這是自動化的社會價值之所在。

六、建立公共資訊的新世紀

圖書館的自動化資訊作業，有別於銀行，事業單位，政府部門的自動化作業，也非一般以檔案管理爲主的辦公室自動化作業可比擬，他們之間的不同，並不是在於資訊系統所應用的基本結構之不同而不同，而是在本質上有所不同，圖書館自動化的本質在建立公共資訊系統。

任何一個資訊系統基本上包括了二件事，其一爲如何建立資料庫，以及維護其成長，其二爲如何檢索到資料庫裡的資訊，前者所涉及的知識大部份屬於電腦科學的範圍，後者所應用的知識主要的是屬於資訊科學的內涵。隨着電腦語言由第二代的組合程式如Assembler，進步到第三代的編譯語言如商用程式語言COBOL，PL／1，培基BASIC等，再進步到第四代電腦語言如LINC等，而使得資料庫的建立工作及維護作業，逐步的因電腦內部系統的簡化而產生更高的效率，另方面由於電信Telecommunication 和電腦的結合，以及檢索系統的開發，而使得公共性的資訊系統能成爲一個事實。

基於公共性的資訊系統，宜設置於公共的場合，才能提供公衆的資訊消費，因此圖書館便成爲公共性資料系統的理想消費站，如果以美國圖書館爲例，在一九八四年夏秋之間，各類型圖書館均紛紛的運用微電腦的設備，提供公共檢索服務；其中包括 43.8 ％的公共圖書館，45.7 ％的大專院校圖書館，26％ 的專門圖書館⓫，目前該國的公共圖書館平均擁有2.3座微電腦，大專院校圖書館則擁有4.5座，專門圖書館每館平均有3.7座微電腦，如果把各館的終端機算上去，做爲公共檢索用的設備數目就更可觀了。圖書館的資訊系統一定要以提供公共檢索爲目的，這種公共檢索可以使人們在圖書館中，或者是在家裡透過終端機而檢索各種生活上的、教育上的、專業上的，甚至於是娛樂上的資訊。尤其即將來臨的廿一世紀，將是以資訊爲主導的時代，爲使國民都能夠成爲資訊世紀的時代者，以圖書館爲主要消費的公共資訊系統必須要加以規劃與發展。

附　註：

❶ 顧敏「爲什麼圖書館要自動化？」中國圖書館學會會訊第41 期（民國73 年，11 月）：第16-17 頁。

❷ 顧敏「我國台灣地區圖書館自動化資訊服務的發展」（英文稿）國際資訊管理學會一九八五年亞太地區資訊與縮影管理會議論文集（台北：該會，民74 ）：第629 頁。

❸ Richard De Gennaro, "Libraries and Network in Transition: Problems and Prospects for the 1980's" Library Journk 106 (May 15, 1981), P. 1084.

❹ Robert M. Hayes and Joseph Becker, *Handbook of Data Processing for Libraries*. 2nd ed. (New York: Becker Hayes, 1974), P. 5-6.

❺ DIALOG Information Services, DIALOG Database, (CA: DIALOG Information Services, Inc., 1985) p. 58

❻ 同註❶

❼ The Cooperative Automation Group,"Proposals for a UK Library Database System," *Uk Library Database System and Union Catalogues: Proceeding of a Seminar Organized by the Cataloging and Indexing Group*. (London: Library

Association, 1983), p. 11-14.

❽ 顧敏，「爲什麼圖書館要自動化？」中國圖書館學會會訊第 41 期（民 73，11 月）：第 16 頁。

❾ 顧敏，「專題書目與圖書館資源示意圖」書藝，第 22 期（民國 74 年，6 月），頁 22。

❿ 顧敏，「知識傳播與圖書館服務」圖書館學探討（臺北：楓城出版社，民國 70 年），頁 261-263。

⓫ John Berry, "Library Use of Microcomputers: Massive & Growing," *Library Journal* (Feb 1, 1985), p. 48-49.

圖書館自動化的範疇

全面性的圖書館自動化應該包括圖書館書目管理資訊系統、參考諮詢資料庫資訊系統、圖書館作業研究資訊系統，圖書館辦公室自動化資訊系統等四個部份，現代圖書館從業人員必須確定自己的資訊政策，才能決定自動化的推行層面與規劃方案，然後方能達成自動化的目標與效益。

圖書館自動化是現代圖書館從業人員的一項重大挑戰。面對以資訊發展爲主導力量的知識社會，圖書館的資料及資訊服務，在今日亦必須由圖書館的傳統服務方式，邁向資訊化的服務方式，前者好比圖書館的農業社會，一切知識活動的能力，及其所發揮的資訊能量均較爲有限；後者則是圖書館的工業社會，各種服務活動的能力大爲提高，所散放的知識與資訊能量亦大爲增加，使得圖書館成爲公共社會的知識與資訊之消費市場。圖書館的工業社會導因於圖書館自動化作業的發展，圖書館自動化也改變了圖書館在社會中的地位，另一方面而言，圖書館自動化也促使圖書館在教育及知識上所佔的結構性角色及份量日趨明顯而重要。

一、圖書館自動化的政策

目前一般所稱的圖書館自動化，係指用以建立電腦化資訊系統爲目的之圖書館自動化作業。建立這種圖書館自動化資訊系統，其所涉及到的問題相當的廣泛，不僅僅是電腦技術的應用問題，也包含了資訊發展的環境問題及資訊資源問題，例如資訊人口問題便是其中的重要問題之一。另外一方面又干係到資源政策方面的問題，因著資訊技術、資訊環境、資訊資源、資訊人口，每一個發展圖書館自動化作業的單位，必須要確定起自己的資訊政策，有了資訊政策才能決定自動化的推行層面與規劃方案，也才能夠完成自動化的目標和效益。

二、圖書館自動化的特質

圖書館自動化的效益，不在於節省現有的人力、物力，而在於提供許多未自動化作業時所不能提供的服務。圖書館自動化作業也是一種循序的系統性建設，這種建設一方面要把現存的人工作業方式，加以規定成爲制式的作業流程和標準化的品質，然後以具有工業化的精神和制度來經營圖書館的各項服務，如此便可提高圖書館的資訊生產力。以現有的電腦科技技術而言，圖書館自動化作業，可以大量的生產

「書目性的資訊產品」，這有助於徹底改善圖書館生產力的基本結構。由於資訊生產力的改變，也就可以造就了一個嶄新的資訊環境，以引導圖書館的讀者群，多多的消費知識與資訊的供應，尤其公共性的資訊系統，勢必是以圖書館爲主要的供應基地和服務站，如此一來，圖書館在知識傳統體系中所佔的「中游」的地位更爲突出，也使得圖書館在推動整個文明進度的巨輪時，所擔任的角色更爲鮮明，更爲重要。

三、圖書館自動化的層面

筆者在一九八六年圖書館事業合作發展研討會上，首向中外圖書館及資訊科學學者提出了一個請大家來思考的問題，那就是全面性的圖書館自動化，到底應該包括那些範圍與層次，當時個人向大會所提出的爲了迎接廿一世紀的資訊世紀，一個全部自動化的圖書館，可以包括下列四個部分：

㈠ 圖書館書目管理資訊系統

Management Information System for Bibliography。

㈡ 參考諮詢資料庫資訊系統

Reference-Oriented Data Bases System。

㈢ 圖書館作業研究資訊系統

Library Operational Research System。

㈣ 圖書館辦公室自動化資訊系統

Library Office Automation System。

在上述的四個範圍之中，圖書館作業研究資訊系統所需的發展條件最為複雜，圖書館辦公室自動化資訊系統所需的發展條件最為簡單。作業研究系統的目的在於充分運用人力資源，財力資源，以方法配合目標而講究效率的提高，因此，只有「已開發的中大型圖書館」，即資料儲存量在五十萬件以上，資料流通率在百分之二十五以上，每年參考服務的總計為讀者人口的二倍以上，具有這種發展條件的圖書館才可也才值得進行作業研究的資訊系統。

四、圖書館的辦公室自動化

圖書館的辦公室自動化，比起其他的三種自動化作業來最容易實現，例如非電腦作業範圍的電傳複印服務Tele- Copier，可在二地的圖書館辦公室之間，擔當着傳遞複印服務，直接實現資料交流及資訊分享的館際合作；又譬如終端機的使用，縮影閱讀機的使用，光碟放映等使用均可算作為圖書館辦公室自動化的一部分。

至於電腦化的圖書館辦公室自動化，則運用微電腦即可展開，例如新書目錄、交換書單、交換單位名單、讀者資料、郵遞分發作業等，均為很不困難就可起步的圖書館辦公室自動化。由於微電腦的中央處理單元CPU 功能日漸增強，PC的套裝軟體如 dBase，Lotus 等不斷的發展成功，再加上微電腦網路的出現，使得微電腦之間也能組合成交流網Ne twork，這就是所謂的PC Netwok 。電腦的軟體、硬體和網路對於圖書館辦公室自動化都已經不是問題了，而且以「微型」的方式來進行，經費也不會是個大問題，那麼，推行圖書館辦公室自動化的挑戰在那裏呢？那是一個管理上的概念問題。

五、圖書館書目管理資訊系統

從公元一九六〇年代中期開始，圖書館界傳統上所指的圖書館自動化，如圖書編目系統、圖書期刊的訂購系統、資料出納流通紀錄等，事實上，均爲圖書館書目管理資訊系統。

任何一種行業均有其管理資訊系統，圖書館事業自不能例外。管理資訊系統和該種行業的組織及工作流程直接有關，圖書館的管理資訊系統建築於圖書館管理(Library Management)的業務主流之上，而圖書館的專業管理業務不論是資料採訪、資料處理、資料流通、期刊管理、一般查詢等均以書目資料爲基礎。

建立一個專業管理資訊系統的目的，在提供各個不同決策階層的專業人員以各種有關的資訊，包括工作進度、作業品質、工作查詢、定期報告、資源分配，以及做爲計畫目標的規劃參考資料。圖書館的專業管理資訊系統其資訊之源係建築於書目資訊及書目相關資訊，例如有關書名、作者、出版者、定價、館藏位置等便是書目資訊，編目人員的姓名，採訪資料館員的姓名，以及借閱者的姓名及歸還日期等，便是此一書目的相關資訊。圖書館的書目資訊管理系統便是把這些資訊源加以蒐集、處理和運用。

圖書館的書目管理資訊系統，應溯自一九六六年美國國會圖書館所開始發展的機讀編目格式，三年後L.C.MARC Ⅱ正式公佈，使得機讀目錄的格式成熟而具有實用性，自此「圖書館自動化」乙詞，泰半均限於書目管理資訊系統。圖書館書目管理資訊系統的發源範圍在於編目作業，而後逐漸擴及其他的書目管理範圍如期刊管制、圖書採購、資料流通、目錄查詢等，近年來，這種以書目管理為基礎的資訊系統，走上了整合性作業系統 Integrated System的康莊大道，在美國俄亥俄州的國際圖書館電腦中心OCLC，也在朝這方面努力，而後起之秀的許多書目管理系統，如誕生自澳洲的URICA 書目管理系統，自一九八二年一開始即採用包括五項子系統在內的整合性系統，其他如 Data Phase公司的Automated Library Information System, CL System公司的CLSI's LIBS 100 System 等比比皆是，都是以整合性的作業系統為準。圖書館書目管理資訊系統在資訊界而言，是一個具有相當技術難度的領域，但是這種技術障礙，經過二十年的努力，已一一被克服，因此，圖書館書目管理資訊系統的最大問題，已不是資訊技術的處理問題，那麼，圖書館書目管理資訊系統（即傳統所謂的圖書館自動化），其最大的挑戰在那裏呢？除了經費與人力之外，眞正決定其是否能成功的因素，是在於圖書館各項作業的標準化；這裏所指的標準化包括了作業流程的標準化，以及作業品質的標準化。如果要接受圖書館書目管理資訊系統的挑戰，必須先接受書目管理業務達到標準化的考驗。

六、參考性資料庫資訊系統

圖書館的金科玉律是「服務」，尤其是提供知識性的服務，更是各類型圖書館義不容辭的義務。參考性資料庫資訊系統是提供知識服務的一種重要途徑和方法。

參考性資料庫可以區分為文字性的資料庫和數據性的資料庫兩大類。文字性資料庫又包括了書目、索引、摘要性質類的資料庫，以及全文資料庫兩種，其中書目索引方面的參考性資料庫是此類之中最早誕生的資料庫，例如美國國立醫學圖書館於一九六四年開始所發展的MEDLARS及MEDLINE 等資料庫，以及美國國立農業圖書館在公元六〇年代後期所發展出來的AGRICOLA 等便是典型的書目索引類的例子。全文資料庫的發展則是最近幾年的事情，全文資料庫事實上就是「電子版」的圖書，一九八二年以後大英百科全書EB、美國學術百科全書Academic American Encyclopedia 等均成為全文資料庫，一九八六年夏美國華盛頓郵報亦開發了電子版的報紙，而成為全文資料庫，可供直接檢索Public Access，另外法律方面的Lexis資料庫也是全文資料庫。數據資料庫原是資料庫中的鼻祖，但是可供直接檢索的參考性資料庫則是跟在書目索引類資料庫之後才出現的，數據資料庫所提供的是各種以統計性為主的資料，非常地受到參考人員的喜愛。

參考性的資料庫可以透過代理商 Vendor 而取得使用權，國際百科資料庫所提供的外文資訊服務，就是分別透由 DIALOG、BRS、SDC 等資料庫代理商而得。但是各館爲了配合知識市場的需要，亦可發展此方面的資料庫以分享知識，這正如〝圖書館農業時代〞時期，許多圖書館可以買參考書，亦可以自行編製參考書，以滿足讀者的需求。目前我們處於圖書館資訊時代的初期，中文資料庫中尚未有發展成熟之參考性資料庫，前述美國國立醫學圖書館和國立農學圖書館的例子，是可供我們考慮的。

參考性的資料庫其與書目管理資訊系統下的資料庫，最大的區別在於此類資料庫係純粹的〝資料庫〞，資訊內容不涉及館務作業的情況，完全以獨立的知識內容，提供公衆予資訊檢索服務。參考性資料庫最大的技術性問題在於文獻分析和檢索策略兩端的設計與規範，一個圖書館如果要自行發展參考性的資料庫，所面臨的挑戰就比較大；必須有學科專家和資訊專家配合進行兩端的設計與規範，如果一個圖書館只是租用或接用參考性的資料庫資訊系統，則所面臨的挑戰相對的就比較低；只須就檢索策略的一端加以理解與調配亦可。

任何一種性質或規模的圖書館，包括一人圖書館員的圖書館在內，都可以發展自動化作業，只是着眼點和着手點的不同而已。換句話說，圖書館自動化是一種挑戰；是一種關乎於用農業社會的方式提供知識服務，或者是用工業社會的方式提供知識服務的挑戰。不同層面的圖書館自動化帶給圖書館從業人員的挑戰亦不同，圖書館從業人員爲選擇提昇資訊及知識服務的挑戰，必然要迎接圖書館自動化的挑戰。

電腦科技與圖書館資訊

人類知識的成長主要是仰賴於各種不同的知識活動，而資訊活動的本質，因時間和空間雙重因素的影響，將資訊大社會分為圖書文獻的資訊世界、資訊處理的資訊世界、和電訊傳遞的資訊世界。圖書館自動化世界，在此三個資訊世界之間，產生了逢合的作用，也促成相互依存，更密切合作發展的關係。

電腦應用的發展可追溯到一九五〇年代。五〇年代的早期電腦發展只是為了解決一連串的科學和技術問題，而且最主要的是解決電腦本身的科技問題，到了六〇年代電腦眞正的開始運用到社會大衆之上，透過電子資料處理，工商各業的許多業務資訊問題，均藉著電腦化的資訊管理系統，以及對於管理資訊系統(MIS)的運用，而得以解決。七〇年代開始，電腦更進一步的被運用到語文上的處理，這項發展是一種突破，大大地增進了電腦對人類社會的直接貢獻，尤其到了七〇年代後期電腦資料庫的成長和利用，使得全世界的知識都有機會順利地進行交流和相互參考，我們對於「國際百科電腦資料庫」的開放，就是順應這種國際趨勢的一個明顯的例子。

電腦資料庫改善了知識的傳遞和運用，但是並不表示電腦化的資料庫可以完全取代傳統的圖書資料和傳統的圖書館。電腦科技的應用對於公衆知識方面的最大貢獻，在於擴大了知識傳播的功能，也促進了圖書資料和圖書館的效率，這種情形正如同印刷術的發明應用對於人類歷史所帶來的衝擊一樣，因為印刷術的發明，從某個角度而言，只是使得〝書寫〞的功能，更能淋　地發揮和傳送而已。因此，有人體認到，電腦科技對於人類文化發展的影響，將是非常深遠，難以測量，而又絕對肯定的。

一、三個資訊世界的環境

二十世紀八十年代的今天，人類的知識成長和以往任何時代並沒有什麼不同，我們的知識成長主要是仰賴於各種不同的資訊活動。教室、辦公室、研究室、和圖書館都是進行資訊活動的主要場所，資訊活動的本質在於把各種資訊或資料組織起來，使其成為有用的知識，這個本質　管經歷多少年代和歲月，都將是亙古不變的。

歐美資訊科學界的人士認為資訊世界可以由一個資訊的大社會，一分為三而劃分成三個資訊世界，劃分資訊世界的基本理論係根據時間和空間雙重因素而定，時間因素指的是時效性的跨度，空間因素指的是儲存媒體的型態。這三個資訊世界分別是❶：

圖書文獻的資訊世界

資訊處理的資訊世界

電訊傳遞的資訊世界

資訊的第一個世界是以圖書文獻爲活動領域的世界，這是資訊世界中最古老的世界，圖書館和檔案單位中的各種資料及文獻，便是這個資訊世界中的要角。在圖書文獻的資訊世界裏，每段資訊和每一組資訊都是被「固定」在一個文句中，或是被固定在一件資料之中，資訊的利用必須借助於資料媒體的搬移和翻動而爲之，資訊的價值必須要依靠人們的主觀判斷來決定。資訊的第一個世界是我們一般人比較熟悉而直接接觸的一個世界，因爲它的時效性跨度很長，儲存資訊的媒體也是固定的。

資訊的第二個世界是以資料處理爲活動領域的世界，這是現代資訊世界中的核心世界，位於第一資訊世界和第三資訊世界之間的交叉口，具有承啓和左右的影響。各種資訊服務中心、資訊交換及分析中心（Clearing house）、資料處理中心（Documentation center）和各種記錄中心（Records centers），便是這個資訊世界中的主要活動場所。我們從傳統的圖書文獻的角度去看它時，會覺得這是一系列專門支解文獻資料的工廠，在處理過程中正是〝斷字殘篇〞

不忍卒睹，除非我們看到了它另一端的產品，才恍然有所悟，就好似食品加工廠把整塊的豬牛肉輸入生產線，生產線的另一端，所出來的各色口味包裝整齊的食品罐頭。從另一個角度來看，許多原始資料，數據資料在這個資料處理的資訊世界中，被分揀被聚合在一起而形成了很可觀很有用的資訊產品，這也正如農業加工廠中把大小不同的草菇，按照大小和成色加工處理，而產生不同品級的草菇罐頭一樣。在第二個世界裏的資訊，它的時效性比較短，儲存媒體也具有可變性。

資訊的第三個世界是以電訊傳遞爲主要活動領域的資訊世界，也可以說是一個以電腦科技、通訊科技及自動化管制科技爲基礎的資訊世界。在一個高度發展的工業社會Post-industrial society 裡，這第三個資訊世界中的資訊，便成爲一種工業資源❷。這種工業資源所轉換出來的「能量」，甚至超過了資本資源和人力資源對工業發展的重要性。在第三個世界裏的資訊，基本上是一種自動化管制的資訊，它的有機性和可變性是相當大的，訊息儲存媒體也可以隨著資訊需求者的需要而變化，例如儲存在電腦磁帶及磁鼓中的訊息，可在電腦終端機CRT的螢光幕上顯示出來，也可以透過報表列印機把文字和圖像印在白紙之上，另外亦可透過孔姆系統COM 的設備將資訊錄製在縮影媒體的材料之上❸。

二、圖書館自動化的資訊角色

圖書館自動化原不僅限於電腦科技方面的應用，然而在八十年代的圖書館裏，自動化幾乎變成了電腦化的同義詞。圖書館自動化不僅僅是圖書館本身的管理問題，也是一種社會的需要和一種不可避免的趨勢。圖書館作業的自動化促使三種資訊世界——圖書文獻的資訊世界、資料處理的資訊世界，及電信傳遞的資訊世界——更加緊密的連結在一起，也更能發揮相輔相成的功能❹。

圖書館自動化作業恰似三個資訊世界中的活動軸心，圖書館自動化牽動着三個資訊世界的各自運轉（圖一），同時使得存在於不同境界的資訊，由於交互運行的影響，而能發揮出合理的「能量」，造福社會大衆的精神及物質願望，並促進發展再發展的需要。

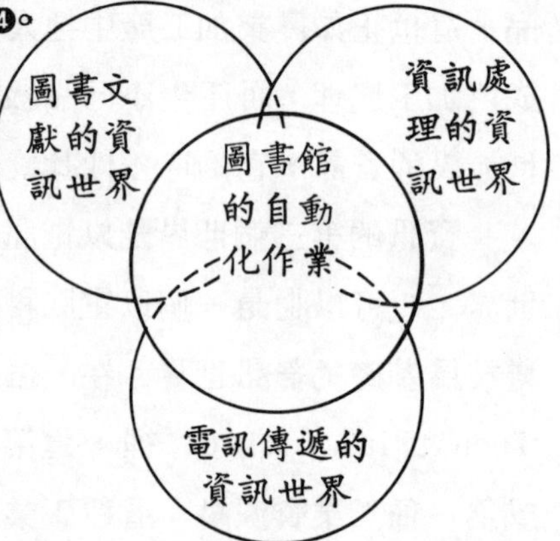

圖三　圖書館自動化與資訊世界的關係

圖書館自動化作業在資訊社會中所擔任的角色，何以會如此重要呢？一則是由於以圖書文獻爲準的資訊社會，配合了圖書館自動化的作業後，其有關的各種書目記錄，被整治得比傳統的書目作業更加精細、更加準確，並且透過電腦與通訊的技術結合，能夠迅捷地傳達到無遠弗屆的地步，這方面一個顯著的實例，便是「國際百科資料庫」的資訊服務，透經地球同步人造衛星的國際通訊網，國際百科資料庫可以把各種最新的書目資訊傳遞到世界各地去，這是運用電傳訊息的力量和引介，推廣了圖書文獻的使用頻率。

另一方面，素來以電傳訊息作爲資訊服務的資訊系統，例如美國的DIALOG, SDC等資訊服務系統，近二年來也紛紛地開辦了所謂的「整份文獻」的資訊服務❺。整份文獻服務就是圖書文獻的服務，因爲電腦庫中的材料，大都是經過了解剖的資料，而不是原模原樣的資料，爲了滿足資訊需求者對於原始資料的興趣和需要，便產生了整份文獻的服務。換句話說，這是運用傳統圖書文獻的力量，去補充第三資訊世界——電傳資訊之不足的一種做法。

從本質上看，這三種資訊世界是連根連生的兄弟世界，他們都具備了儲存資訊、傳遞資訊及分享資訊的社會功能。圖書館的自動化作業，在三個資訊世界之間，產生了縫合的作用，也促成了三個資訊世界更密切的相互依存，更密切的合作發展，這種情形正如同農業社會、工商社會、政經社會和科技知識社會在現代社會中的關係一樣。

三、電腦科技與資訊的組合

倘若以電腦化資訊系統的使用範圍而言，資訊系統可以區分爲二種，一種是本單位使用的資訊系統，或者稱爲非開放性的資訊系統；相對的，另一種系統便是開放給公衆使用的資訊系統，簡稱開放性資訊系統❻。開放給公衆的資訊系統，必須具備兩項先決條件，第一個條件是關於資訊內容性質的主觀條件，只有能夠廣泛引起公衆興趣而又不涉機密性的資訊，才有可能被納入一個開放性的資訊系統裡去，例如書目性資訊、指南性資訊等均屬此類，第二個條件關係到資訊技術方面的客觀環境，一個開放性的資訊系統，在資訊技術方面，除了必須具備基本的電子資料處理EDP的技術之外，還必須將電子資料處理的電腦技術和通訊傳播技術結合在一起，然後才能達到開放給公衆檢索的目標，其中撥接式數據電路通訊更是通訊傳播技術中的佼佼者。

自動化的圖書館資訊系統，可以是非開放性的資訊系統，也可以發展成爲全面性的開放系統。一個開放性的圖書館資訊系統，至少需要牽涉到三種不同範圍的電腦資訊技術，這些電腦資訊技術包括：

㈠ 電腦處理符碼技術。

㈡ 資訊結構及資料庫技術。

㈢ 資訊分享系統技術。

每個部份又各分爲若干層次，茲就英文書目資訊系統和中文書目資訊系統所面臨的資訊組合技術將之圖示如下：（圖四）

組合	層次	發展內容	英文部分	中文部分
電腦處理符碼技術	第一層組合	機讀二進位數元代碼	EBCDIC, ASCII	中文資訊交換碼，中文資訊標準碼，其他內碼
	第二層組合	電腦用字字集	(1)大寫字母 (2)小寫字母 (3)特別符號	(1)常用字 4807 (2)次常用字 (3)罕用字
	第三層組合	文字排檢方式交互索引	無	中文交互索引方法： (1)字形（主字形，異體字） (2)字音（注音，羅馬拼音） (3)代碼（四角號碼，三角號碼等）
資訊結構及資料庫技術	第四層組合	基本資訊元素	索引典詞彙，或目錄款目	目錄款目
	第五層組合	資料欄及分欄	美國國會圖書館機讀編格式電腦圖書館中心OCLC機讀編目中心	中國機讀編目格式
	第六層組合	整份電腦資料記錄	每項英文目錄	中文目錄
資訊分享系統及交流網技術	第七層組合	資料庫	ERIC, INSPEC 等	國立中央圖書館機讀編目資料庫 國立台灣師範大學教育文摘資料庫等
	第八層組合	資料庫系統	DIALOG 系統	正發展中
	第九層組合	資訊交流網系統	Telenet 系統	待發展中

圖四　運用電腦科技組合之資訊的層次

四、中文圖書資訊問題探討

中文圖書資訊系統的電腦化工作爲時尚短，然而在過去的幾年之中這方面的進展確實有目共睹。當前中文圖書館資訊事業尙面臨若干關鍵性的問題，這些問題可依上述的資訊組合層次順序從編碼技術、書目資訊庫、及資訊分享等三方面推演，僅就所知，予以略述。

中文資訊事業首先碰到的困難是中國文字的編碼問題，中文字的數量相當龐大，每個字又都可能在圖書資訊系統中出現，自理論上而言，電腦化的中文圖書資訊系統，在文字處理方面不容許任何一個空白，因此不得不用龐大的數元編組對待之，根據中國圖書館學會出版的「中文資訊交換碼」的規定，每個中文的基本編碼概念是由三組七個「數元」來代表一個中國字符號❼。例如「大千世界」這幾個字的電腦編碼便是：

大

0001001 0011010 0010001

千

0011110 1111010 0010001

世

1011010 0000110 0010001

界

0011010 0011001 0010001

在相同速度的數據計算運作，及數據傳輸之中，愈是龐大的編碼陣容愈會影響到資訊處理的速度，也會造成資訊傳輸上的多餘性，並且造成不經濟的運用。因此有些人主張中文的電腦編碼以不超過兩組數元較為理想，但是從另一個角度來看，中文資訊的電腦編碼必須是一個符號一種編碼，任何幾率的重疊編碼都會造成應用上的困擾，電腦本身不能也不會主動地辨別出同碼的字，在中文資訊電腦處理作業中，任何碰到同碼異字的情況均需仰賴人工的選別才能處理，換言之，這種情形會影響到電腦處理的速度。中國文字的電腦編碼既要顧到傳訊上的經濟性，又要保證信息的正確性，這的確不是容易的事情，可以實用的中文編碼曠時良久，原因亦在於此。

我國文字數量龐大，排檢的方式也各自不同；有按部首排檢者，有按注音排檢者，有按筆劃排檢者，更有按代碼如四角號碼等排檢者。因此之故，中文資訊檢索亦隨之產生了不能一統的問題，理論上每一個人都是以自己對中文字的排檢習慣，做為檢索中文資訊的立即反應。凡是和個人的文字排檢習慣不同的檢索系統，便令人產生不方便的感覺。未來開放性的中文資訊系統一旦正式成立，多元化的檢索系統實為最不可忽視的因素之一，否則將徒有「開放」之名，而難達開放之實。我國電腦界的幾位專家如謝清俊、黃克東、楊鍵樵、張仲陶等人在三年前，即已注意到這個問題，而有建立「中文交互索引系統」之議❽，惟進一步的發展，則未有所聞。個人希望學術界，及政府應對這項中文交互索引系統的研究，給予更多的鼓勵與支持，以便早日成爲中文資訊檢索的實用方法。

關於中文書目資訊結構及資料庫技術方面，隨着三年前「中文圖書機讀編目格式」的出版而奠定了基礎，年來在不斷修訂與擴編的作業下，「中文圖書機讀編目格式」也蛻變成了「中國機讀目錄格式」。機讀目錄格式的主要目的在於建立電腦作業的書目體系，以發揮書目資訊的社會功能，並達成傳佈知識的媒介效益。書目系統的服務工作對於知識普及和學術文化的發達有直接的關連性。現代化的書目服務不但要求能從一個題名，或是一位著者的姓名去找查到一件資料，同時還要求應該提供一群群相關的資料，指示出一件資料與該群資料之間的相關性，以及一群資料與另一群資料之間的相互關係，藉此獲得一片網狀的資訊線索，從「觸類」而「旁通」以求取完整的資訊資源。因此，機讀目錄格式中所編訂的書目細節，如連接款目、分析款目、和標題款目等，對於資訊的組合、連綴、與運用都有非常精密的安排，以求發揮資訊的網狀能量，然而機讀目錄中有許多觀念在現存的目錄系統中尚未曾實現，也從未出現過，讀者們對之毫無使用上的心理準備，許多圖書館中的編目部同仁們亦對之只有輪廓式的印象，而談不上眞正的認識。職是之故，在建立中文書目資訊系統及資料庫的同時，對於圖書館員和讀者的訓練與培育是刻不容緩的事情。這種訓練除了實施定點的教室課程之外，亦可採用巡迴各館，或分區實地施作的方式進行，以求普及。未來的新目錄資訊系統是否能夠成功，將視圖書館工作人員對於這項改革抱有多少的熱忱，多少的認識，以及讀者對於這項新措施抱有多少的參與能力而定。

全面開放性的中文書目實施系統，仍有一項通訊技術上的瓶頸等待突破，這個瓶頸就是利用電話線做為數據電路交流網，以傳遞數元性的信息和每一部微電腦連接，透過微電腦終端機的操作，圖書館的工作人員，或是讀者便可直接地查找他所要檢索的資訊，最近電信局在國內試驗「撥接式數據電路」的通信系統，就是朝這方面的一種努力。

附　註：

❶ Evelyn Danies, "1980 Forecast Special librarians to Information Managers," Special Libraries, 73 (April, 1982), pp. 93-99.

❷ Daniel Bell, "Welcome to Post-Industsial Society," Libraries in Post Industrial Society (Phoenix, Arizona: Oryx Press, 1977), pp. 3-7.

❸ 顧敏，“掌握資訊時代的羅盤——運用縮影技術時面臨的幾種抉擇”資訊與電腦，第三卷第十期（民72,4 月），第四十八頁。

❹ Karl Min Ku (顧敏), "The Recent Developments of Library Automation and Information Services in Taiwan Region, ROC" (Unpublished thesis, 1982), p. 4.

❺ DIALOG Guide. DIALOG Information Services, Inc. Palo Alto, Ca.: DIALOG Information Services, 1983.

❻ Karl Min Ku (顧敏), The Recent Developments of Library Automation and Information Services In Taiwan Region, ROC (Unpublished thesis, 1982), pp. 10-11.

❼ 中國圖書館學會，中文資訊交換碼第一冊（台北市：中國圖書館會，民69）：[附錄：字形表（總表）]。

❽ 謝清俊、黃克東、張仲陶、楊鍵樵，“中文交互索引系統之設計”中文圖書館自動化國際研討會（台北市：中國圖書館學會，民69）第Session A，9頁。

資訊工業與圖書館事業

資訊屬於一種極為重要的國家資源與國際資源。圖書館則是精煉這種資源的上游工廠，也是消費資訊的主要市場。資訊工業則是資訊的開發事業與生產事業，目前資訊工業的發展，趨向於應用電腦作業，但是任何一個電腦系統或是研究計劃，都需要圖書館的支援，若是缺乏圖書館的有效支援，這項計劃或系統便無法生存。現代化國家在進行國家建設時，均將圖書館發展和資訊工業列入基本的設計架構。

一、資訊需求與供應

(一) 基本的資訊需求

資訊的需求是人類的一種基本需要，尤其是處在資訊時代的今日，每一個人的資訊需求，除了是個人本身的問題外，也是一件社會的事情。一個成年人的資訊需求，包括了下列幾種基本項目❶：

1.基於日常生活及社會行爲上的資訊需要。例如搭乘交通工具的資訊需求，上市場選物的資訊需求等。

2.基於休閒娛樂上的資訊需要。例如看電視的資訊需求，打球或戶外活動資訊需求及培養興趣的資訊需求等。

3.基於專業工作上的資訊需要。例如各行各業的專門資訊需求，商業有商業的資訊需求，工業有工業的資訊需求，農業有農業的資訊需求等。

4.基於教育行爲上的資訊需要。例如參加某社團的資訓需求，學習語文的資訊需求等。

資訊需求的問題，可經由學校教育、政府告知、社團工作和圖書館提供服務等方面的工作而解決問題，其中以圖書館的服務最不分時、地，最能供應各種各樣的資訊。圖書館爲了應付大衆的資訊需求，解決大衆的資訊需要，而設立了許多的資訊服務工作。

㈡ 資訊服務與媒體

資訊服務工作所提供的資訊，都來自於紀錄性的資訊。乘載記錄性資訊的物質，就是俗稱的媒體。

媒體的種類很多，圖書館中所運用的媒體有書籍、雜誌、報紙、地圖、唱片、錄音（影）帶、幻燈、電影、縮影資料及電腦資料庫等。這些媒體又可粗略地分爲圖書媒體、非書媒體二大類，各種媒體都用一定的訊號來安排資訊的記錄，有的用文字的方式，有的用圖片的方式，有的用聲音的方式。同時，每一種也都有一定的規格，例如圖書分爲十六開本，二十五開本，四十開本等，電影片分爲十六厘米、三十五厘米等。

圖書館爲了資訊服務的目的，進行了圖書媒體與非圖書體的徵集工作，將徵集得到的媒體，運用編目的技術，加以系統化的整理或組織起來。圖書館也運用主題分析的方式，把記錄於各媒體中的資訓，有效的襯托出它的內容與價值。

經過圖書館一連串的作業，媒體的本身獲得了良好的保護與修繕，媒體中的資訊，也因爲受圖書館作業之福，而更能達成滿足資訊需求的服務目的。媒體處理與內容分析對於做好資訊服務工作極爲重要。

㈢ 圖書館的資訊服務

爲了因應不同數量與不同質量的資訊需求，圖書館也不得運用各種不同的服務方式，以提供各種深淺不同的需要。一般而言，圖書館傳播資訊給讀者的方式，包括了個別的傳播，大衆的傳播，以及電訊的傳播等三種。

1.個別的資訊傳播：以參考服務爲典型的例子，也就是按照資訊需求者的各別需要，而給予專門而單獨的資訊內容，若就廣義的資訊傳送而言，書報媒體雜誌的出納，也是一種資訊的傳播作業。

2.大衆的資訊傳播：以展覽及視聽放映爲典型的例子，

爲著一個大衆所需要的共同目的，而在同一時間內給予大量的資訊。新書通報服務也是圖書館中另一種的大衆化資訊傳播服務。

3.電訊的資訊傳播：以電話服務爲起步，主要是爲了較遠距離的資訊需求者可以獲得資訊爲目的，電訊化的資訊傳播工作係利用各種現代的傳訊設備而達到服務的目的，專線電視服務及終端機服務等，均屬於這個範圍。

傳統的資訊服務，往往以整件的媒體傳送作爲服務的方式，譬如提供一本時刻表、一册百科全書、一篇期刊論文、一件報告或文獻檔案等，資訊要求者，藉著這些媒體的服務，自己從媒體中找尋資訊，並獲得滿足。

目前的資訊服務逐漸地走向高品質的精密服務，也就是使資訊需求者，能直接而迅速的從圖書館中，獲得其所需。因此，圖書館不僅蒐集與整理了各種資訊媒體，同時，亦將資訊的內容，做了適當的組織與編排。

資訊服務的發展，促成了圖書館業務的發達，也使得圖書館的業務和各行各業都產生了資訊性的關係。許多原始性的資訊，均來自於各行各業的科學家❷，圖書館中的資訊工作者必須要和這些人員打交道，才能掌握住最新的資訊資源；從另方面而言，尖端性的資訊消費者，也正是這些科學家。因此資訊服務實際上就是生產資訊的推動工作。

㈣　資訊爆脹與壓力

二十世紀的今天，各行各業的發展都非常的迅速，隨著各種活動的需要，資訊需求不僅在數量上大幅度地膨脹，在質量上更是愈來愈專精；另方面由於各種事業的活動，又生產了許多的資訊，經濟活動生產了經濟方面的資訊，科技活動生產了科技方面的資訊❸。

資訊的需求與資訊的生產恰恰是正比的，資訊需求愈大，生產資訊的機會亦大。二次大戰後，由於圖書館界的資訊服務，抱著積極的態度，而使得資訊的生產大幅地提高，並加速的發達，終至六十年代末期，開始了資訊爆脹的局面，有稱之為「資訊爆炸」的時代。

在資訊爆脹的情況下，資訊服務面臨了極大的挑戰，服務的範圍一再地擴大，服務的方式也不斷的改進。同時，資訊的生產也不再限於個人的努力，滿足資訊需求的努力，也不再僅限於圖書館等少數單位。

人們意識到，在資訊產量不斷爆脹，資訊服務遭受巨大壓力的時刻，必須仰賴全社會的共同努力，才能解決資訊爆脹與資訊壓力的問題。於是圖書館學一方面沖入了資訊原理而產生資訊學，另方面社會中的資訊生產與資訊消費，也不得不納入了一個軌道。資訊工業就是在這種情況下，逐漸形成的一種事業。

二、資訊工業的興起與內容

資訊工業是一項新組合的事業，資訊工業的發生導源於兩個因素。第一個因素起自於一九六〇年代的後期，由於從那時候起科技資訊大量地湧現，觸發了所謂的資訊爆漲，一時之間，資訊需求與資訊服務工作不能維持最低的平衡。傳統上以圖書館爲主所進行的資訊處理與資訊服務，在效能上不敷承擔，而必須應用新的技術，擴大新的範圍，從事新的分工，來改善資訊處理與資訊服務，以應社會進展之需要。

原先，從圖書館資料管理爲出發點尋求新的方法，來改善資訊處理的這項措施，使得資訊處理的工作，由單純的圖書館作業，變成了全社會所矚目的事情。因此這項措施又被稱爲「資訊的革命」，資訊的革命是促成資訊工業的第一個因素。

另一方面，基於資訊被視爲是一種社會的公共財貨，爲了因應社會上對於此項財貨的原始需要，而有資訊生產的事情誕生，但是資訊生產發達到一定程度時，發生了經營上的問題；從資訊的產銷問題開始，一連串的資訊儲存與輸送，資訊技術與品管、資訊的設備與接受、資訊的市場與需要等問題都冒了出來，這便是資訊工業誕生的第二個因素。

近年來，許多人研究資訊工業和討論資訊工業，可是，對於一般大衆而言，資訊工業僅是一個新的名詞，誠如美國國會圖書館館長布思定所說：「資訊工業就事業名稱而言，全然是個新的世界。」❹正因爲資訊工業是一個新的世界，才引起了許多人的興趣和探討，人們非常地關注資訊工業的發展範圍與各種的影響。

事實上，凡是和資訊生產及資訊活動有關的事務，都受到了資訊工業發展的影響，圖書館事業更不例外。

(一) 從知識工業到資訊工業

大約在一九六八年左右，「資訊的革命」、「知識工業」等概念，在西方社會裡如雷貫耳不停地響著❺，當時由資訊的革命而形成的「知識工業」，以今日看來，實在是一個中間性的名詞。根據普林斯頓大學教授馬考普 Frinz Machlup 的意見認爲，「知識工業」是指以電算機和電視廣播爲主，所從事的資訊傳輸事業。所謂的「資訊的革命」也是基於探險月球計劃時，所引發的一項資訊處理上的改革。知識工業與資訊的革命均意指由電腦機械處理資料，來替代傳統的人工資料處理。

馬考普所提出的知識工業，包括了下列的各種事業❻：

1. 知識與資訊的複雜——包括報紙、雜誌、書籍、電影、廣播、電視等傳播媒體。

2. 知識與資訊的傳遞——包括電話、電報、郵政、通訊衛星等。

3. 知識與資訊的供應——包括圖書館、圖書要目、索引服務、電算機資訊中心、數據儲存庫等。

4.資訊製造與維護——硬體生產單位等。

5.媒體內容的專業服務——教材設計、電腦計劃等。

6.財政、行政、人事方面的支援工作。

7.研究與發展的工作——調查、分析等管理作業。

8.各級教育單位的事業。

早期的知識工業，在概念中非常的籠統和模糊，不易掌握。一九七六年國際圖書館學會聯盟在韓國的漢城召開全球性研討會，該聯盟會長哈佛威廉斯認爲知識工業即資訊工業❼，並指出資訊是一種國家資源。因爲愈來愈多的國家關切資訊的生產與資訊的接納，所以從知識工業的萌芽到資訊工業的發達，前後不過十年的時間，資訊工業在應用範圍上比起知識工業更爲廣泛，同時它之成爲「工業」的概念，也逐漸清晰易辨。

㈡ 資訊工業的兩大部份

資訊工業由知識工業蛻變而來，經過十多年的發展，已和最初的型態改變很多。目前，凡是和資訊生產有關的事業都納入了資訊工業。資訊工業可以劃分爲兩大類，一類是資訊製造工業，另一類是資訊技術工業。

資訊製造工業所從事的工作，包括了生產資訊消費品，提煉資訊消費品及複製品或加工資訊消費品。資訊製造工業的主要任務在於生產和各個社會階層直接有關的資訊消費品，也就是將大量的信息資源、資料資源利用一定的方法、程序和處理，而得到各種可供人們直接應用或消費的資訊，舉凡資訊資源的開發，資訊信息的組合，資訊媒體的設計，資訊媒體的轉換，資訊市場的需要性等，都是經營資訊製造工業的主要課目。

資訊技術工業所從事的工作，包括了資訊處理、資訊傳輸及資訊管制等設備的製造及系統的應用。資訊技術工業的主要任務在於生產最捷便、最迅速、最有效、最經濟的資訊設備，也就是將各種大量的科技知識，精密的運用到設計、改良與研製資訊設備上去，從而得到處理資訊、傳輸資訊、管制資訊的技術性設備產品，以及有關這套設備的技術方法。

從資訊經營的角度而言，資訊製造工業是資訊的民生工業和一般國民發生即刻的關連。資訊技術工業是資訊的基本工業，對於資訊的發展具有深遠的影響。資訊製造與資訊技術這兩種工業都是完整的資訊工業所不可或缺的。

(三) 資訊製造工業

資訊製造工業是一種直接生產資訊的工業，其產品便是各種資訊的消費品清荷曼認爲：資訊（製造）工業是由公司機構、學術單位、政府機關等，透過一個系統的方式，以資訊的儲存和遞送作業處理大量的訊息❽。

柏寧格和亞德金遜（Douglas E. Berninger and Burton W. Adkinson）在「國家資訊計劃中公私兩種因

子的連鎖反應」一文裡認爲，資訊製造工業的產品包括下列各項❾：

1. 學術期刊及學報
2. 評論性的期刊
3. 通訊稿及新聞雜誌
4. 索引及摘要服務
5. 縮影出版品
6. 資料庫的發展
7. 資料庫的充實與外貸
8. 選擇性資訊傳播服務
9. 對使用人的教育計劃
10. 受託性的資訊服務
11. 資訊處理交換作業的諮商服務
12. 研究與發展的資訊

上述的十二項產品，所涉及的物材均與媒體有關。資訊製造工業就原料與製造過程而言，便是將信息組合在媒體裡，並使其公開化和流通化，西方人稱之爲交易化。

資訊製造工業的目的是以資訊消費者用品爲主，而以技術成品爲副，換句話說，資訊製造工業便是推廣資訊消費的工業，與國計民生、社會活動，有更直接的關係。

資訊製造工業的基礎，建築於媒體工業、傳訊工業、資料系統與管理系統之上，並經過了一定程度的統合而成。

(四) 資訊技術工業

資訊技術工業是一種獨立的精密工業，其產品主要可分成為電腦系統、軟體系統及傳訊系統。現任美國佛羅里達大學講座教授兼資訊科學研究中心主任，兼中央研究院院士竇祖烈指出⓾，資訊（技術）工業的產品以工業成品爲主，消費者用品爲副。資訊（技術）工業亦可以分爲好幾類，包括：

1.電腦工業

2.傳訊工業

3.資訊（資料）系統工業

4.軟體系統工業

竇先生很清晰的把資訊技術工業分析爲是四種工業的組合，這四種分項工業便是整體資訊工業的四個項目。

美國新罕普什大學經濟學教授歐溫，認爲資訊技術工業的基本項目包括下列幾項⓫：

1.電腦終端機及其電腦軟體。

2.遙控資料及反應系統。

3.電子化的基金財務處理及自動交換。

4.商務自動化系統。

5.電腦儲存與程式儲存。

6.利用小型電腦處理資訊交換與傳送。

7.資訊處理和電腦訊息交換服務。

歐溫氏所說的資訊技術工業的基本項目，是指資訊技術運用的建設項目而言，包括電腦軟體、硬體的生產，並舉上列七種資訊技術的需要爲目標，加以運用並促進設備產品。

資訊技術工業的產品以技術成品爲主，它所著重的是技術的推展與更新。也就是如何改進資訊生產線上的技術問題。

資訊技術工業主要建築於電腦工業、傳訊工業、軟體系統和資料（資訊）系統之上，並因著上述四種基礎的組合取向，而形成各種重點不同的資訊技術工業。譬如說，有以電腦硬體技術爲主的資訊工業；有以電腦軟體技術爲主的資訊工業；有以傳輸控制技術爲主的資訊工業；有以資訊系統設計技術爲主的資訊工業。

三、資訊工業的發達與展望

資訊工業具有極大的經濟利益。此種工業不僅僅是一種具有生產力的事業，更重要的是資訊工業所用的物料沒有污染性，絕對不會會破壞生態的平衡，但是要考慮到心態是否能保持平衡。資訊工業所用的資源，主要的是來自於腦力知識的應用，知識資源如同森林資源一樣，可以靠培養而生長，只要是有計劃的培養，資訊工業的原料，必定是源源不絕的。此外，資訊工業的消費者也不會剩留污穢之物，亦不致產生環境污染的問題。資訊工業被認爲是今後數十年中，成爲一枝獨秀的工業⑫。行政院政務委員李國鼎先生認爲資訊工業是一項值得投資的新工業⑬。

㈠ 高速成長的資訊工業

喬治・安德拉教授（Georges Anderla）在「一九八五年的資訊」一文裡預測：資訊的成長率每年達12.5％，他的這項估計也被希姆特・阿茲教授（Helmut Arntz）所認同；希氏認爲到那時全球將有三千萬至三千五百萬名的科學家、經濟專家及技術人員成爲生產資訊的人員；到那時每年所產生的新文獻將高達一千二百萬一千四百萬件⑭。

美國匹茲堡大學圖書館學與資訊科學研究所的調查顯示，人類平均在一分鐘內卽生產二千頁（種）的報紙、報告、圖書，每年有成百萬頁計的資料誕生，而且這種數量年復一年增加上去，同時，根據美國國家科學基金會的統計報告顯示，全人類有史以來的科學家及工程人員中，至今仍活在世上，並工作著佔百分之八十，人類所有的科技發明中的半數是在過去十五年間所創建的。就美國爲例而言，全國就業人口中和資訊經營有關的，達百分之五十三之多⑮。在如此強大的資訊壓力之下，促使了資訊工業的飛速成長，這一方面國外的例子或許有部份可作爲我們發展的參考。

㈡ 綜合經營的資訊工業

美國在一九六八年十一月組織了資訊工業協會，簡稱IIA。美國成立資訊工業協會乃是爲了從專業學術團體的資訊活動裡面，把商業的因子分提出去，而組成了將資訊視爲是商品的商業行爲，因爲美國是個典型的資本主義國家，凡是生產性的事業，都劃歸為私人企業也就是劃到廣義的商業裡去。美國資訊工業協會的目的在促進資訊領域中的企業發展；凡是從事創製資訊、分銷資訊、提供資訊服務、成立資訊系統、協助資訊管理等行為，都被認為是該學會的目標⓰。

美國資訊工業協會之下，又分設了政府關係委員會、圖書館關係委員會、資料庫縮影出版委員會、所有權委員會、法律諮詢委員會、全國會議計劃委員會及標準委員會等以作為分項推動，分項辦事的安排。

美國資訊工業協會成立後，首先推廣了專線電視CATV系統，借專線電視傳輸資訊工業的產品；在第五次全國會議後，又推出了電腦線上作業的資訊傳輸系統。同時該協會也體認到，電腦線上作業資訊傳輸系統(Online information access systems)與縮影技術結合在一起發展極為迅捷而重要，並且很顯然地這股趨勢會深深地影響到傳統的出版事業。

對於以傳統方式生產資訊的單位，該協會輔導以新的技術，轉移其經驗。另方面美國的資訊工業界正不停地投資於用不同的媒體，不同的型式和不同的途徑，從事高品質的資訊生產，藉以試圖滿足資訊市場上的需求。

美國資訊工業協會會長(Dr.Eugene Garfield) 曾說:資訊工業將在賀訊領域中進行綜合式的經營。

㈢ 推廣產品的資訊工業

資訊工業的產品不斷地推陳出新，許多傳統的資訊產品和新發展成功的產品相互競輝的並陳著。人們逐漸習慣於將聲音、錄影、電腦報表，印刷文件共同存於一起，而其間的界線也逐漸的在消失之中。資訊工業的產品，往往推出不多久，就變成了「可口」的物品，為社會所接受和運用，資訊工業受大衆的認可與歡迎，已是不爭的事實。

由於技術的革新與推動，資訊工業可預見地，定將不斷的進步與發展，就拿有關資訊傳輸的通道而言，也將和核子武器的發展一樣，走上愈來愈廉價的道路上去。目前昂貴的錄影磁盤（viedo disc），電腦儲存檔等，也會逐步地降低成本，並被普遍地採用⓱。有一項事實告訴我們：一九六〇年時桌上型的計算機，每一台的售價高達美金三萬元之鉅，二十年後的今天，性能相似的一台計算機，只要五元美金即可，另一台袖珍型的電腦，俗稱迷你電腦，在一九七〇年時值美金一萬元，十年後的今天僅約值美金一百元，預計到一九九〇年代時，或許將降到只值美金一塊錢多一點而已⓲。

資訊處理技術的擴散，使得社會中的每個人都受到了或多或少的影響，這種影響普及教育及文化上，並擴及到娛樂方面。資訊工業高度化的情況下，不久的將來很可能出現幾種新的推廣系統，利用專線電視，資訊交流網等設備，發展成電信訂購物品、電信醫療、電信會議、電子交換郵件、電子交換銀行，以及在家接受電信教育，全自動化的家務管理等均有可能在不久的將來獲得應用⑲。

資訊工業的發展深具潛力，它的應用範圍也非常的廣泛，資訊工業的遠景，正如同早期的工業革命一樣，會替我們的社會帶來了許多的改變。這種改變對於人類的社會文化必有深遠的影響。

四、圖書館與資訊工業的關係

圖書館事業一方面是鼓勵知識與資訊消費的事業，另方面也是積極促進與知識生長的事業，發展資訊工業要以圖書館事業爲基礎，發展圖書館事業也需要注意資訊工業的動向才行。

㈠ 圖書館事業與資訊開發

資訊資源是資訊工業的基本命脈，正如同當今的石油與石化工業的關係一樣。資訊資源的開發包括了因應目前生產需要的即時開發，和爲積極規劃而打算的長期開發。

就長期方面而言，資訊資源有如森林與水資源一般，首先需要加以刻意的栽培與維護，才能確保長期資源之不虞，注重圖書館的經營正如同注重森林的栽植一樣地重要。植林不但有林產，最重要的是保護了水資源；經營圖書館不但收穫各種圖書資料，更保養了資訊資源。例如各種工商紀錄資料、各種學術論文、各種統計報告、各種政府或民間機構的活動案例等；一方面是一種參考資料，另方面則是很重要的資訊資源。等到資源的養護到了一個相當的程度時，便可源源不斷的取得所需的資訊資源，資訊必須要靠本國的力量發展，圖書館事業的興盛無形中幫助了資訊的開發。也造福了資訊工業。

(二) 圖書館事業與資訊處理

資訊處理是資訊工業中的核心作業，資訊處理的目的在於將資訊資源，亦即各種資料，轉變爲「能量」。正如同將地下的石油或鈾礦變成爲熱能或電能一樣。圖書館中的資料處理是資訊處理工業過程中的上游作業。舉凡圖書館中傳統性的分類、編目、摘要、索引等工作，如同分析原油中的含硫等成份一樣，屬於上游作業的基本工作。

上游作業關係著如何把原始的資源，作必要的鑑定與提煉。工業發展中如缺少上游作業部份，這項工業便無法生根，資訊工業如果缺少圖書館這一環上游作業，其情況亦復如此。雖然圖書館事業的發展有其獨立的社會目的，但是對於資訊處理的兼顧，亦是圖書館事業發展的工作。

同時，資訊工業發展中所強調運用的機械處理，尤其是電腦的應用，也替圖書館的技術服務工作，帶來了必要的改革；從思想上到實質上的改革，這項改革的結果，一方面提高了圖書館的資訊處理能力，使得資訊工業的上游作業，足以配合全面資訊工業發展的需要，圖書館自動化便是個例子。另方面圖書館本身成爲了最重要的資訊處理單位之一，例如各種資料中心，專門圖書館以及資訊交換所(Information Clearing House)，便是圖書館接受資訊革命後，所作的轉型發展。

圖書館的轉型發展蛻變了一項新的學科「資訊科學」。資訊科學的發達，又反轉過來影響了圖書館學。圖書館與資訊處理，自始至終有著密切的關係。因此，發展圖書館事業不可忽視資訊處理的重要性。

(三) 圖書館事業與資訊消費

圖書館被公認是個傳播知識的地方。圖書館傳播知識的方法，主要的是依賴各種資訊儲存媒體，而各種資訊媒體都是資訊工業的產品。

資訊工業的產品，大體上可分成兩類，一類是來自資訊技術工業的產品，一類是來自資訊製造工業的產品，前者對於多數人而言，是一種間接的消費品，後者大部份是直接的消費品。一個平衡發展的資訊工業，一方面要配合國民大衆的普遍需要，另方面又要配合社會成長的尖端需要。一般而言，圖書館中所運用的資訊產品，多半是一些直接可供消費的產品，例如資料庫等。

資訊工業的產品在實際運銷時，必須借助於媒體物質的乘載，如電波、微波、圖片或文字的印刷等，才能具體的分銷出去，圖書館是儲存這些媒體的最大儲藏所。因此，圖書館藉著消費資訊產品，而達到傳播知識的社會任務。發展圖書館事業很自然地鼓勵了資訊的消費。

五、資料系統並立於資訊工業

資訊革命發生於圖書館，而影響到全社會，資訊工業是資訊革命所產生的一種新興事業。

資訊工業由錯綜性的交流系統而組成。其中以圖書館爲骨幹的資料系統是一項基本系統。圖書館的基本宗旨透過了資訊工業的發展，而普及成了全民相關的事業。目前我們惟有建立起全國性的資料系統或各專業科目的分科資料系統，才能完善地發展一個全面的資訊社會。發展資訊社會的用意，一方面是爲了聚集許許多多的資訊資源，另方面也是爲了集合大量的智慧財產，因爲惟有擁有大量資訊資源和智慧財產的民族，才不致於遭到文化上的煩惱，同時也才有資格建設成爲一個文化大國與文明大國，建設文化大國是圖書館事業的使命。創新一個更成熟的現代文明則是全體資訊社會的共同願望與工作方向。

附　註：

❶ William A Katz, Introduction to Referevce work, Vol. II Referevce Services and Reference Processes, Me-Grow Hill, 3rd ed. 1978, P. 14-15.

❷ Stephan Schwarz, Research, Integrity and Privacynetes on a Conceptual Complex., Knowledge and Development P. 45-75, Stockholm Royal Institute of Technology

Library. 1978.

❸ Martha E. Williams, ed. Annual Review of Information Science and Technology. Vol. 13, P. 12.

❹ Daniel J. Boortin's speech, Special Library v. 71. No. 2. Fed. 1980, P. 113.

❺ 美國加州大學柏克萊校區的敎授 J. Marshall 在 1968 年所出版的美國經濟評論 American Economic Review 第 58 卷第 2 期上發表了 Economics of Inquiring, Communicating Deciding 乙文，作了如上的展示。 American Economic Review 58 (2) 1968, P. 1-6.

❻ 姚朋先生曾摘譯馬考普所著的「知識的生產與分配」乙書，刋於六十九年三月，書目季刋第十三卷第四期，第 128-129 頁。

❼ 見 IFLA Worldwide Seminar, Seoul, Korea 1976, Keynote Address by Peter Havard-Williams, Lectures P. 5. unpublished.

❽ Annual Review of Information Science and Technology v. 13. 1978. P. 15.

❾ 同註十九。

❿ 中央日報 69.7.30 竇祖烈「資訊工業與資訊科學」。

⓫ Manley Irwin, Journal of Library Automation Vol. 12. No. 3. 1979. P. 247.

⓬ 全錄公司負責研究發展與工程的副總裁喬治·懷特 George White JLA Vol. 12/3 1979.

⓭ 李國鼎「發展資訊工業的重要性」資訊與電腦創刋號 P. 5.

⓮ UNESCO, Com, 74 Natis Ref. 2, P. 10.

⓯ Information Science at the University of Pittsburgh (pamphlet).

⓰ Encyclopedia of Information and Library Science. 1974.

V. 11. P. 483.

⑰ Bortnick, Information and Communication. JLA. Vol. 12/3. 1979. P. 245.

⑱ 同註⑰，P . 247.

⑲ 同註⑰，P . 253.

貳、知識傳播

傳播科學與技術橫跨於社會科學和應用科學的研究範疇，此門知識的原始概念，卻是一種很容易讓人接受的知識傳遞過程，傳播一般係指傳達的動作或傳達的事務，包括各種資訊的傳授、給予，和通知。傳播的重點範圍係指語言、文字、消息的交換，以及思想與意見的溝通。

傳播原理與圖書館服務

傳播就是分享資訊，傳播原理所討論的重點便是如何來完成資訊分享的活動與工作。圖書館內所儲存的是資訊的資源，如何將資源變成資訊，便是圖書館服務的主要目的。

圖書館裏儲存了人類文明進展的各種活動記錄，透過圖書館的服務，人們可以把各種看法、想法和經驗一代一代的傳延下去。因此，有人認爲圖書館是邁向未來的踏板石，也是瞭解歷史的橋樑。

在一九七六年版的「世界圖書百科全書」中，曾指出圖書館是人類組成傳播系統和教育系統所不可或缺的一部份，在各種不同階層裏生活的人，都需要使用圖書館的資源來促成或促進他們的工作。

另外史提賓斯在「圖書館的人事行政」一書裏，曾說：各類型圖書館在各種廣泛的傳播領域中，俱爲重要的工作單位❶。

以上兩項解釋說明了圖書館在大衆社會上的功能。那麼，對於推動圖書館活動的圖書館人員，他們的社會職責又是什麼呢？根據一九七五年版的「大美百科全書」記載：圖書館人員的職責就是提供各種作爲傳播用的圖書或資料，給具有各別不同需要的讀者。這些讀者可能是街坊鄰舍的兒童，也可能是在大學研究的學者。此外，一九七六年元月份的英國圖書館協會紀要裏，曾直接而簡潔地指出：傳播就是圖書館員的事業。

由上面的敍述看來，我們可以得到一個概念：圖書館人員的使命和傳播行爲有直接的關連，圖書館的任務也和公衆性的傳播活動有密切關係。

一、傳播的概念

傳播學家史蘭姆認爲「傳播」的意義就是分享資訊❷，當人類第一次一群一群地集結在一塊，相互轉告消息以應付原始的天然環境時，就已有某種傳播力量在那兒發生作用。傳播行爲的存在跟人類的存在具有同樣長遠的歷史，因爲在人類擁有語言和文字之前，就已經發展了儲存知識和傳送情報的巧妙方法。

史蘭姆認爲舉烟和鳴鼓是最早的傳播，刻著記號的石板就是最早的圖書館資源。事實上發生在我國歷史上的結繩記事，便是一種輔助記憶的代號方法，也是一種　者存資訊的方法。

圖書館學家詹德勒在「現代世界的圖書館」一書中❸提

道：語言的發明是人類早期歷史的一項重要發展，藉著語言人們將當時代的訊息互相地傳遞，並用口述的方法傳給下一代，許多故事就是這樣子代代相傳而延襲下去的。隨後，文字的發明較語言的出現顯得更爲重要，文字可以把許多事情肯定的記載下來，透過文字的記錄，人類保存了很多眞實的和想像的知識，不需要現身說法，這些知識就可以傳送給當時的人，或傳遞給下一代的人們。文字的發明使得擔任傳播的人，不需要直接地記憶住每一件事情的細節，他只要瞭解事物的條理，並且能夠掌握住有關的記載文字，便可以成爲一個很好的知識傳播人。從某一個角度來看，圖書館的形成就是人類運用文字的具體成果。

史蘭姆並認爲：傳播的主要方法是經由書信、圖書、雜誌、報紙、告示、廣播電視、廣告和電影片等途徑遞送訊息和資料。

二、傳播的意義

傳播這個詞彙在英文字裏叫做Communication，據說這個英文字是由拉丁字Communicare 蛻變而來。遠在公元紀元前三百年，希臘的亞里斯多德曾對Communis 下過解釋，他站在修辭學的立場認爲傳播就是說話者、言詞、聽話者。亞里斯多德的簡短解說，對於人們探討傳播的意義有着非常深遠的影響。

心理學家以人對經驗世界所獲取的知識來解釋傳播時，

認為傳播與官能的刺激有很密切的關係，以心理學的觀點而言，任何訊息的發生，都是一種刺激。說話便是一種發音器官的刺激，當聲波觸及到聽者的耳朵而使他聽到時，聽者的腦中卽發生了反應。因此，齊爾萊以為傳播是從刺激到反應的整個程序。心理學家們對於傳播的解說都是以個人的原始傳播行為來做為界說的，換句話說是站在傳播發生的現象上，來解說傳播的意義。

研究傳播的學者在解說「傳播」二字的意義時，則喜歡以傳播本身的活動現象做為論點，例如高芙曼在「傳播的基本理論」一書中說到：傳播就是一種過程，在這個過程中資訊由一個目標傳遞到另一個目標，第一個目標稱做來源，第二個目標叫做目的地。又如愛默瑞在所寫的「大衆傳播學概論」一書中認為：傳播就是把思想、消息、態度從一個人傳到另一個人的藝術。

另外，也有人以影響和功能方面的觀點，來解釋傳播的意義。大衞伯樂在他所著的「思想傳播學」一書中指出：傳播是傳達人的意念，促進人與人之間瞭解的一種工具。美國管理協會認為：凡是能引導交換意義的行為都是傳播。

上述各家對傳播的解說各有所長，根據韋氏大字典的詮解，傳播的定義可以分為二個界說，在第一個界說裏：傳播做為名詞時，係指傳達的動作或傳達的事務，傳播做為動詞時是指資料的傳授、給予、傳遞和通知。在第二個界說裏：傳播是指語言、文字、消息的交換以及思想與意見的溝通。

韋氏大字典的這二個界說，把傳播的定義完全的表達出來，並包容了上述各家的看法與觀點。第一個界說把傳播現象的本質說得很詳盡，第二個界說又把傳播的功能和價值指示得很清楚❹。

三、傳播的種類

傳播的種類很多，各家對於傳播的分類也各有所長。綜合的歸納起來，傳播的種類可以分別按照表達方式、傳播對象、接觸關係、內容目的、研究學派等五項範疇之下，而加以區分：

以表達方式區分時：傳播劃分為口語傳播（又包括個人間的傳播，數人間的傳播，演說型的傳播），文字傳播、動作傳播第三種，其中口語傳播是一種最普遍的行為，文字傳播則是口語傳播的延續，可以打破空間、時間上的某些局限，動作傳播是使用姿態及手勢來進行訊息的傳輸。

以傳播對象區分時：傳播可以分成個人傳播、團體傳播、大衆傳播、專業傳播等四種，其中個人傳播又叫做對角傳播，就環境因素而言，個人傳播有特定性的因素存在。團體傳播則以一定的對象範圍為限，如讀書會、展覽、專題討論等活動，便屬團體傳播。而大衆傳播是指凡是利用公共媒體，把一定意義內容提供給大衆的活動，並沒有對象範圍限制的都叫做大衆傳播。至於專業傳播，那是大衆傳播發展到相當成熟階段後而產生的，專業傳播是將傳播的對象加以某一種的範圍限制，以便把興趣、嗜好、程度相等的受播者「集中」起來，而期望達到更好的傳播效率。

以傳播者和受播者的接觸關係區分別：傳播可以分析為人對人的傳播、人對機械的傳播、機械對機械的傳播等三種❺，其中人對人的傳播是指運用視、聽、嗅、觸、味等五種官能所進行的傳播，人對機械的傳播是指傳播者與接受者之間，有一方是機械的傳播，例如看衛星實況轉播，利用電腦查找資料等。再者所謂機械與機械之傳播，是指發出訊息一方和接受訊息的一方，都屬機械的傳播，例如地球衛星對海洋資源的探測便屬之，因為在這項傳播活動中，不論是受播者或是傳播者，都與人的五種官能，不發生直接的接觸。

以內容目的區分時：傳播可以分為教育性傳播、勸說性傳播、娛樂性傳播等三種。其中教育性傳播在「來源」的設計上，具有明顯的意圖要去影響受播者，例如語文課本或是音樂練習典本，都是反覆地安排着同樣的訊息。勸說性傳播是屬於具有高度技巧的傳播，它的意圖不甚明顯，不是受播人所能立刻感應到的，但是實際上的訊息安排是要達到影響的目的，例如利用漫畫來說明環境衛生的重要性，以及利用生活圖片來宣導家庭計劃等，都是利用巧妙的訊息安排，引導人產生瞭解、同情和支持。娛樂性傳播在內容上，屬於無特定意圖和目的意向的資訊活動，它是一種調劑性的活動，也是一種大眾化的傳播行為，娛樂性傳播的影響力，完全是基於受播者的感應而來的。

以研究學派區分時：傳播約可劃分爲新聞傳播、教育傳播、圖書館傳播及其他學科之傳播，新聞傳播是應用範圍最爲普及的學派，偏重於研究公衆事務與傳播的交互影響，例如調查、訪問、民意測驗、宣傳研究、公共關係等。教育傳播側重於研究學習經驗與傳播的交互影響，例如教育資料媒體的研究、視聽教材的編序與製作等，以及最近發展的多映性視聽放映器材等均包括於內。至於圖書館傳播，則是近年來才正式進行研究的一個學派，主要因應於知識爆漲所發生的許多時代性問題急於解決，圖書館傳播偏重於研究知識的流佈與傳播的交互影響，例如促成知識成長的系統化、資料檢索的設計、資料庫和資料交流網的經營等均包括在內。

四、傳播的過程

前面提過亞里斯多德曾對傳播下過如此的註解：說話者、言詞、聽話者。這一段註解被許多傳播學者認爲是最雛型的傳播過程，因爲說話者就是傳播人，言詞就是傳播的訊息、聽話者就是受播人（傳播人—訊息—受播人）便是一種最簡單的傳播過程。

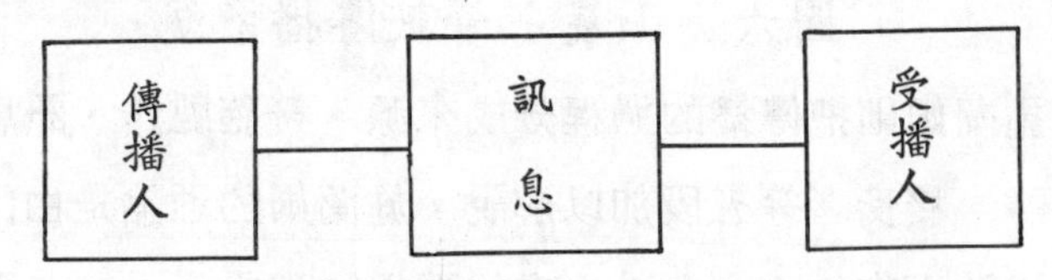

圖五　亞里斯多德：簡單的傳播過程

傳播理論的奠基者山農氏，他認爲傳播的過程包括了五個項目：來源、傳遞者、通道、接受者、目的地　　。

1. 來源就是訊息的生產者。
2. 傳遞者所擔任的是訊息的修飾工作，或者是訊息的代碼化工作，無論是訊息的修飾工作或是代碼化工作，都是為了確保訊息能夠適當的遞送出去。
3. 通道就是訊息藉以通過的媒體，也是在整個過程中，可能滲入干擾 noise 的區段。
4. 接受者是將代碼化的訊息，再還元成為原來的訊息，使得經過通道的訊息仍然保持「傳真性」。
5. 目的地是資訊的受用者❻。

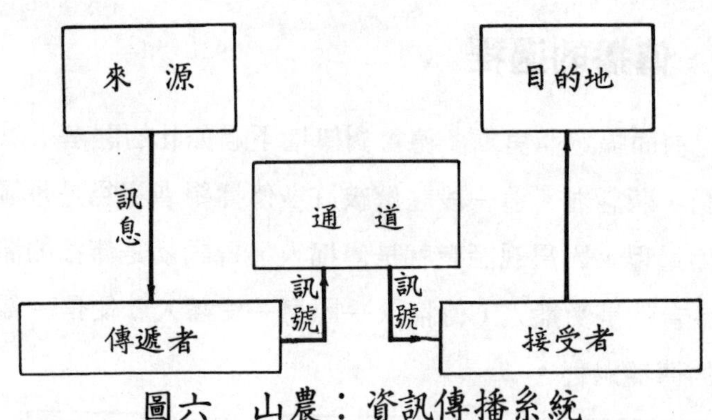

圖六　山農：資訊傳播系統

施蘭姆則把傳播的過程分成來源、符確製作、訊息、符碼解譯、接受者等五段加以解說，施蘭姆的理論是由山農的理論蛻胎而來的（圖七）。在施蘭姆的理論中，有二點很值得重視；第一點是有關符碼製作人和符碼解譯人，在對於訊息的體認上必須要有同階，同域的共同經驗，才能完成一項眞正成功的傳播活動。第二點是傳播活動中的接受者對於訊息來源「回輸」的作用，透過回輸作用傳播人（來源）可以更明確的曉得受播人（接受者）的反應和需要❼。

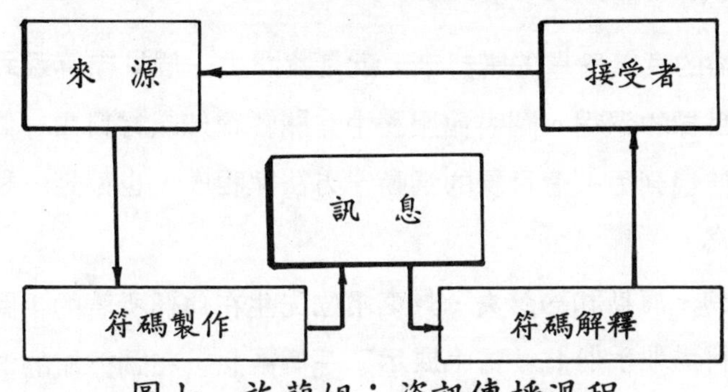

圖七　施蘭姆：資訊傳播過程

譯、訊息接受等幾個部份，例如資料的輸入便是資訊來源，資料的組織化便是符碼製作，資料庫的維持便是訊息儲存，檢索活動便是符碼解譯，資料的使用人便是訊息的接受者（圖八）。

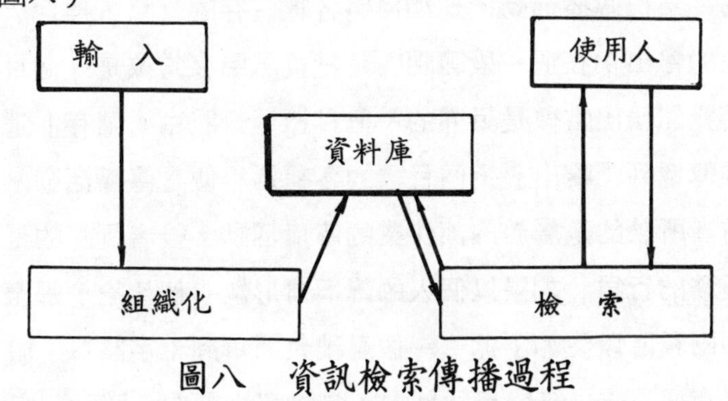

圖八　資訊檢索傳播過程

根據查理士、彌斗所著的「資訊系統分析」一書中指出，圖書館的資訊檢索亦即一種傳播過程❽。圖書館的資訊活動分析起來亦包括了資訊來源、符碼製作、訊息儲存、符碼解

五、傳播在服務中的意義

傳播的意義簡單的講起來，就是資訊由一個目標傳遞到另一個目標的過程。圖書館服務中有關各種知識材料由一個目標，傳遞到另一個目標的活動、方法與程序，也都是一種傳播行爲。

勞勃·海斯和約瑟夫·貝克兩位先生在他們所著的「圖書館資料處理手册」一書中展示了一個觀念，在圖書館的資訊系統裏關於傳播作業可粗略的分爲二部份，一部分是如何將各種輸入的資訊加以儲存起來；也就是將輸入做爲一個目標，將儲存做爲另一個目標，資訊由「輸入」這個目標，傳遞到「儲存」這個目標中的各種過程便是傳播活動。圖書館中的另一部份傳播活動，是如何將各種儲存的資訊，推送成爲有效的輸出；在這一段範圍內是把資訊儲存當做是一個目標，將資訊輸出當做是另外的一個目標，資訊由「儲存」這個目標傳遞到「輸出」這個目標的各種過程便是傳播活動。

前者所談的是屬於內部作業的傳播活動，後者所談的是對外服務的行爲。如果以個人的傳播情形做一個比喻，那麼上列的兩種區段便如下述：一個駕駛員開車到十字路口，眼睛看到交通號誌由綠燈變爲紅燈，眼神經立刻向大腦神經反

應，大腦神經幾乎在同時通知四肢採取行動，於是那位駕駛員便用手換了排檔，用腳踩刹車器，把車子停了下來；這其中「眼神經——大腦——四肢」之間的傳播是一種內部的傳播，而「紅燈——駕駛員反應——停車」這一系列的現象，被認爲是外在行爲的傳播。另外譬如一家公司裏，他們有內部通話的對講機，也有與外界連絡的電話機，對講機構成了內部傳播，而電話機的作用屬於一種公司的對外傳播。

通常以一個機構做爲一個傳播體時，所指的傳播行爲都是指涵蓋內部作業傳播的對外傳播行爲。因爲內部傳播是一個傳播體所賴以維持傳播功能的基本條件，一個傳播體本身必需要有不停的自我傳播，否則就不會有傳播的行爲或現象發生。因此之故，一般討論的傳播行爲，都是指傳播體的對外交流行爲。

派克氏認爲，圖書館傳播就是將圖書館做爲一個傳播，然後和其他的傳播體（包括個人或團體），進行資訊的連綴Link，這種資訊的連綴可以用微波來傳遞，可以用錄影來傳遞，或者可以用電腦資料來傳遞，也可以用普通的郵遞方法來處理❾。因此我們可以知道，傳播在圖書館中的意義，就是研究一種過程，在這個過程，如何把各種結構化和儲存化的資訊遞送給每一個需求資訊的「目的地」去。

六、資訊在圖書館服務中的重要性

資訊這個名詞在英文裏稱爲Information，原先大多數人習慣名之爲「資訊」，前二年經中央研究院數學研究所正式訂定學名爲「資訊」，目前這個名詞已被普遍採用。資訊這名詞起源於拉丁文的Informare，它的原意是把各種有形或無形的事物加以形式化，然後用某種方法來描繪或傳達給對方。英文裏的Information除了譯成資訊之外，還可以在各種不同的場合，分別的譯成消息、新聞、情報、詢問、知識、資料、見聞、報告、通知等。如果把資訊二字當做是一個學名，我們也可以察覺，就含義而言。資訊是一個被應用得很廣泛的詞彙，當然一個應用廣泛的詞彙，在每一個特殊的領域內，都會產生不同的界說。根據威廉凱兹的看法，他認爲在圖書館傳播的活動中，資訊就等於是訊息Message。

那麼什麼又是訊息呢？就傳播學而言，訊息就是傳播者所放出的訊號。在圖書館的活動中，每一位演說者，每一位作家，以及每一位畫家、雕塑家、音樂家、攝影家等，都是擔任着知識傳播者的角色。演說者的記錄，作家的作品，以及藝術家們的產品，不論是思想的或感情的都稱之爲訊息，因爲他們的作品所代表的就是他們所想要發出的傳遞號，於是我們可知，演說者、寫作者以及藝術家所表達的訊息，就是圖書館活動中的資訊[10]。

很顯然地，資訊在圖書館的各種活動中佔着很重要的地位，沒有資訊，傳播活動便不能進行，反過來說大量蕪雜的資訊，又會產生許多枝節的干擾，使得傳播不能很順利的進行，也影響了傳播的效果。譬如說對於某一問題的研究，只有兩三件資料可供查考時，這種書刊資料的傳遞便容易進行。如果同樣的一個問題，它的有關資料達到三百件以上，如此在資料的傳遞上便會產生一些問題，有時我們可能會遞出不是「最好的」或「最適當的」，這種情況對於受播人而言，便是一種干擾。

當然我們人類天生是解決困難的能手，大量的資訊雖然會帶給我們在傳播活動中的壓力，但是相對的也刺激了傳播技術的研究和發展，以圖書館的服務觀點來看，大量資訊的聚集正是朝向新努力的推動力，也是設計傳播過程，評估傳播效能的動因。

資訊在圖書館知識傳播中的重要關鍵，是在於達成「資訊分享」。圍繞在資訊分享這一個焦點上的問題，包括了知識傳播的活動、知識傳播的研究和知識傳播的有機化。具體的說起來，資訊分享涉及到我們如何傳遞資訊，我們用什麼態度來傳遞資訊，我們用什麼方法來傳遞資訊，以及我們用什麼形式和程序來傳遞資訊。

七、儲存在資訊活動中的重要性

在資訊、傳播、儲存這三個環節裡，儲存的意義是在於說明如何將資訊加以保存，避免干擾，以便必要時可以隨時取用。我們人類最初的傳播方法，是使用語言傳達各種意見、想法和經驗，而最原始的資訊儲存是用自己的腦子做為各種事物的記憶處所，在口耳相傳的時代裡，人腦的資訊儲存，幾乎就是一切的資訊儲存，但是再聰明的人，他的記憶也是有一定限度的，這是受到了生理上的先天限制，當一件事情進入我們腦部而產生印象時，那時的的確確是記憶下來了，也就是儲存下來了，但是相當時日之後，我們很可能就不能把全部的事情，歷歷如數的全部想起，甚至會產生記不清楚的情形，或者更糟的是忘記了。全部靠腦部的記憶，而沒有運用輔助記憶時，必然會受到時間因素和生理因素的影響，而使得能夠掌握的資料限定在一個很有限的範圍之內。

文字的發明使得人類產生了記錄符號，從龜甲、竹簡到紙張，以至於今日的非印刷媒體，都是人類爲了容納記錄符號而發展出來的各種不同的記錄媒體。這一連串的成果，不論就儲存技術的觀點，或是就儲存媒體的觀點來看，都可以發現不停歇的進行痕跡。因爲在人類求生存的大道上，儲存資訊是一件非常緊要的事情，唯有從儲存的資訊中，才能不斷地創造新的知識，也唯有從儲存的資訊中，才能尋覓到支持生存的勇氣。

根據甘特氏在「圖書館中的資源分配」一書中的統計⑪，自從哥騰堡在十五世紀使用印刷術以來，全世界所誕生的書籍，已超過三千萬種以上，同時僅一九七四年裡，全球所出版的書就有五十萬種之多，從這個統計中可以曉得，如果不是儲存技術的不斷改進，這六百年來將不可能產生三千萬種書籍。另外我們人類如果不重視資訊儲存的話，在一九七四年一年中也不可能憑白的就誕生五十萬種以上的書籍，因爲沒有資訊儲存，就沒有知識創造。

在任何的傳播活動中，嚴格的講起來都有儲存的現象存在，只是有的儲存現象時間很長，有的儲存現象時間很短，有的僅僅短到幾分之一秒或幾十幾百分之一秒，對於人們而言，極短暫的儲存現象是一種無感覺的儲存，例如電視實況轉播的過程中，資訊的儲存便是一種無感儲存；而在另外一些傳播活動中，儲存所呈現的便是一種長時間的存在，也就是人們有感覺的儲存，例如電視臺播映錄影帶便是有感儲存。在圖書館中所討論的儲存，是以有感覺的儲存爲主，並且將可做計算的儲存媒體，做爲一項重要的因素來討論。

儲存對於資訊的傳播活動，具有很重要的關係。因爲人類的知識接受和知識學習，都是一種累積性的經驗活動，累積性的活動必然要反芻以往的知識與記錄。因此，我們的知識活動總要經過儲存和再現的步驟。換而言之，知識傳播與儲存是密不可分的。

圖書館服務是一種促進知識生產與知識運用的活動，在這個促成知識誕生與增強知識應用功能的活動裏，包含着資訊、傳播、儲存三個不可或缺的元素。資訊是圖書館各種活動的材料，傳播是圖書館提供知識服務的途徑和過程，儲存則是資訊結構化和資訊再現的媒體，尤其值得強調的是傳播本身雖然只是一種過程、方法或程序，但是在各種不同的活動中，各種方式的傳播都使得資訊和儲存產生連帶的關係，並且發生循環的現象。概括言之，圖書館服務就是圖書館的傳播服務。

附　註：

❶ 此段解釋的原文為 Libraries are Important Agents in the broad field of Communication. Kathleen B. Stebbins. 所著的personnel administration in libraries 1966 年版第八十二 頁。

❷ 此段解釋的原文為 Communication means Sharing Information. 出自The world Book Encyclopedia, 1976 年版。

❸ 參見Libraries in the modern world by G. Chandler, pergamon press 出版1965年版第一頁至第四頁。

❹ 參見林德賽著 方祖同譯「科學與文化」第六章第一二一頁至一二三頁，該書係由協志工業叢書出版股份有限公司出版。

❺ 參見楊紹基譯「關於通信與情報本質方面的探索」一文，收錄於徐氏基金會所出版之「通信與情報」一書中。

❻ 參見Charles T. Meadow所著The Analysis of Information Systems 1973年出版的第二版第五頁至第七頁。

❼ 參見徐佳士著「大衆傳播理論」一書。

❽ 同註六。

❾ 參見美國圖書館協會所出版的 LRTS 1975 年秋季號中所刊載的一文Resource sharing from the inside out: Reflections on the organizational nature of library networks.

❿ 參見William A. Kata所著之Introduction to reference work,

1974 年第二版，第二十一頁至二十三頁。

⑪ 參見甘特氏主編之Resource sharing in libraries一書，1974 年版。

問答式的知識傳播服務

「問」可以增加智慧；「答」可以成熟智慧。圖書館員可以利用問答式的傳播途徑，將「問題提出」和「問題解答」包容在同一個時間與空間的單元裡，解決人們研習知識的困惑，以進行知識擴散和轉移的活動。

一、圖書館員的新角色

古人說：「活到老、學到老」，以鼓勵我們不斷的增加自己的知識。增加知識的方法固然很多，但是通過問等的方式取得知識，似乎是大多數人所習慣的途徑，中外許多經典工作採錄對話而成。「論語」中經常出現的求知方式便是問答式的，例如：

顏淵問仁

子曰：「克己復禮為仁。一日克己復禮，天下歸仁焉，為仁由己，而由人乎哉？」

顏淵曰：「請問其目？」

子曰：「非禮勿視、非禮勿聽、非禮勿言、非禮勿動。」

顏淵曰：「回雖不敏，請事斯語。」

仲弓問仁

子曰：「出門如見大賓，使民如承大祭，己所不欲，勿施於人，在邦無怨，在家無怨。」

仲弓曰：「雍雖不敏，請事斯語。」

我國的許多古典作品以問答的方式書寫而成，古代希臘所代表的西方經典之作亦復如此。從各種經典作品中所找到的例證，告訴了我們「問」可以增加智慧，「答」可以成熟智慧。因此，人們爲求增加見聞，爲求擴充知識，自然而然地進行著對話的行爲。

人的智慧是多方面的，從對話中獲得知識與智慧的談話對象也是多方面的，「三人行必有我師焉」也就是這個意思，「禮失求諸野」便是另一層的意思。學校的教師固然是求知對話的對象，圖書館中的資訊服務人員往往也成爲大衆因求知而找尋的談話對象，圖書館中的工作人員撥出一部份的時間和讀者談話，不但必須而且也是絕對必要的。

人們研習知識，探討問題或多或少地總會遭遇到困惑，這種知識上的困惑，有因受人指點而撥雲見日的，有因對話而逐漸明瞭的，更有因意見交流而豁然通達的；這種由對話的行爲而產生的好處，正脗合了俗話所說的「與君一席談，勝讀十年書」的道理和寓意。在許多人的經驗裡，知識上所纍積的難題和障礙，可經由適當的「談話」而得到解惑。擔任知識服務工作的專業圖書館員，有責任扮演知識對話的角色，旁引輕敲地協助讀者掃除研究上的障礙，解除探討人的困惑。

此外，在群體生活裡，每個人都常要獲得肯定的價值，只有在被認同的價值裡，才顯出精神奮發，勇氣百倍的意義，這是一種心裡上的基本需要，尤其在知識活動的群體生活裡，每有新知識的發現，或新經驗的取得時，更需要支援性的友誼，和認同性的關切，而後才能創造出更具價值的學術；丁肇中先生在獲得諾貝爾物理獎之後，曾公開表示，因常和費里米、楊振寧、李政道等人談論而獲益匪淺，益友的好處在幫助自己肯定知識活動上的價值；圖書館的工作人員，應該以自己的學養，讓讀者感受到談論知識的信託感和安全感，從而願意吐露他們的問題，取得價值的認同和關切。

每個人都知道，精神和情緒疲乏的人，需要和醫師談話，獲得安全感和信心；類似的情況，因過份用功或無從用功，而在知識上產生興味索然的人，亦需要和知識工作者談話，獲取肯定和自修力。受過專門知識訓練的資訊科學家或資訊工作者（Information Scientist） 正是一個極佳的知識伙伴。

由於圖書館員所擔任的角色，愈來愈具有知識性，也愈具有深度，圖書館的服務方式，在結構上產生了很大的變化，例如強調以問答的方式，進行知識對話的傳播工作便是個典型的改革，這項措施被稱爲是問答式傳播。

二、問答式傳播的意義

圖書館中利用問答的方式，而進行知識傳播的活動，爲圖書館各種活動中最受重視的一種活動方式，問答式的知識傳播具有「問題提出」和「問題解答」兩種涵意❶。

就讀者而言，問答式的知識活動，主要的行爲是在「問題的提出」（Question-Asking），問題的提出是各種知識活動的第一步，沒有問題即不會產生新知識，不斷的提出問題，才有可能不斷地獲得新知，提出問題非但是讀者的權利，也是促進圖書館成長的有效因素。

圖書館滙集了各方讀者的問題後，便可以硏究出讀者群的需要和偏向，進而完成若干必要的儲備工作，有利於加強服務的效能，譬如同屬於哲學的範圍，假設讀者的問題偏重於本國哲學，則我們的重點也要注意到本國哲學。

就圖書館服務人員而言，問答式的知識活動，主要的行爲是在「問題的解答」（Question-Answering），受過基本訓練和具備服務態度的各級圖書館員，一向都歡迎讀者提出問題，也關心對於「問題的解答」是否能獲得對方的滿意，這滿意是指回答的內家與回答的態度兩方面而言，不斷地解答讀者的問題，非但是圖書館員的責任，也是圖書館工作上的重要要求。

不論是就問題提出，抑或就問題解答的任何一方來硏討，我們都會發現，問題提出與問題解答是一種聯合性的行動，任何一方都很難單方面存在，必然要句包容在同一個時間、空間的單元裡，惟如此，才能產生個別的意義和總合的意義，也才能眞正的交流意見和知識。

以個別的意義而言，問題提出和問題解答，分佔著雙軌活動中的各方，問答之間的往來，呈現相互對應的方式進行。從這方面看，對應的現象愈密切，則彼此之間所傳遞的訊息愈大，從另方面看兩者之間對應的關係愈密切，則彼此之間所傳遞的訊息便愈有效果。

以總合的意義而言，問題提出和問題解答都是知識傳遞過程中的基本行爲，完整的知識過程一定包括「問題提出——問題解答」這兩種動作，並且連鎖不停的運行。從效益的觀點而言，知識傳播的發展是否能達到經濟性的原則，和這兩種動作能否配合，能否協調，有絕對的關係，若問題的提出，以總合的知識傳播過程而言，都不能達到良好的成效，若問題提出超過解答的能力成範圍，便產生了效益不足的結果，反之，問題解答詳於問題提出者的需要，便產生資訊過剩的浪費現象，這其間如何的權衡，斟酌與協調，是一項非常重要的問題，也和擔任問答式傳播者的學識能力有很大的關係。

三、問答式傳播的性質

在知識擴散和知識轉移的活動中，問答式的傳播是以「一個要求，一個服務」的形式進行的。圖書館中的許多知識資源：如書籍、論文、紀錄、期刊、縮影及視聽資料等，都是透過這種形式，達到讀者手裡，並發揮了各種儲存媒體中所蘊藏的知識資源的價值。問答式傳播具有下列的性質：

(一) 問答式傳播是圖書館最普遍的服務

無論是公共圖書館、專門圖書館、學校圖書館或學術圖書館，都有這種問答式的知識服務，最常見的問答式服務是參考諮詢的服務，包括非正式的對話，正式訪問，書面申請，資料代查，問題討論等。例如，讀者提出：「我有一些問題想請你幫忙好不好？」，「你們是否有××方面的資料？」等試探性的問題要求回答，便屬於非正式的對話。若讀者提出：「我要查一九七五年以來世界各國經濟成長的統計數字，有分析性的圖表和解說更好」，「我爲了寫一篇文章，要查古書中類似四時讀書樂的詩，我已經找到的幾首是不是具有代表性呢？」像這一類的對話，都是正式的交談。另外，書面的申請，那是一種肯定的文字性要求。資料代查，則是一種不完全肯定的書面要求。對於資料工具的使用方法，以及資料的判斷等交換意見談話，屬於更進一步的問題討論。

從廣義而言，讀者提出要求的事項都屬於問答式服務的範圍，甚至借閱的要求，也可視爲是最簡單的問答式服務。問答式傳播服務通常是一種不收取費用的服務，也是設置圖書館時，最被普通考慮到的一種服務。

㈡ 問答式傳播具有互動的特性

問答式傳播不是一種灌輸性的活動，不具單向傳播的任何特性，而是以有問有答爲基礎，發問者成爲此項活動的動力所在，讀者們是知識活動中各種問題的發問者，讀者們的問題愈多，圖書館的問答式傳播也愈頻繁；同樣地，讀者們的問題提得少，在圖書館中的問答知識服務工作，也相對的減少。

問答式傳播活動的主動權在讀者的身上，當然圖書館可從許多方面來影響和鼓勵讀者對於知識發生興趣，從而發生興趣，從而引發出讀者提出問題的需求和慾望，這種被動處境中的主動方式，要配合圖書館中的其他傳播活動才能達成。但是純就問答式傳播中資訊工作者和讀者所分佔的角色而言，圖書館員或資訊工作者所作之解答，是一種被動的行爲，因此，問答式傳播仍被視爲偏向靜態的服務工作。

㈢ 問答式傳播的對象通常是個人

問答式傳播旣爲對話形式來進行，傳播對象的範圍，當然不是大衆性，而是屬於人際間的傳播（ inter-personal communication ），問答式傳播是否進行順利，和個人之基本傳播技能——讀、說、聽、寫、有著非常密切的關係，也就是和語文的能力及表達的方式直接關連，除此之外，也和個人性情有很大的關係，某些各別性的差異問題，亦不得不留意。

作為問題提出者的讀者，和做為問題解答者的資訊工作者或圖書館員，這兩者之間的讀、說、聽、寫能力，愈接近愈發揮訊息交流的傳播效果，而且以資訊工作者和圖書館員的立場而言，尤其要有瞭解對方特性的耐性和能力，才不辱傳播知識者的使命。

四、傳播的隔閡與協談

人與人之間的思考，不可能百分之百的完全一致，即使是在談論同一個問題的時候，往往思考上也會產生相當的距離，因此，傳播活動中發生隔閡的情形，幾乎是不可避免的。

圖書館中的資訊科學家，雖然很用心地去安排資料的秩序，去組織資料之間聯繫關係，但是基於個人思考上的偏差，而不可能使每一位資料找尋者都輕而易舉地找到他所要的資料。反過來說，資料找尋者再如何地精於追踪，明於刋斷，有時仍然不可能在極短時間之內，伐到他自己心目中所想要查到的各種資料。這種情況的發生，倒不是因為圖書館的資訊工作人員不努力或不仔細，更不是因為資料尋找者，粗心大意或失於判斷，而是因為對於「知識組織」這一個概念，雙方在思路上不完全一樣所致。

最常發生而又明顯的圖書館隔閡，便是讀者對圖書目錄的解說，不能夠達到概念上的溝通，根據美國懷俄明大學一九七二年的調查，目錄上的隔閡，起因於下列幾種原因：

1. 讀者不瞭解圖書館所收藏的公報，年報，初步報告等資料，有時是以機構名稱來著錄的，有時是以官方的地理名稱為標目。
2. 讀者不瞭解，對於討論會或會議等資料，是以團體名稱著錄，以會議名稱著錄，而不是以作者個人或編著者為標目。
3. 期刊名稱引用過份簡單的略稱，讀者不知如何下手去查找。
4. 不同語文的刊物，所引用的著錄方式不同，有些以原文，有些卻用譯文（中文有羅馬拼音或意譯者，亦產生困擾，例如「國立」用 Kuo li 或 National 之別）。
5. 刊名變更及交替書名的困擾。
6. 刊名的字順計算方法不同，（正如同中文筆劃計算不同一樣）。
7. 不同版本，不同發行時造成一書兩名，一刊兩名的困惑。
8. 以著者著錄而非以編輯者著錄，有時又相反，讀者不明瞭何以如此。

因此之故，資料尋找者必須仰賴圖書館員的協助，才能比較順利的獲得資料，滿足知識上的需求。

為了掌握主動的知識傳播任務，圖書館的資訊工作者，應該和讀者進行必要的協談（Negociation）一方面主動地引導讀者提出他想要提出的問題，另方面可以確實地明白讀者的意向及問題的核心，而做到眞正的協助，以不辱知識傳播者的使命，圖書館中的資訊工作者在和讀者進行協談，以消除他們對圖書館的隔閡時，必須要先對讀者的弱點加以調查，然後才能順利的進行，一般的讀者需要由圖書館的工作者進行協談，約可歸納爲下列幾個原因：

㈠　讀者對圖書館收藏，缺乏質量上及深度上的瞭解

各類型圖書館因其服務對象之不同，收藏的重點也隨之不同，讀者往往不明於此，例如上國家圖書館找兒童資料，便不是一個理想的途徑，國家圖書館所收藏的兒童資料，往往不及一個專設的兒童圖書館，國家圖書館雖然不排斥蒐集兒童資料，但是兒童資料不是一個國家圖書館的主要收藏。又例如查找鹹蛋是否會導致癌症之資料，上醫學院的圖書館不一定能查到全部的有關資料，這個問題的資料還包括了食品檢驗、農產加工，衞生健康統計等方面在內，因此要從多方面着手，才能較完整地掌握住所要探求的資料。許多的讀者對於某個圖書館的收藏內容，或收藏程度缺乏瞭解，因而產生了極嚴重的隔閡，務必要透過協談的方式，幫忙讀者瞭解圖書館的收藏特色與收藏處境，以方便讀者知道最迅速的查找門徑，和獲得想要得到的資料。圖書館員和讀者進行協談以幫助讀者瞭解圖書館收藏是必要的。

㈡　讀者往往缺乏使用參考工具書的知識

各類基本的參考工具書如字典、辭典、百科全書、書目等，都是解答問題時的寶物。讀者對於參考工具書的涵蓋年份、範圍及性質有時並不十分地留意，例如找人口資料時，百科全書和年鑑上都能找者，但是從這兩處所找者的資料，在註解上和詳略的程度上都是不同的。

做為一個圖書館員首先自己要瞭解各種參考工具書的用法，繼而要協助讀者們去瞭解，唯有如此，在知識的對話上，雙方面才能節省許多的時間，進行更有意義的知識傳播活動。圖書館員和讀者進行協談以幫助讀者瞭解參考工具的利用是有其必要的。

㈢ 對專門術語缺乏瞭解

各行業在發展過程為了表達特定的意義，而產生了專門術語，以期用簡潔的字彙表示出意思來。專門術語不屬於公衆的知識，對於非本行的人，往往發生語意上的困擾，不同的字彙代表着不同大小範圍的意義，不同的字彙代表着不同深淺層次的意義，若不能掌握住一個字彙所代表的範圍與層次，便不可能正確地探索引出要找的資料，例如叢刊、期刊、連續性出版品三個名詞，各有各的不同範圍和意義，其中有些意義還是部份重疊的。

語彙的運用對於資料的查尋而非常重要。個人的習慣所好，容或有所偏差，為了達到資料檢索的目的，圖書館員協助讀者溝通專門術語而進行協談是有其必要的。

㈣ 查找資料的人不願透露找資料的理由與用途

許多人在查詢資料時，不習慣先說明他為什麼要找資料，殊不知，找得到找不到資料，這一點是非常重要的，例如找尋有關青年問題的資料，寫論文要用的和演講比賽要用的，便有所不同。

如果圖書館員不瞭解資料查找人找尋資料的用處，往往很難眞正的幫上忙，因此，圖書館人員應該透過和讀者的適當協談，以瞭解查尋資料的目的和用途，以便精確有效地傳播出知識。

(五) 查資料的人未能確定目標和需要

有些人進圖書館找資料時，只是抱着「找找看」的心情與心理，因爲他本身找資料的構想尙未成熟，連自己都不能確定，何種資料是我所需要的，何種資料是對所有的人有益處的，這種抱着騎馬找馬，走起來再說的人不是輕易地提出一大堆的問題，要求幫忙這，要求幫忙那的，便是期期艾艾地不能輕鬆自然的提出問題之所在，以致詞不達意。

對於這一類的人只是有用「引導說話」的方式着手，用穩健態度，適度地進行談話，從對方快速地回答或緩慢的回答中，幫助他確定資料的需要及找到查尋資料的目標。職是之故，圖書館員有必要和查尋資料的讀者進行協談，以爭取主動的服務。

(六) 讀者不喜歡向圖書館員提出問題

有些讀者對於圖書館員的印象不佳又缺乏信心，雖然明知圖書館設有圖書館員可爲他服務，或解決知識上的若干困難，但是由於圖書館員千篇一律的職業面孔，使其畏足不前而不願意多打交道，結果造成了對圖書館的誤解。另有一些心高氣傲的讀者，則對圖書館員的知識能力缺乏信心，我所研究的東西，圖書館員怎能幫得上忙？算了！算了！連我自己都查不到，問他有什麼用處？還是不去打擾罷了。

對於這兩種不願意和圖書館員打交道的讀者，正是做爲一個熱忱的圖書館員所要爭取的服務對象。如果圖書館員以一種誠懇的態度，充足的信心來表現我們的知識能力，查詢者對我們瞭解與信任便能逐步的增加，也就能夠順利地達到傳播知識的社會使命與任務。

基於以上的六個原則，圖書館員應該積極地和讀者進行協談，讓讀者們毫無猶豫地提出各種想要提出的問題，惟有如此，傳播的隔閡才能逐漸地消除，圖書館員的地位才被肯定，圖書館的功能才有淋漓盡緻地發揮出來，一個社會的發展便可望充滿了蓬勃的朝氣。

就本質上而言，圖書館的服務屬於知識性的傳播服務，其中尤以問答方式進行的知識服務最爲根本。圖書館員在問答式的知識服務中所擔任着關鍵性的角色。圖書館中所儲存的資訊與讀者所需要的資訊，端賴圖書館員的媒介，始能順利地達成互相溝通。擔任問答式知識服務工作的圖書館員，如能接受人際傳播的訓練，則更能做好自己的工作。

附　註：

❶ Margery Weiner Answering Any Questions; How to set up an Information office, London, David charles, 1974,3. p. 33.

参考資料：

1. 顧　敏「傳播原理與圖書館服務」，中國圖書館學會會報第二十九期。
2. Ellis Mount, "Communication Barriers and the Reference Question", Special Libraries 57:575-578. Oct. 1966.
3. Helen M. Gothberg, "Communication Patterns in Library Reference and Information Service" RQ 13:7-14, Fall 1973.
4. Robert S. Taylor, Question-Negotiation and Infomation-Seeing in Libraries. Bethlehem. Pa, Lehigh: University, Center for the Information Sciences, 1967.
5. Kevin Mc-Garry, Communication Knowledge and Librarian, p. 61-65. Clive Bingley, London. 1975.
6. 顧敏「問答式的知識傳播服務」，中國圖書館學會會報第三十二期，民六十九年，頁44－49。

知識傳播與圖書館服務

每一種知識都可能同時存在於普通常識、基本知識與專業知識之間，也有一些則僅屬於某一種知識層面。研究知識活動的問題核心，不在於知識層面的所屬，而在於知識的轉移和傳布，亦即是「知識傳播」。現代圖書館是提供廣泛知識資源的中樞之地，若能發揮主動服務的精神，並和社會大衆建立良好的傳播關係，便可更有效地豐富人類的智慧，以促進社會的和諧發展。

一、知識社會的概念

人類的生活組成了一個大社會，在這個大社會裡，存在著許許多多的活動，在這些活動因著性質上的相同或相近，分別地結合成一組一組有範圍的活動，譬如說藝術活動組合成了藝術社會，生產勞動活動組合成了生產勞動的社會，政治活動組合成了政治社會，而知識活動又組合成了知識社會。

每一種社會都有不少的人參與，而參與的人又有參與程度上的不同，有些人之參與是一種職業參與，藉著這種參與做爲從事的行業，這種人往往會成爲某一個社會的中心份子，譬如民意代表是政治社會的中心份子，交響樂團團員或演奏者是音樂社會的中心份子，另外，有些人對於某一個社會之參與是一種非職業參與，譬如選民之於政治社會，聽衆之於音樂社會等，便屬這種參與。因此，每一種社會因著參與深度之不同，而產生許多層面，對於一個整體的社會而言，必定要有許多不同層面的活動，以及和其他社會的交流，這個社會才能眞正的發展。

每一個社會的活動和其他社會的活動，都不是可以絕對分開的，彼此之間也不可能毫無關係，相反的，在不同的空間或不同的層次上，各個社會往往又有一種或多種錯綜的關聯性顯現在其間，別的不說，就拿現代社會中的個人而言，目前個人的生活也很難保持「日出而作，日入而息」的單純狀況，一位白天求學的學生，在晚間也許充當一名工人，一位夜間部的學生，在白天或許是某一個公司或行號的職員，而到了星期假日，他們又可能成爲合唱團的團員，一個人的生活可以橫跨著兩三個不同的社會，參與著許多不同的活動，社會和社會之間的活動，更是交錯又交錯，顯得分外的忙碌，分外的複雜。

整個社會活動的理象儘管錯綜複雜，我們仍可撥開霧層捉摸住每個社會獨立生存的一面，和交織運行的另一面，如果我們從人類整體

知識的社會

大社會

圖九 知識的社會

活動組合的社會層面去察看，便可有一個很大的發現，在人類的大社會中重要的社會存在於各個社會，那便是知識社會（圖九），知識社會是因著人類參加知識活動而產生的社會。

知識社會一方面獨立的生存著，另一方面又和其他社會交織地運行著，知識活動介入了每一種類型的社會，因此知識社會的涵蓋面很廣，同時知識活動的因子也散佈在每一個層次的社會裡，它的縱深度也是很大的。事實上，大社會中除了日常生活中的習慣活動和本能的活動之外，其他的活動概與知識社會，產生不同程度的關係。因此，有人說：知識活動是人類大社會繼續演進的基本因素❶。

二、不同層次的知識

知識活動和人類生存有著息息相關的因果，知識活動的發展又和知識的傳佈或轉移（Transfer），有很大的關連性，知識傳佈愈頻繁則知識活動愈積極。那麼知識因什麼需要傳佈呢？這是因爲「知識」是一個概括性的名詞，在知識這個名詞之下，可分成好幾個不同地層次，根據字典的解釋，知識兩字原是心理學上的一個名詞，係指知覺識別之行爲或狀態，包括直接取得的知識和間接取得的知識，人們口語上所稱的知識，是指所知者爲知識，事實上以深淺度來區分時，知識可分成許多不同的層面，當一個知識層面和另一個知識層面產生交流時，便形成了知識轉移或傳佈的情形，或由較深的知識層向較淺的知識層轉移傳佈，或由較淺的知識層向較深的知識層轉移傳佈，知識層面的傳佈促成了知識活動的成長。

一般而言，知識可以概略的分爲普通常識、基本知識和專業知識等三種層面。不論是抽象概念的知識或爲具體事實的知識，都可作三種不同層面的解說，而應不同情況、不同場合與不同對象的需要。例如「圖書館」這個名詞的概念，亦可作成下列三種不同程度的意義來表示：

圖書館——是看書的地方（普通常識）

圖書館——是提供知識的單位（基本常知識）

圖書館——是一個成長的有機體（專業知識）

在日常的經驗裡，我們都知道看書時上圖書館，買東西或打球，便不能上圖書館，「圖書館是看書的地方」這句話所代表的意思，連從未上過圖書館的人也明白，這句話在知識內容的層次上列爲常識。對於利用圖書館的人或是對「圖書館」三個字有過思考，有過探討的人，體會得出「圖書館是提供知識的單位」這句話的意義，不曾利用圖書館的人很難瞭解這一層的解釋，基本知識這一層的內容，必須要透過學習經驗，才能獲得，它和普通常識層及專業知識層均不同。「圖書館是一個成長的有機體」這種解釋，就不是一般的人所能接受的，甚至有人因不解其意，而產生反對，但是如果一個人對於圖書館作業體系在知識社會中所扮演的角色有所認識時，便會稱許這句話的意義。專業知識層面的解說不能廣泛推廣的道理便在這兒。

從上面的例子中，我們知道每一項「知識」都有可能同時存在於普通常識，基本知識與專業知識之中，也有一些則僅屬於某一種知識層面。研究知識活動的問題之重心，不在於知識層面的所屬，而在於知識的轉移和傳佈。

知識的轉移和知識層面的基本結構有很大的關係，在普通常識、基本知識與專業知識這三個層面中，以普通常識的層面最大，基本知識次之，專業知識的層面最小。普通常識最容易被人接受，也最易於傳佈轉移，普通常識由日常生活而得，開放的社會中，生活接觸面愈大的人，普通常識的累積也愈多。基本知識和接受教育的機會有關，受教育機會愈大的社會，基本知識的層面也愈大，基本知識的轉移及傳佈端看學習的努力程度而定。專業知識是一種尖端的知識，在不斷向前推進的社會，專業知識才受到重視，也才有發展，專業知識的傳佈轉移和學術風氣有關，也和圖書館學與資訊科學有密切的關連。

上述的三個知識層面，在人類的大社會中，以普通常識面最大，專業知識面爲最小，若將此三個層面集中在一個空間裡時，可用圓椎形狀的的架構（圖十），顯示出來❷。

普通常識由日常生活中的接觸而傳播開來，公共圖書館是傳佈和轉移普通常識的重要據點之一，基本知識經由以學校爲主的學習環境而傳播起來，學校圖書館是傳佈和轉移基本知識的重心點之一，專業知識則是歷經研究與探討而獲得的，學術圖書館與專門圖書館是傳佈和轉移專業知識的主要工作單位。根據雪拉氏（Shera）的解釋：普通知識、基本知識與專業知識三者的統合名稱叫做學識。一個社會中的學識，可以替這個社會培出一種氣質，乃至形成一個文化的核心部份。

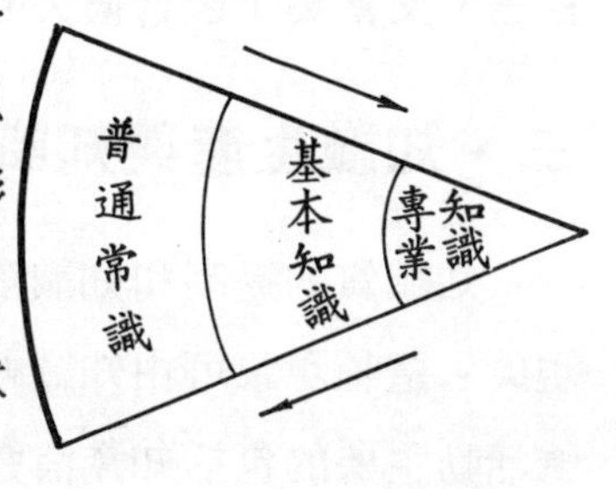

圖十　知識的層面

至於學識的發展，可從圓椎狀的圓形中，獲得二項基本概念：

第一：學識質量上的問題——我們可從圖二的左邊爲基點向右探究，整個「學識」領域中，普通常識是知識與學識的磐石。普通常識加上基本知識成爲專門知識的根基。基本知識由常識中提煉出來，專門知識又由基本知識精煉而來。整體學識的質量發展，循著（普通常識——基本知識——專業知識）而提昇的。一般而言，普通常識愈多的人，愈容易吸取基本知識，基本知識愈多的人，愈容易建立起專業知識；基本知識不足，難以探求眞正的專業知識，普通常識欠缺，也難以發展出眞實的基本知識源。

第二：學識數量上的問題——從圓椎狀架構的右邊往左方推演時，所顯示的意義指出了專門知識放射推廣而爲基本知識，基本知識放射普及而成爲普通常識。任何學識的演化，幾乎都是先由少數人研究而獲得專門尖端的成果，經教育與傳播而推廣，並在應用時得到普及化，這種由專深的層面轉移到廣泛普通層面的動向，成了學識在數量擴張上的定律。

數量的擴張增加了質量提高的機會，另方面知識質量的提高，又蓄集了數量擴大的能力。

三、知識生產與知識消費

知識質的提高和知識量的擴大，都是知識領域裡必要的現象。這種現象可由知識社會的活動明顯地展現出來，而知識活動主要的包括知識消費和知識生產這兩種情況。

知識消費是一種自然形成的事情，舉凡我們對於任何環境的瞭解，任何疑問的求答，任何新生事物的學習，在在都需要使用知識、運用知識，也就都成為知識消資的行為。知識消費的結果可獲得思想上的能量（例如信心、平和、快樂），也可獲得工作的能力，這和金錢的消費是大不相同的。西諺中的「知識就是力量」也是這個意思。人類除了本能活動如飲食、睡眠、情緒變化等活動，以及若干為了維持日常生活所需的習慣性基本活動外，知識消費的現象至為明顯，尤其在高層次的知識面活動中，知識消費的現象更為顯著。

知識生產也是一種很普遍的事情，我們對於任何活動和任何事務的新發現，對於任何活動和任何事務的新組合，以及對於任何活動和任何事務的新途徑，都能促成知識的成長❸。從「發現」的活動中，可因體認的發展而產生原理方面或概念性的知識，從「組合」的活動中，可因融滙的發展而產生科技整合或經驗性的知識，從「途徑」的活動中，可因過程的發展，而產生實驗性質或證明性的知識。假設以電動汽車做一個例子，用蓄電池充作能源代替汽車推動車子，這是原理上的新發現與新知識，蓄電瓶的安裝可置於車前、車後或車底，這表示在同一原理下，可有不同之設計，不同之設計也可產生新知識，另外，在同一設計之下，又可試驗出各種不同的安裝步驟，每試出一種經濟的步驟，也就等於誕生了一種新知識。因此，我們說任何的新發現，新組合與新途徑都能生產出新的知識。

知識消費和知識生產這兩種活動是相互交替、相互刺激和相互循環的。知識消費的結果往往是知識生產的動因，知識生產的結果往往又成爲知識消費的動因，因此，兩者之間存著相互交替的關係。知識消費量的多或寡，可以揚起或抑住知識生產量的數量，例如某一學科研讀的人多，則某一學科的著述便多，反之，知識生產量的多或寡，也可以鼓勵或限制著知識消費量的高低，例如某一學科的著述多，則某一學科的研讀者亦隨之而增，因此這兩者之間又存著相互刺激的關係。另外從動態的角度看去，可以發現知識消費的流動量愈快，則知識生產的速度亦快，同樣地，知識生產的速度愈快，也會鼓動知識消費的增快，因此，兩者的關係又形成相互循環的推動現象。從另方面來講，不論是知識生產活動或是知識消費活動，對於知識

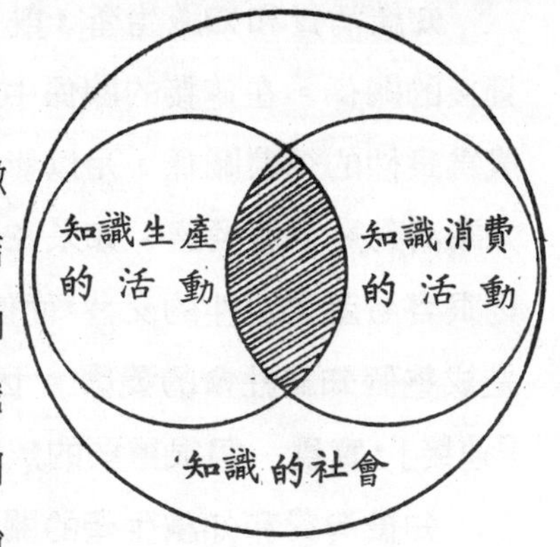

圖十一　知識的活動

質的提高及知識量的擴大，都具有肯定的意義，此兩種知識活動的結果，不是對質的提高有所幫助的話，便是對量的擴大有所貢獻，甚至同時對兩者有所發展。「未來的圖書館」一書中曾指出：知識的運用是爲了發展和組成更進一步或更深一層的知識。便是這個意思❸。

知識消費和知識生產，既有相互因果的關係，又有相互連接的關係。在連接的關係中，加入正的因素，兩者之間便成爲良性的循環關係，足以影響整個知識社會的興盛，而使知識活動愈來愈發達；如果在連接的關係中，加入負的因素，則很容易產生惡性的交替，而使得知識活動愈來愈不能振作，造成整個知識社會的萎靡。因此，知識消費和知識生產的「連接」，實爲一個很重要的焦點。

知識消費和知識生產的關係也很微妙。知識消費活動的結果，一部份變成了新活動的「能量」，另一部份則成爲自然流失的消耗，只有知識消費成爲活動能量時，對於知識生產才有價值和功效。在同等量的知識消費活動中，因著流失量起伏，而產生不同的活動能量，知識消費活動中的流失量愈大，則活動能量愈低；知識消費活動中的流失量愈少，則活動能量愈高，如何充分的運用每一份知識的能量，減少流失量到最少的限度，就需要在知識生產和知識消費雙方取得適當的配合。

另外，知識生產的活動，一方面是既得知識的複述或加工，一方面則是既得知識爲基礎的創作。既得知識的複述或加工，對於知識消費的質量沒有多大的幫助，它的功能是在於數量的擴張，對於知識消費的質量能夠提高是以既得知識爲基礎的創作。根據華萊士的說法，知識創作可以分爲四個階段：㈠思考階段。㈡孕育階段。㈢頓悟階段。㈣驗證或修正階段。這說法和柯卿氏主編的「知識成長過程」一書中所指出的：㈠引入階段。㈡消化階段。㈢吸收階段。㈣運用與生產階段❹，在本質上是很脗合的。知識創作是改進知識質量的問題，那麼，在知識社會中，什麼時期重視數量？什麼時期重視質量？是一個需要衡量的問題，因爲這兩方面均對知識消費有重大的影響，而造成其間因果的主要關鍵，還是「連接」這個因素。

總而言之，知識社會的興衰受知識活動的直接影響（圖十一），知識活動的因果關係却直接因著知識消費和知識生產的「連接活動而來」，連接愈恰當，則知識活動便愈活潑，隨之知識社會的滋長也愈能配合人類大社會的需要，因此，尋求連接活動的組合因素是很重要的事情，當然，圖書館在知識活動的連接上，有著一定的份量和功能。

四、圖書館活動與知識活動

圖書館三個字的涵意，隨著在各種場合的不同應用而產生許多的意義和解說。一九七六年版的「世界圖書百科全書」❺，曾替圖書館下了一個很好的註說，該書指出：「圖書館是人類組成傳播系統和教育系統所不可或缺的一部份。」這項解說很切合時代的意義，並反映出圖書館在人類知識社會中所佔的重要性和地位。

我們常聽人說：「圖書館嘛！是個有圖書、有報紙的地方，有什麼問題時，先上圖書館去找看嘛。」這是一般人對於圖書館的概念，把圖書館當做是藏著「知識」的處所，因為，書籍和報章在一般人的心目中是知識的象徵代表，接近書籍和報章，就代表吸收知識、學習知識。但是，傳播系統和教育系統，都以「知識活動」為核心，知識活動又脫離不了書籍報章的維繫，而書籍報章的集中地，非圖書館莫屬，在這種實際的情況下，圖書館便成為人類傳播系統和教育系統中的重要部份。就人類的傳播系統和教育系統而言，圖書是知識之泉，也是供應知識活動的來源，閱讀圖書的人，成為知識的接受者，圖書館一方擁有許多的圖書或資料，另方面又擁有許多看書或查資料的人，從這些事實中顯示出，圖書館在知識活動中具備了「連接」的實際功能。

整個圖書館活動，包含著「書籍」、「圖書館」及「讀者」三個因素，從這三個因素所顯示出的情況，我們可以清楚地瞭解圖書館活動在傳播系統和教育系統中扮演著的角色，分別述說如下：

㈠ 從書籍的角度而言

首先，我們從「書籍」這個因素看法，可以發現書籍是人類各種思想與行為的記錄品，屬人群社會中的產物，也是千世界的智慧財產。藉觀察、思考和公衆活動而誕生的智慧財富與知識，應當本著取之於公衆，而分享於公衆的精神，讓人群社會有所知，也讓人群社會有所瞭解。圖書館恰巧是處理書籍，介紹書籍的單位，順理成章的變為提供智慧財產的場合，付成了分享思想結晶的學堂。

從「書籍」的因素，觀察知識活動情況，我們不難發現一個連環的現象——（圖書是公衆的智慧財產，圖書館是分享智慧財富的地方，讀者是享用智慧財產的受惠者）。

㈡ 從圖書館的角度而言

如果從「圖書館」這兩個因素做為焦點，我們可以發現，圖書館就像是一個供應單位，各種書刊和資料是這個供應單位所能提出的供應品，讀者就是供應品的服務對象，也是供應品的接受者。圖書館和其他任何供應單位一樣，除了要注意供應品的數量和外形包裝之外，也特別留意到品質和使用問題。

圖書館為了要顧及供應上的數量問題，有最低收藏量的標準，以及訂有讀者人數和收藏資料數的比例，同時為了顧及各種知識在傳達上的性質，圖書館收集著各種不同媒體的資料，也就是各種不同包裝的知識，以應各種可能的需要。另方面，圖書館為求供應的知識能合乎興趣與胃口，也很注重書籍的品質問題，因此各種資料的選擇法和評價法，就是分類擷取不同程度的知識，以達到配合品質供應的要求。至於圖書館編製書目和索引，就等於是替各類知識做說明書，爲使供應品能充分利用。

從「圖書館」的因素，觀察知識活動的情況，我們可以肯定一個觀點——（書籍是供應知識的物品，讀者是知識的消費者，圖書館是一個提供知識消費的供應單位）。

㈢ 從讀者的角度而言

從「讀者」這個因素去探究，圖書館的讀者是人群中的部份人士，但是有資格享受讀者權利的，却是人群中不分男女老幼的全體人士。人們天生有生存的權利，這種生存權利除了是維持基本的生命之外，還存有改善生活及環境的權利，當然也可視爲是責任，權利與義務是一體兩面的，這種權利與義務，即所謂之生命的意義具有創造宇宙繼起生命的任務。在「生活就是知識」的現代社會中，獲取知識、吸收知識，不但是一個權力，也是一種義務，如各國國民基本教育的訂定，便是導源於這一個觀念體認的措施。

接觸知識、獲取知識、吸收知識的方法很多，其中透過各種類型的圖書館如公共圖書館、學校圖書館、專門圖書館等，一般均被視爲是重要的途徑，甚至有謂眞知識的獲得，應以圖書館爲主要的核心，好的大學必有一個好的圖書館，也是同一個道理。

從「讀者」因素的焦點去看，讀者對於知識的求取是一種天則，也是一種極自然的事情，而圖書館是獲取知識的重要通道，經由圖書館這種通道，我們可以獲得許多的書籍，滿載著知識充實生活和心靈。

從圖書館活動系統，分析「圖書」、「圖書館」與「讀者」三者之間的關係，可以使我們對傳播系統和教育系統中的知識活動，有更深一層的認識，同時對於圖書館活動在知識活動中的地位有確切的瞭解，歸結起來，圖書館在知識活動中的性質包括下列三項：

圖書館是一個運輸知識的通道

圖書館是一個供應知識的單位

圖書館是一個分享知識的場所

在傳播系統和教育系統的概念裡，生產知識的社會（書籍與資料的創製者），是圖書館連接的上游區域，消費知識的社會（讀者群）是圖書館所連接的下游區域。而圖書館本身應該是一個擔任連接的中間所。這種情況亦可用圖十二表示：

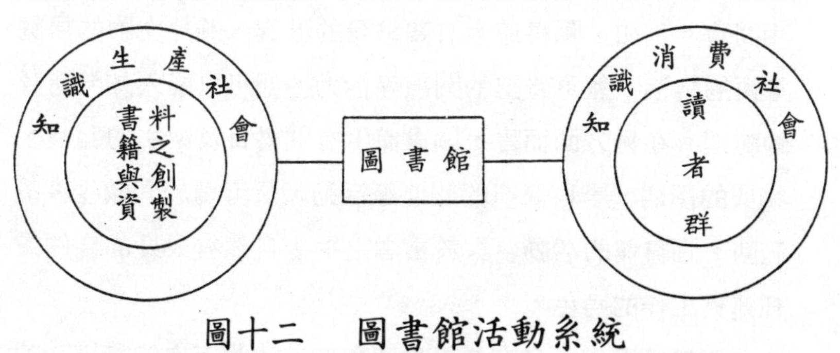

圖十二　圖書館活動系統

知識生產社會和知識消費社會之間，也有直接接觸的機會，和直接接觸的時候，但是這種直接接觸大都均屬散漫的接觸，或是不經意的接觸。人們在這種狀況的接觸裡，只憑各人的機遇去獵取知識，機遇好的時候獵獲的知識多，機遇差的時候取得到手的知識便少。散漫的知識接觸其結果猶如「看天田」一般，很難有個準。

知識上的發展，最好能和資料之水渠連接上通道，則源源而來的資訊之泉，便能豐富起知識的園地。常有人在研究某一個問題時，痛苦地發現自己手頭的資料非常見拙，非常有限，而感到需要許多的幫手，替自己不停地找資料才符用，也才夠用。這種情況顯示出在知識消費和知識生產的過程中，很需要有個中間者，來協助知識的流傳和配用。圖書館在許多的場合都被認爲是知識消費和知識生產兩種活動的中間站。

圖書館之所以有資格成爲書籍和讀者之間相互連貫的中間所，分析起來，實在是導因於圖書館有良好的條件，去融合知識消費活動及知識生產活動，因而成爲具有導合作用的中間體。例如，圖書館中有關書籍的借貸、圖片文物的展覽、學術的講演、報章雜誌的閱讀等活動，都可以歸入知識消費的範圍。在另方面而言，圖書館中有關書目及索引的編製、摘要的撰寫、學科簡訊的報導等活動，又可屬於知識生產的範圍。圖書館的活動參與於兩者之中，自然有很好的條件擔任連貫工作的角色。

基於圖書館本身在知識生產和知識消費方面的雙重功能，圖書館遂成爲一個統合性的工作單位，一方面配合著知識活動的各種需要，另方面也協調著知識活動的各項發展，它的工作以促進人類知識活動機能，保持知識一貫性地成長為目標，因此，圖書館除了在龐大的知識社會中擔任著組織化和系統化的觸媒工作之外，也成為一個積極性的知識作業單位。

五、各型圖書館的傳播特徵

圖書館的目標在成為一個主動性的知識作業單位，為求工作上的需要，圖書館的作業可劃分為輸入部份，中央儲存部份，輸出部份等三大項。

圖書館業務系統的輸入部份：是為了對「知識生產」的社會進行作業，它的工作任務是將各行各業知識生產的成果，引入於圖書館的活動之中，這種輸入作業包括從知識生產單位直接輸入產品。例如向出版者購求出版品，或向著者索取手稿本等，同時，也包括間接地從其他單位輸入知識成品，例如影印本的洽取和複本書刊的交換，就是間接的輸入。

圖書館業務系統的輸出部份：是為了對「知識消費」的社會進行工作，它的工作目標是把加工完成的知識成品，供輸給讀者群，這種輸出作業包括直接向讀者輸出「資訊包裹」Information package。例如圖書的出借，參考書目之提供，問題的解答，影印資料的寄送等，同時，也包括借道別的單位向讀者做間接的輸出，例如館際合作項下的輸出，即是間接的輸出，因為在館際合作項下所輸出的資訊包裹，並非是直接交給對方的讀者，而由對方的圖書館代轉。

圖書館業務系統的中央儲存部份：是為了連貫輸入作業

和輸出作業，俾使輸入、儲存、輸出連結在同一個程序裡作業，俾發揮主動服務的功能，儲存部份除了連結的功能外，尙有調節的作用。例如提供輸入和輸出部份以必要的統計資料供業務規劃之參考。

圖書館的輸入、儲存、輸出三部份作業與知識生產社會及知識消費社會的關係，可用圖十三表示：

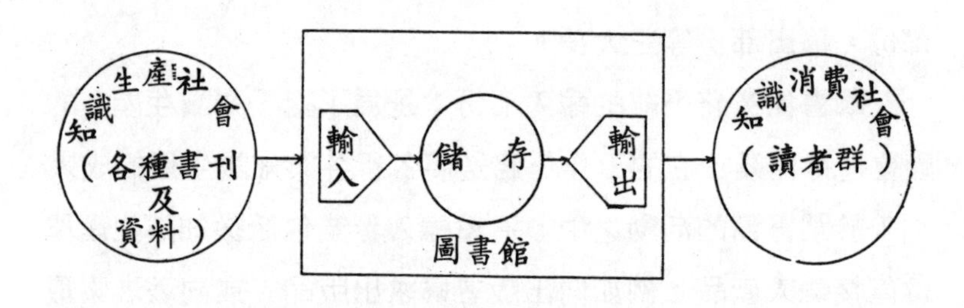

圖十三　圖書館業務系統

圖書館的作業大都劃成輸入、儲存、輸出，但是各類型圖書館在知識層面的分配上則不盡相同，不同類型的圖書館服務於不同的社會，每個社會本身的知識需要，在質量上總是有差別的，從另一方面而言，不論是那一種水平的知識社會，都是旣要求於質量又要求於數量的滿足，因此，任何的知識傳播活動，都會遇上知識層面的分配問題，普通的大衆傳播機構，爲求傳播數量的不斷擴張，儘量地降低知識層面的精專度，報紙上很少有專業知識的內容，也是爲求達到數量的發展，不得不對精專的內容限制配額，這是人人見到的例子。

知識社會的發展有賴於知識的普及，在知識普及化的活動過程中，知識的精專度和知識被接受的機會形成了對比，即精專度愈高的知識，被接受的成份比例愈低，反之，知識內容精專度愈低的，愈容易被普遍地接受，譬如各種專門知識的精專度平均都很高，而普通常識的精專度很低，但普通常識的接受率，遠高於專門知識的接受率。爲求效果計，任何傳播活動在運用知識時，都會碰上知識層面安排的難題，若層面安排欠妥當，就會減低了信息的接受率。

和圖書館有關的知識傳播活動，同樣地遭到了知識層面的安排問題。一個圖書館對讀者提供服務時，也會留意如何使讀者在知識上獲得適當的滿意，這一點便很明顯地涉及到知識層面的安排，不同性質的圖書館，在知識層面的安排上，當有各自不同的安排重點和各自不同安排的需要性。茲分別簡述如下：

㈠ 公共圖書館在知識傳播上的層面分配特徵

公共圖書館在各類型圖書館中，最具有大衆Mass 性，公共圖書館的讀者既不受學歷、性別、年齡、職業等個人條件之影響，也不受信仰、宗教、種族的限制。公共圖書館的任務又在提供教育性、娛樂性和消息性的資料給讀者，公共圖書館在知識層面的安排上，隨著圖書館業務目標而更易。公共圖書館在知識層面的安排上，可分爲三個階段：

㈠第一個階段是啓廸民智時代的公共圖書館：

以普通常識面佔最大接近百分之四十五，基本知識面次大接近百分之四十，專業知識面甚小，略高或略低於百分之十五。

㈡第二個階段是傳播知識時期的公共圖書館：

以常識面佔得比較大，基本知識次之，專業知識又次之，三者所佔的比例恰如一個直角形的三邊比邊，也就是5，4，3之比。

㈢第三個階段是主領知識傳播，兼導文化發展的公共圖書館：

以普通常識、基本知識、專業知識三者均等分佈，也就是呈正三角形的比例等分地安排各層知，就公共圖書館而言，正三角形式的等分安排，是理想的分配方式。

㈡ 學校圖書館在知識傳播上的層面分配特徵

學校圖書館是直接支援教育的單位，一方面配合教學課程的安排，另方面要顧及教學研究的需要。學校圖書館對於普通常誠、基本知識、專業知識的層面分配，以等腰三角形的型態分佈。小學圖書館的分配，是一個矮腰三角形，底邊的長度佔百分之四十五，代表著常識一層。中等學校圖書館的分配，以常識及基本知識爲等腰三角形之兩個高腰，並配以一個小底邊的專業知識。大專院校的圖書館對於知識的層面分配，以基本知與專業知識爲重，形成一個高腰的等腰三角形，而配以一個小底邊的普通常識。至於研究所階段之圖書館實屬學術圖書館，特重專業知識線之延長，而形成一個斜率三角形。配合學校作業的圖書館，完全視所屬學校在教育事業中扮的角色而定，並且都是以較廣的面爲基層，而後向上節所述的圓椎架構頂尖部份，提昇質量的標準。

㈢ 專門圖書館在知識傳播上的層面分配特徵

專門圖書館在各類型圖書館中，因本身背景條件的需要和限制，僅有窄幅的讀者對象，這些讀者基於工作職業上或專門興趣上的需要而專研知識。因此，不管是那一種類的專門圖書館，一定是以專業知識佔著最主要的分配面，但是專門圖書館有另外的一項重要任務，就是將精專度高的知識層面轉換成精專度較低的層面，再由精專度較低的層面轉換成更低的層面，爲了達到精專知識的推廣，專門圖書館是以上節所述的圓椎架構之頂尖端爲蓄聚點，而進行知識數量的擴充。

圖書館對於知識層面的安排是一種內在的因素，從這項內在上的考慮觀點爲出發，多少會影響到作業程序和作業方式的外在運用。

六、圖書館傳播知識的模式

輸入、儲存、輸出三個步驟，概略的指出了圖書館作業的基本形態，但是胎源於「書—圖書館—人」的解說，還不能把圖書館傳播作業的整個過程清晰的顯示出來，惟有仔細地去分析輸入、儲存、輸出等有關的工作項目，那麼我們才能獲得比較詳細和進一步的瞭解。

前面提到過，圖書館輸入作業的部份，銜接著知識社會的生產區域。目前有些人在提倡一個新名詞「知識工業」英文裡叫做 Knowlege Industry ，意思是說現代社會的知識生產不能再僅限於一種隨意性的知識滋長，必須成爲有目標、有計劃、有程序的知識發展，而圖書館輸入作業應該接向知識工業區域，由這個區域輸入各種媒體的知識材料或知識產品。

以物質形體來區分時，圖書館可輸入書籍、報刊、小册子、唱片、錄音帶、影片、幻燈片、電腦磁帶、縮影資料等媒體。

以知識內涵來區分時，我們可輸入報導性的知識，如一般的成人讀物，或輸入說明性的知識如書目、索引、摘要，或是輸入提煉性的知識如評價文獻、濃縮文獻等，也可能輸入基本性的知識如各種語文學習教材等。

不同物質形體的媒體和不同內涵的知識，正是人類在傳播活動或教育活動中的知能來源。知識就是力量的意思也是如此。

圖書館輸入部份的工作是從廣泛的知識工業區，去覓求尋取適當的知識來源。「品書」、「訪書」與「購書」等行動，便是圖書館從廣泛的知識工業區，去索求知識來源的具體表現，也是基本工作方法。

尋取知識來源是輸入工作的前段部份作業，覓到適當的知識來源後，圖書館還必須建立本身活動的資源，這資源在英文裡叫做Library Resources，圖書館借著「資源」才能在傳播系統或教育系統中擔當重任。

那麼如何把存在於知識工業中的各種知識來源，變成為一個圖書館的資源呢？除了靠品書、訪書及購書之外，圖書館對於引進入館內的資料，還須要給予適當的分析、加工，促使輸入的知識材料，有一定的組合及一定的秩序，俾納入一個儲存系統中，供知識活動上的不時之需。

如果以傳統的圖書館學術語來比擬時，輸入部份的情況，可比稱為「技術服務」，然在作業性質和傳統的概念不盡然相同，在圖書館的傳播過程裡，輸入的部份稱為「組織資源」。

圖書館傳播中的次一個重要因素是儲存，儲存部份的重點是在建立圖書館的儲存系統，圖書館中的儲存系統一直是知識傳播活動中的重要因素。

任何的傳播活動都有儲存的現象，只是有些傳播活動所經過的儲存現象很短，僅僅只有幾分之一秒或幾十幾百分之一秒，在那些傳播活動裡，儲存的因素便不被重視，而圖書館中的知識傳播活動情形恰好相反，圖書館中的儲存現象由於紀錄性媒體的存在，而跟著長時間存在，所以圖書館中的儲存，已不再僅是一種現象而已，因此，圖書館中所討論的儲存問題，著重在如何將知識儲存，發展為一種實際的系統並達成運用上的目的。

一般情況而言，資料的儲放量愈大，則資料的取用便相對的受到不便和限制，這種不便和限制可能是時間因素造成的，譬如在一個地方只有五件資料時，我們很快地可以找著其中的一件，如果有一千件時，便需要花較多的時間去翻查，另外也可能因空間因素而受限制，譬如一座大的圖書庫有十幾層，自然要跑好多路，當然更有可能同時受到時間上和空間上的限制，爲了解決大量資料存放，而引起的取用方面之限制，端賴建立圖書館儲存系統，方可突破難題。

圖書館儲存系統的建立，一方面由輸入部份源源導入大量的知識資源，並透過適當的設計完成結構化的儲存，另方面應輸出部份作業量之需要進行調節性的知識供輸，使得知識輸入和知識輸出達成平衡的流通和活動。

除了輸入和儲存部份外，圖書館傳播過程中的另一端是輸出部份，圖書館輸出作業，通向著知識消費的區域，輸出的方式是運用圖書館的各種資源，假不同的通道爲之，例如圖書出納（借書和還書）、影印服務、書目報導、知識簡報、展覽活動、巡廻書箱、開架閱覽、諮詢問答、專題討論等，都是圖書館利用本身資源輸出知識的通道（channal），經由這些不同的通道，適當和適量的知識可送交到消費者的手上。圖書館輸送知誠的對象可分爲兩大類，一種是基本的消費者亦卽基本的讀者，另一種是潛在的消費者。一個圖書館如果愈能吸收基本讀者，吸引潛在的讀者，那麼它在傳播系統或教育系統中，所佔的份量便愈爲重要。

怎樣才能吸收基本讀者並吸引潛在的讀者呢，簡單的說起來，就是要提供令人滿意的知識服務，除了運用圖書出納、展覽閱覽、諮詢問答、書目報導等通道外，還可以利用各種工具或機械協助各種通道發揮功能，例如電話便是一種最常用的工具，電話之外如影印機、縮影閱讀機（或縮影閱讀複印機）、電腦終端機 Terminal、錄音及錄影播放機、各種放映機 projector 等等都可以加強知識輸送的功能。

工具和機械能改善輸出作業的功能，這是硬體 hardware方面的功效，另方面軟體 software方面的作用，更是不容忽視。什麼是知識輸送時所牽涉到的軟體功效呢？那就是組織知識的包裹 Information package 的技術和方法。

所謂「知識包裹」是指我們就某一個論題，聚集各種有份量的資料及訊息，加以適當的組織起來，亦可說是包裝起來，並進行高品質的知識服務，使得論題的研究者獲得滿意的消費。

知識包裹服務和一般性的知識輸出服務是有別的，兩者之差別，在於一般性的知識服務，大多數以媒體的外形爲輸出單位，當接到一個題目，需要提出服務時，在一般的知識服務中，以輸出幾本書，幾種期刊，幾篇論文做爲知識服務的「具體表現」，而知識包裹的服務是以論題的關係面和內涵面爲中心，從各種媒體中抽取有關的內容，並經滙集和組合再提供出去，換言之，一般性的知識服務是將原作品的成品，原封不動的提供出去，也就是知識包裹的服務是將多人的知識成品，加以組合或整合後再成批的提供出去。

知識包裹的組合，屬於資料處理中的軟體部份，牽涉到一系列的技術和方法，也關係到儲存系統的設計，只要掌握住資料的加權 weight、連綴 linking 關係、分揀 sorter 方式等問題，便可從儲存系統中的知識資源，集合成適當的程度和適當內容的知識包裹。我們可知，知識包裹式的服務比一般的知識服務，更能令人滿意。

若以傳統的圖書館學術語來比擬時，輸出部份的情況可比稱爲「讀者服務」，然而在本質上和作業項目上有顯然的出入。在圖書館傳播過程裡，輸出的部份爲檢索作業。

傳統的圖書館作業是以「技術服務」及「讀者服務」爲其核心，作業過程如圖六：

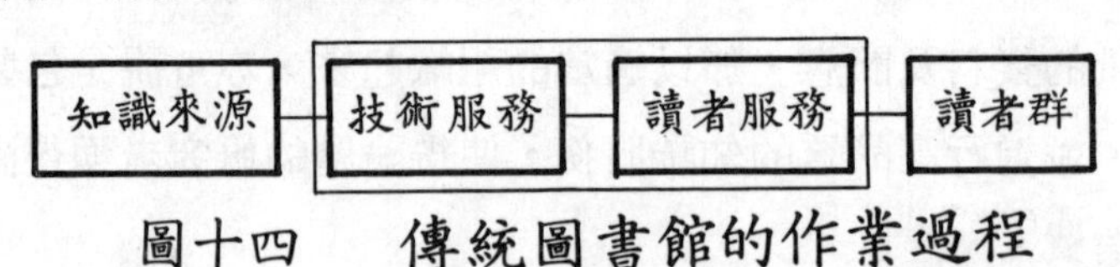

圖十四　傳統圖書館的作業過程

整個的作業，幾乎是一種圖書館的內部作業，經營目標是以圖書「館」內爲主，很少注意到圖書館和外界知識社會的應有關係，也很少探討圖書館在知識社會中的活動本質，由於概念條件上的限制，作業的本質也就有所限制了。相對的，圖書館在一般人的心目中也就「有限」了，要突破這種限制，必須先從圖書館作業的模式上去著手研究，因爲圖書館的作業模式是隨圖書館在知識社會及大社會中所擔任的角色而演變的，惟有當我們眞切地瞭解到圖書館在知識社會及大社會中所擔任的時代角色，我們才能找出圖書館作業的適當模式，也才能突破一般人對「圖書館」在概念上和認識上的局限。

從上述各節中，我們可以對現代圖書館的作業，體認出一個約略的輪廓，現代的圖書館作業是以「組織資源」、「儲存系統」、「檢索處理」做爲知識交流過程中的三個段落，這三個段落可以一貫性地將知識生產活動和知識消費活動，緊密的結合在一起，並以「回輸」作業穿梭其間，而使得知識社會產生無比的活動力量，並間接地推動人類大社會的巨輪，促進文明再文明的躍昇。

現代圖書館所擔負的作業程序包括六個部份：㈠知識來源，㈡組織資源，㈢儲存系統，㈣檢索處理，㈤知識消費，㈥回輸，這六個部份是圖書館賴以進行知識傳播活動的必要過程，可以繪成圖七的作業模式表示之：

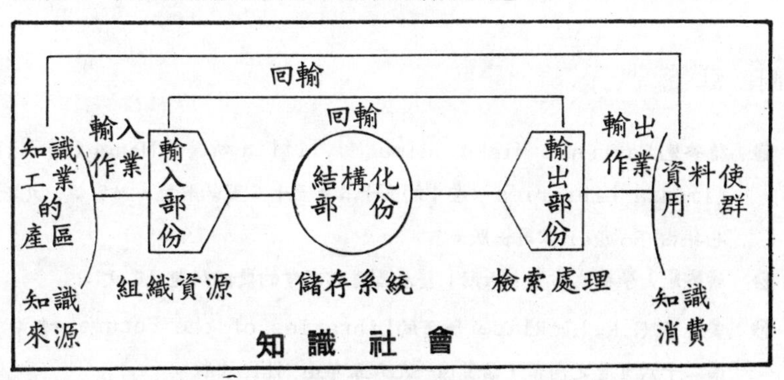

圖十五　現代圖書館的作業程序

圖書館的傳播模式雖是一定的，但是各別的圖書館在實際作業上，必須依照該圖書館在各種不同類型的傳播系統，或教育系統上所整任的角色而定，惟有輸入適量的，符合需要的知識材料，圖書館才能在各種傳播系統或教育系統中，發揮知識活動的功能，在整個體系之中必須確立清晰的總目標，輸入工作的目標和輸出工作的目標，都是以達成總目標爲依歸。

囘輸作業的意義，在核對實質作業的成果和目標之間的距離。成果和目標之間，一定會有距離的，這種距離大多數是成果趕不上目標，也有極少數的距離由成果超過目標而形成的負差距，在一定時限的過程裡，成果超過目標的差距是可喜的現象，這顯示分項目標順利完成，然而以長時期的總體目標而言，目標的要求總是領先於成果的。圖書館工作目標，必要領先於圖書館已獲致的服務成績。

附　註：

❶ 請參見 Warren B Hicks Alma M. Tillin 所著的 Managing Multimedia Libraries 一書中的第十二頁至十三頁的解說，該書係一九七七年由 Bowker 公司出版。

❷ 請參見大學雜誌第七十六期「發展圖書館事業的幾個問題」乙文。

❸ 參見 J.C.R.Licklider 所著的 Libraries of the Future 一書中第二十六頁起之內客，該書係一九六五年由 MIT 出版。

❹ 參見 Manfred Kochen 主編的 The Growth of Knowledge; reading on organization and retrieval of information 一書

中關於Knowledge; a growth process部份之解說，該書係一九六七年由John wiley公司出版。

❺ 參見中國圖書館學會會報第廿九期「傳播原理與圖書館服務」乙文。

叁、縮影媒體

縮影科學在過去的四分之一世紀裡是一項快速成長的事業。縮影影像、縮影資料、縮影媒體、縮影技術，和縮影資訊這五個名詞，代表著縮影科技的演進歷程。也代表著整個縮影科學發展過程中的一個縮影。

認識縮影資料

縮影資料被公認為是一種良好的儲存媒體，一個高一百公分，寬七十公分的容體，可以裝存每捲長三十公尺的一千捲縮影資料，其中所包含的記載，有二十四開大小的書籍縮影六百萬頁之多，如果每册書籍以三百頁來計算，可容納下二萬册的圖書，縮影資料經過觀念的推廣與技術的改良之後，每檢索一幅資料，平均只需二十秒鐘，因此縮影資料亦可說是一種知識傳播媒體。

一、縮影資料的崛起

㈠ 資料控制的必要性

這是一個向前飛躍的時代。每個人的生活接觸面，隨着社會活動的需要而變得愈來愈廣大，已不是早先日出而作，日入而息的時代所可比擬。在另一方面而言，這也是一個生存競爭比以往任何時期都要劇烈的時代。由於這兩個因素的影響，人們不得不大量的吸取知識，從各方面去廣泛的瞭解與學習。我們從從事各行各業的人叢裡可以發現，各行各業的從業人員爲了配合時代的環境，以及爲了維持他們的事業於不墜，紛紛地在求取革新，爭取進步的大道上向前奔馳著。大家運用各種現有的觀點、經驗與過程，去探求新的發展，新的步驟和新的結果，以換取事業上的發展及整個社會的進步。

在人們求取發展他們的目標，而進行許許多多的活動時，一定以各種現成的思想與經驗做爲基礎，等到觀念與經驗經過融滙與消化後，才可以達到一個創造性的出發點，在達到知識創造的出發點之前；以及去進行知識創造的過程，都需要仰賴大批的記錄與資料，做爲研究的參考與依據。

記錄和資料的衍生是非常快速的，因人類研究活動愈多，對資料的仰賴性便愈大、也愈深。於是乎記錄與資料的運用率和消費率不停地上昇，記錄與資料消費率的增長正是促成知識生產與資料增加的原動力。反過來看知識生產與資料增加的同時滋衍，又成爲知識消費者在選取資料時受到許多的壓力與負擔。這種循環的結果，知識如雪球般的愈滾愈多；資料也像潮水般洶湧澎湃。在這種情況下，資料控制便成爲一件很重要的事情，因爲惟有在資料獲得控制時，知識才會呈有秩序的狀態成長。有秩序的知識活動正是我們求取進步的重要因素，有人說這是一個知識化的時代，也是一個資料化的時代，正是一點都不錯的，但是在這個知識化或資料的時代裏，資料控制是有絕對必要性的。

(二) 凱拉斯的理論

現在我們再來談談資料控制的問題，和資料控制直接有關的最重要因素是資料儲存的問題，當資料儲存獲得完善安排時，無形之中資料的檢取，增補，與調換就獲得了適當的駕御，也就是資料獲得了控制。有一位凱拉斯先生（M. Camras ）於一九六五年，在一次攝影科學家及工程師協會上，曾經提出了一篇論文——資料儲存密度（ Information storage density ）這篇論文中的材料，正好用來分析資料儲存這個問題。

凱拉斯先生在「資料儲存密度」一文中，列舉了許多儲存系統，他在各種儲存系統中，以資料的密度與速度做為計算單位，來衡量各別系統的能量與功能。凱拉斯以每一立方厘米所能容納的文字符號，乘上每一秒所能容納的文字符號（ bit per cubic cm × bits per second ）做為計算標準，於是各種資料儲存系統的能量，便如下列的順序：

遺傳系統　資料儲存量是　10^{20}

人類大腦　資料儲存量是　10_{11}

縮影資料　資料儲存量是　10_{8}

電腦帶	資料儲存量是	10^6
書籍	資料儲存量是	10^4
打孔卡片	資料儲存量是	10^2
電腦化數據記錄與邏輯	資料儲存量是	10^{02}

根據凱拉斯的分析，以同等的一個立方厘米媒體，在每一秒鐘的情況下，以人體內的遺傳系統具有最大的儲存量，然後依次是人腦，縮影資料，電腦帶及圖書。

但是值得注意的是這項理論性的儲存量比較，是在同量同時的情況下進行的，生理上的遺傳系統和人類大腦的總儲存能量，必然受到天賦影響而有一定的限度。如果以全面的媒體而言，其他非生理性的物質形態媒體，可以不受時間和物體的限制一直地累積上去，在理論上非生理性的儲存媒體是無限制的，因此，以可以同樣地無限制增長的物質形態來比較儲存量的話，便可發現：

縮影資料	第一
電腦帶	第二
圖書	第三
打孔卡片	第四

在相同的時間和相同的空間之下，縮影資料的儲存能量是最大的。正由於單位儲存大，在處理同樣龐大的資料時，

便能產生巨大的功能，使得儲存媒體，儲存空間與儲存時間都大幅度的減低，也就是縮影資料替資料儲存的問題，帶來了最經濟的方法，無論是在資料的檢取，資料的增遞，或資料的調換等各方面都是如此的。

㈢ **縮影資料的時代**

縮影資料在資料生產，資料傳遞，資料作業，以及資料儲存和安全性等各方面都俱有經濟性的長處，因此近年來縮影化資料正和電腦化資料並駕齊驅，形成了資料處理界的兩大主流，新式的資料或檔案管理方法都在這兩系 統中進行研究與探討。

但是就通盤性而言，電腦資料的處理不論是採線上作業，或非線上作業，它的平均成本總是相當可觀的，電腦的設置、維護、作業設計以及技術人員的訓練等，都必須是一種大型的計劃，否則是不合算的，而縮影在計劃時，可以有很大的彈性，整套的一貫作業或零星的小規模措施都可爲之，和電腦資料處理比較起來，要經濟實惠得多，縮影資料之所以和電腦處理同爭一席之地，也是基於這種原因。

例如一九七二年時大英百科全書就已經發展縮影圖書室，計劃把兩萬册經過縮影的書籍，存置於兩個皮鞋盒一般大小的卡片盒子中。美國的政府出版處也宣佈，該處每年出版的五百萬種文件，將全部以縮影資料的形態出版。在縮影資料發達的國家，甚至有人用縮影資料來儲存家庭主婦的食譜，也有人嚐試用縮影資料的形式來製作小學生的教科書。

縮影資料的實際運用例子，使得普通一般人對縮影資料的觀點大爲改觀，以往人們只把縮影資料當做是處理檔案的良好工具，早先人們運用縮影方法只是爲了儲存過時的資料，以便銷毀體積龐大的原本資料，或者是利用縮影方式來處理罕用易損的資料。

今日之縮影資料，已不再僅限於運用在靜態的管理方面，許多新近的出版也紛紛地用縮影版本來發行，縮影資料已經和電腦，計算機或打字機一樣地大行其道，並且成爲各行各業所爭相使用的事務機器和傳播工具。尤其新近以來，人們已把縮影處理和電腦處理的方法，配合在一起運用，這種縮影技術與電腦處理所達成的聯合作業，是將電腦運算與操作的結果，直接地錄製在縮影底片之上，而不用紙張先行印製，尤其在科學或商業資料方面，這種新的聯合技術已被接受。因爲由縮影底片直接由電腦磁帶錄製時，在理論上每秒鐘可以製作九萬個文字符號，也就是每分鐘最高可以達到五百頁的製作速度。縮影與電腦的聯合作業，是縮影資料處理的一項新的延伸，也是一個重要的里程碑。

縮影資料的應用範圍，因着縮影技術的改進而愈來愈廣泛，廣泛到幾乎可以適用於人類各方面的活動，諸如政府的檔案記錄，商業上的帳目資料，學校校務工作的記載，圖書資料的處理與傳佈，甚至個人的記錄等等。根據近年來世界各地縮影資料發展現狀的統計顯示，縮影資料事業每年均增長百分之十，一九七五年時縮影資料的經營額約達十億美元以上，因此有一位分析家說，縮影出版時代即將來臨。

二、縮影資料的演進

對於一件事物的起源和它的演變，往往總有各種不同的說法，這是由於追溯點的不同而引起的，根據 Allen B. Veaner 的說法，縮影資料的發展可以分成六個階段來研討，這六個階段分別是㈠孕育時期，㈡探測時期，㈢初步技術時期，㈣二次大戰時期，㈥新技術時期。

㈠ 孕育時期的縮影資料

這個時期偉納氏（ Veaner ）稱之爲幻想時期（Visionary period ），事實上也就是縮影資料的濫觴時期，這個時期可以追溯至西元十一世紀初，一位阿拉伯物理學家阿勒哈僧氏（Alha-zen, 965-1038）提出了攝影的簡單原理。一五五三年波塔氏（ Baptista Porta ）發明了一架能將景物的形象投射在平面上的機械，可以說是第一架類似照相機原理的機械。一八二二年時一種具有感光性能的化學藥品，被用來拍攝照片，法國人尼艾普斯（ Nicephore Niepce ）拍攝了第一張成功的照片，隨後另外一位法國人達格爾（Daguerre）於一八三八年發明了錫板照相法（Tinny Plate Photographic Method ），在效果上雖然比尼艾普斯進步一些，但是仍然不夠理想。緊接着於一八三九年英國人泰波特（ W. H.

Talbot)，發明了用氯化銀的化學溶液來處理照相底片。同時，一位英國光學家鄧薩（ John Benjamin Dancer ）在曼徹斯特地方的實驗室裡，成功地將一份二十吋長的資料，用一百六十比一的倍率縮小成只有三厘米的大小，到了一八五三年鄧薩氏又將一份六百八十個字的墓碑帖，縮攝成只有十六分之一吋的大小，同時放在珍品店中準備出售。

縮影資料在演進的第一段時期裡，僅停留在被人認爲是很有前途的階段，但是還沒有被實際的去開發成爲新鮮的事務。

(二) 探測時期的縮影資料

鄧薩在縮影資料方面的開創貢獻雖然很大，但是大家都公認法國籍的化學家達洪氏（ R. P. Dagron, 1819-1900 ），是第一位開始製作實際運用縮影資料的人士。

達洪氏在一八六〇年製造的第一份可供使用的縮影膠片，有二英吋平方大小，也就是有 30 × 55mm 大小，在這份縮影片子上記載着二十句左右的話語。當一八七〇年巴黎被普魯士軍圍困時，達洪氏在八週內將四百七十份印刷的文件，製作成縮影資料，同時並自十一萬五千項情報中，印製了二百五十萬份複本，利用這些縮影資料繫在信鴿的脚上，和巴黎城以外的各地，進行緊急的通訊任務，這種利用氯化銀與底板脫離，而只留下一層薄膜底片的方法，簡稱爲脫膜法。

是一種最雛型的縮影方法，也是近代縮影的眞正開端。

自達洪氏以後，照相機的製造日漸發達，一九二四年時德國的幾家照相機名廠，Leitz, Zeiss 等相繼推出了拍攝文件的小型照相機，於是利用攝影方法來處理大量資料的概念正式的形成，一九二八年美國柯達公司開始製造出售專門拍攝銀行票據交換存證資料用的小型縮影照相機，同時還研究成功了一種縮影類分機（Microfilm Sorter），使得日後縮影技術能夠邁向自動化的途徑，奠下了一個礎石。

一九二九年時在德國方面有位物理學家戈登堡（Emanuel Goldberg）利用銀化微粒的方法，把縮影的密度提高到千分之一的倍數，這雖然是一項實驗性的成果，卻替近世的高倍率縮影技術打下了良好的基礎。

在探測時期（Time of exploration）裡，縮影資料的先驅研究者，大都是在零星的實驗性質資源中，去進行各種活動，因爲沒有一定的計劃，實際上在這段期間裡，縮影資料並沒有做到普及和推廣。

㈢ 初步技術時期的縮影資料

在公元一九三〇年代中期，美國柯達公司的分支機構瑞柯達公司（Recordak Corporation）的紐約公共圖書館合作，共同發行了一次大戰期間總共五年的紐約時報縮影版。這是第一次的縮影出版（Micropublishing），瑞柯達公司當時以每套四百三十四美元的價格，把第一次大戰期間的縮影版紐約時報，出售給十五個圖書館。

至於這段時期縮影資料的技術發展，要自一九三三年紐約前鋒論壇報爲了處理該報發行一百年以來的舊報紙說起，當時該報委請瑞柯達公司研究製造出一種新聞業專用的縮影照相機（Microfilm Camera），將該報發行一百年來的報紙（Back Number），全部有系統的拍攝成縮影資料，同時並設計了一種新聞事業專用的索引系統，叫做過期報紙編號，有了這種索引系統的安排，使得資料的檢索與影印變得很方便，對於知識的傳播工作大有助益。

一九三八年時哈佛大學圖書館，開始進行將美國以外地區的報紙進行製作縮影的計劃，這項計劃後來由美國的研究圖書館協會繼續下去。在這段時期裡，還有一件值得一提的事是美國國會圖書館，在三〇年代成立了照像複製部（Photoduplication Department），因爲這個部門的成立，使得美國國會圖書館所收藏的許多的珍貴資料，可以公開的傳播給公衆利用。

縮影資料在這第一代技術時期（fist generation technological development），約從一九三五年起至一九四〇年的幾年中，有很蓬勃的發展，這也是縮影資料演進發展中的一個歷史性的紀元時期。

㈣ 二次大戰時期的縮影資料

在第二次世界大戰時期，美國派出了幾十萬的部隊在歐陸作戰，這些在海外的戰士與在國內家屬之間的郵件往還，是一項很嚴重的問題，美國的軍事郵政中就發展了所謂的V式郵件運輸（V-Mail），把各種郵件加以縮影化，而使得郵件所佔的空間及重量，都急驟的減少，以便利運輸上的處理，等到郵件到達目的地後，再經過複印放大遞送到前線的大兵或後方的家屬手中。當時美國的軍郵當局曾將二千七百噸的海外航空郵件，利用縮影方法處理而變成只有三十一噸的重量。二次大戰期間的「V」郵運輸，雖然是軍事上的運用時期，但也使得縮影資料的功能大顯身手，使人們澈底的瞭解它的份量。

㈤ 持續發展時期的縮影資料

從二次大戰結束至一九六〇年以前的這個階段，是縮影資料大量的步入圖書館的時期，也是縮影資料受到圖書館學照顧的時期，因為在這段時間內圖書館專家們正在試着安排有效的目錄控制（Bibliographic Control）作業，以期縮影資料能充分的被利用。美國的費城目錄中心（Philadelphia Bibliographical Center），在一九四二年至一九四九年期間曾編製「縮影資料聯合目錄」（Union List of Microfilms）。

但是早期的縮影資料目錄，都未曾受到縮影技術人員的注意，因為圖書館也沒有向他們提出任何具體的方案，來處理縮影資料目錄，直到一九五四年圖書館界為縮影資料的生產及縮影資料生產過程中應含入的書目性資料，提出了具體的指南（Guidelines），這種縮影資料目錄的控制方案，被專家們認爲是縮影資料的軟體（Software），正如同電腦資料一樣，縮影資料藉著軟體的功能可以檢索到資料的內容。在這兒不妨一提的是縮影的形式（Microforms），便是縮影資料的硬體（Hardware），正如同電腦中的打孔卡片，電腦記錄帶一般，這些媒體上的記錄如果沒有經過機器（Device）的處理，是不能傳達任何資料內容的。

所以一九四〇年代中期一直到五〇年代末這段期間，在縮影資料方面而言，是縮影資料軟體的發展時期，對於縮影資料的檢索功能，具有良好的研究成果。

㈥ **新技術時期的縮影資料**

自一九六〇年至一九七五年的最新十五年中，縮影資料步入了一個新的技術時期，在這個新技術時期裡一共引起了五項重要的改變：

⑴ 縮影資料的硬體部份（hardware）有很大的改進，譬如縮影單片（Microfiche），一九六〇年在歐洲誕生，還有匣式縮影也是在這段期間發明的。

⑵ 新型軟片的發展，例如達索（Diazo）軟片和凡士軟片（Vesicular）等，便是新型而又通用的軟片，這類新型的軟片使得縮影資料的複製作用更顯得具有效力。不但可從正片冲負片，負片也可冲負片，所以又稱爲直接複製

(Direct duplicating)，這種新型軟片除了價格低廉外，冲印手續也方便，被稱做乾式處理(Dry processing)，不需要經過很多道的手續。

⑶ 縮影資料的運用型式(the pattern of utilization)，顯得更加的具有變化性和適應性，閱讀複印機和自動複印機(Automatic Xerography)的誕生使得縮影資料除了可供閱讀外還可提供複印，另外有一種叫做 Xerox Copyflo的機器，更可以在極短的時間內，用合理的價格，將縮影版資料恢復爲一般的印刷圖書(hardcopy)。

⑷ 縮影出版工業(The Micropublishing Industry)的形成。縮影貿料的優點被完全確定後，又加上縮影軟體和縮影硬體等技術上的革新，使得縮影出版業欣欣向榮，每年有百分之十以上的成長率出現。再則，以前縮影出版部用於舊資料的重刊，現在便不同了，許多新資料也用縮影出版，例如哈佛教育評論(Harvard Educational Review)，一九七六和一九七七年的現刊本，均有縮影本發行。

⑸ 受到圖書館界的支援，鑑於圖書館中的縮影資料愈來愈多，圖書館爲了要充份的瞭解這種媒體的功能，於是就有計劃的來組織縮影資料的知識，這種措斷對於縮影資料的發展是非常有益的。例如美國圖書館協會(A.L.A.)就舉行過一連串的會議來討論縮影技術的問題，另外美國的資訊協會(A.S.I.S.)全國縮影協會等，對於縮影理論和技術

的研究，都有很大的成就。

總而言之，在這個新技術發展時期的階段裡，縮影資料的欣欣向榮和突飛猛進是有目共睹的事情。不論是軟片，鏡頭或是品質管制及生產等各方面都有很大的進展。

那麼，縮影資料在往後的發展又是如何呢？根據，Allen B。Veaner 的看法，縮影資料在未來的歲月裡，一定會愈來愈發達的，有兩個理由可以支持這個說法，一是縮影資料的經濟性，使得人們會厚愛它的。另外一個理由是心理上的原因，目前的讀者對於影像的閱覽都已經習慣，每個人都有看電視的充份經驗，因此間接閱讀的心理障礙在基本上已消除，這個是縮影資料能繼續發達的兩大原因。

三、縮影資料的特性

縮影資料是一項重要的儲存媒體：也是一項傳播知識的綜合媒體。說它是綜合性媒體那是因為縮影資料包含了軟體部份（Software）和硬體部份（Hardware）。這種綜合性的媒體可以產生出獨立的作用與功能。今日各種傳播媒體蓬勃發展的當兒，縮影資料一直保持著佼佼者的地位，完全是基於縮影資料本身擁有許多的特點，多面性的特點增加了縮影資料在許多不同範圍內的立足機會，縮影資料的特性包括了經濟性、便利性、傳播性、調節性、整理性、正確性、一貫性、保存性、檢索性、安全性等十種。

㈠ 縮影資料的經濟性

經濟性是縮影資料的第一大特點，資料進行縮影化處理時，除了第一次的設備費用是一筆投資外，實在是一種極爲經濟的處理方式，因爲縮影資料可以節省資料的空間平均達百分之九十五以上，最高空間節省率可達到百分之九十八，因此節省了許多的紙張，使人免於受紙張短缺的威脅。一間四十呎長，二十呎寬的縮影圖書室所收容的資料，若一般的圖書來包容時，將超過十五萬册的書籍，無論在設備，人員及管理費用等各方面，縮影資料都是最經濟的，而且縮影處理不裝訂，處一勞永逸。

㈡ 縮影資料的便利性

白紙黑字的印刷資料，經過縮影處理後，體積就大大的縮小，對於資料的携帶、交換等工作比較方便，同時對於用郵遞方式傳送，或是用其他方法輸送也要比印刷資料輕便許多，甚至於在保存和儲存方面來講，也可以達到簡便而乾淨俐落的要求。

方便、輕便和簡便等特性，使得縮影資料服務的合作上，或者是在館際資源的交流方面，逐步的擔當起重要的角色。因爲各種合作或交流原本是以資料流通的便利性爲最大前題的，縮影資料恰好符合這項條件。

㈢ 縮影資料的傳播性

目前每個人對於電視螢幕都很熟悉，也有相當的經驗，縮影資料的傳播也是透過一個小的影幕來進行的，並且是由知識受播者直接的來控制影幕文字或畫片的更換速度，這種自我控制的情況，可以配合個人不同的閱讀速度與習慣，使得縮影資料的傳播效率大爲提高。

另外就傳播媒體而言，縮影資料可以直接的從正片冲製拷貝，也可以用負片來冲製拷貝，前節提過的達索或凡士兩種底片，都是具有高度複製性能的軟片，這兩種底片由於是用「乾式」處理。不像一般的底片要分顯影、定影、冲洗等段落來處理，在極短的時間內，便可獲得大量的拷貝本，因此縮影資料就媒體而言，它的傳播性能也是很高的。

㈣ 縮影資料的調節性

只要運用各種不同的工藝設備，縮影資料的媒體形態便能夠在很快的情況下隨着需要而調整。例如當發理縮影資料中的某一段或某一部份，需要詳細研讀時，便可利用閱讀複印機的設備，將它複印下來再做進一步的研究。近來甚至可以將全套的縮影資料，做一種復原的處理，而還原成原先的印刷品，有種叫做 Xerox Copyflo 的機器，便可達到這種要求。

縮影資料的「版面」也可以利用電子照相方法，放大或縮小若干倍，有一種密度高達九十倍以上的縮影資料，就是由一般縮影率在二十倍左右的縮影資料爲基礎，經過一次再縮影的處理而形成的。由此可知，縮影資料有充份的調節性，完全可以看環境的需要而進行調整的。

㈤ 縮影資料的整理性

有些陸陸續續一、二頁的零散文件，在一般的資料整理中非常令人頭疼，例如銀行中每一位存戶的有關記錄，學校對於畢業學生的學籍記錄等就是如此，但是如果利用縮影的方式來處理，便可獲此適當的編排，並且整理得有條有理。

另外，活葉的散册，頁數很少的小册子，以及零星而不連貫的圖片等，都可以運用縮影資料來處理，因爲利用縮影資料時，連帶的把索引同時列入底片，保存的價值固然達到了，同時更能發揮資料本身的功能。

㈥ 縮影資料的正確性

根據一九七六年初，聯合國教科文組織所出版的圖書館彙報指出：縮影資料必須被保證和原始文件完全一致。

基於目前有許多人提議，縮影資料可以代替原始文件的法律地位，故縮影資料和原始文件的完全正確性，便受到人們的重視，不但在內容上縮影資料和原始文件保持絕對的正確性，就是連原始文件的外形等等也一併完全正確的攝入縮影資料之中，所以閱讀縮影資料時，就如同閱讀原始文件一樣的正確。

㈦ 縮影資料的一貫性

新型的縮影資料在進行縮影之先，就已經有完整的編序計劃。每一整批待縮影的原始文件，都要經過編輯，賦予代碼，標示索引等程序，然後才是眞正的拍攝工作，這是一系列串連的作業。尤其目前的全自動化縮影資料系統，不需要單獨的暗房、沖洗室等設備。從輸入到輸出完全按照旣定的程序，採行一貫作業。由於縮影資料應用一貫性的機械操作，使得品質上的管制可以達到預定的水準，尤其最近縮影資料和電腦聯合作業之後，它的一貫性處理更是明顯。

㈧ 縮影資料的保存性

各種媒體的縮影資料在型式方面是非常劃一而整齊的，例如成捲縮影資料每捲都是一百呎，縮影單片資料都是六吋乘四吋的大小。而且，縮影資料的體積總是非常袖珍的，在管理上比較容易處理，儲存的環境也容易維持和養護，因爲縮成底片是依據預先設計的編排方式連續攝製而成，內容不致散落或顚倒，具有相當的長久性，不容易受到蟲害或其他災害的影響，比起其他媒體的資料來，縮影資料更容易保存與保管。

㈨ 縮影資料的檢索性

資料處理的最基本目的，是爲了提供較快速度的檢索服務，以發揮資料收藏的功能，縮影資料的檢索性很高，依據代碼的編排：縮影資料能擁有很理想的索引系碼，這種有計劃有編序的措施，不會受資料積存量增加的影響而妨礙到資料的查找活動。

縮影資料的檢索性在理論上和圖書檢索是一樣的，每個單元的縮影位置，就如同書庫中的位置。某段文字的出處檢索，也像圖書需要標上頁碼一樣。事實上，這就是圖書編目學和索引學的一種應用成果。

具有良好製作水準的縮影資料，使得讀者很容易的找到縮影資料中的任何一幅（ frame ）的所在處。

㈩ 縮影資料的安全性

有些原始文件本身具有業務上的機密性，有時不便讓任何的人都可以去閱覽。換句話說，有些資料是屬於保密性的資料。這種資料經過縮影技術資料處理之後，便可以安全的獲得保管。因爲縮影資料是一種間接閱讀的資料，沒有閱讀機便無法知道它的內容。同時縮影資料除了重新攝製之外，也無法加以竄改或更換。

綜合而言，縮影資料的特性不外乎上述的十種，這些特點促使縮影資料在知識傳播與知識儲存的領域中，成爲一種强而有力的媒體。

四、縮影資料的分類

我們對於一件事物進行分類，可以得到許多的好處，一方面可以從分類中的每一個角度去瞭解這件事物的各個部份，另外一方面也可以從分類的過程中，獲得一個綜合性的觀點，以進一步的曉得這件事物的本身。

縮影資料這個字彙，到目前爲止，中外各國都還沒有對它定下一個法定的界說，一九七六年三月份出版的聯合國圖書館彙報中，曾經提出了一個建議中的定議：「縮影資料就是將文件縮小攝影於軟片材料之上，或者是說在軟片材料上的一系列的縮小攝影資料，需要利用光學的方法才能閱讀，並可供複製副本，或放大製成肉眼可視的文件。」這個建議中的定義，雖然可以幫助我們用最簡潔的方式來說明什麼是縮影資料。但是透過底下的分類方式，我們更可以進一步的，全面的瞭解縮影資料的範圍和意義。

縮影資料有各種不同的設計、規格和型式，一般而言縮影資料可以從四方面來區分；一是從縮攝倍數區分，二是從儲存型態區分；三是從檢索方法區分；四是從物質性質區分。

㈠ 縮影倍數的區分方法

美國國家縮影協會（National Microfilm Association）曾訂下一項縮影倍率的標準，來區分各類型的縮影資料，根據該協會的標準，一共分爲下列幾種：

一、低倍率縮影資料：也就是縮影率在十五倍以下的縮影資料，早期流通的縮影資料有許多都是屬於低倍率的，國際標準組織（I.S.O.）在一九六一年所通過的推薦標準R

218號中，對於三十五厘米縮影資料的國際交換規格中，就曾列明，凡是原始資料在28.7公分寬乘42公分高大小以內的，（等於$11\frac{1}{16}\times 16\frac{17}{32}$大小）應該以一比十四的倍率，攝製成縮影資料。這雖現是一項國際的規格，但是若干年來新型的縮影資料，已很少使用這項低倍率的標準來製作縮影資料了。

二、中倍率縮影資料：也就是縮影率在十五至三十倍之間的縮影資料，在前一小段中所提的國際標準組織出版的同一份資料中，亦即三十五厘米縮影資料國際交換規格（Scale of 35mm Microfilms for International Exchange ISO／R218-1961(E))，在這項規格中建議，凡是原始文件超過29.7公分乘上42公分大小的資料，不能夠用低於一比二十的倍率來攝製縮影資料。目前，在中倍率縮影資料範圍內，最普遍被應用的倍率是一比二十四倍的倍率。

三、高倍率縮影資料：也就是縮影率在三十到六十倍之間的縮影資料。在這個倍率範圍內，最受重視的是一比四十二倍之倍率，美國加州大學曾發出呼籲，希望縮影出版界將倍率限定在二十四倍至四十二倍這兩種範圍之內，雖未獲得一致的反應，確可以證明四十二倍之高倍率縮影是非常受重視的。

四、特高倍縮影資料：也就是縮影率在六十到九十倍之間的縮影資料，這個範圍內的縮影資料，通常較少製作，原因是這種特高倍率的縮影資料不是一般的閱讀機可以閱讀的，它既沒有具備超級縮影的完全優點，也沒有具備高倍率縮影的使用優點。

五、超級縮影資料：也就是縮影率在九十倍以上的縮影資料。超級縮影在理論上講它的縮影倍率是沒有限定的，但是以目前的技術，以一比一百五十的倍率到一比二百一十的倍率比較通行，超級縮影普通是由低倍率或中倍率的縮影資料，經過一次再縮影而製成的，也就是總共經過二次縮攝才製成的。

(二) 儲存型態的區分方法

縮影資料以儲存型態來區分時，各家的說法往往很不一致，因爲一般的介紹，都是以被認爲是最適用的幾種儲存型態才做介紹，此處將做一個統合性的說明

一、成捲縮影（Reels & Spools, 16mm, 35mm）：成捲縮影的儲存型態，就像普通的電影片一樣，但是普通的影片每一捲通常有三〇五公尺，也就是一千英呎之長。而成捲縮影的國際標準規格是每三〇公尺，也就是每一百英呎獨立構成一個儲存單位。成捲縮影的底片厚度，以不超過 0.16 厘米爲標準。

二、長條縮影（Microstrip）：長條縮影的儲存型態，就好像普通裁切好的照相底片相似，只是在底片的邊緣加上硬質的保護套，長度爲三吋、四吋到六吋不等。長條縮影一般以處理零星而獨立的資料爲主。

三、夾檔縮影（Micro-Jackets）：夾檔縮影的儲存型態，是集一組長條縮影，將之歸檔在一個四吋乘六吋或五吋乘六吋的夾檔之內，每個夾檔內約可歸存三到四項長條縮影，由於夾檔縮影外型固定，不會有零散的感覺，容易管理。

四、縮影單片（Microfiche)：縮影單片的儲存型態，有一個國際規格，那就是四英吋乘六英吋大小的一大張底片，這種大底片是由一〇五厘米的大型底片，攝製與裁剪而成的。縮影單片在一九六〇年時起源於歐洲。

五、卡式縮影（Cassettes）：卡式縮影的儲存型態，就和卡式錄音帶很相似，在一個密封的長方形盒子內，有兩個軸的記錄帶，這種記錄帶由於成本費用比較高，目前未普通化。

六、匣式縮影（Cartridger)：匣式縮影的儲存型態，是成捲縮影型態的一種改良型，將一捲縮影資料封密在一個正方型的塑膠硬匣之內。它的基本原理和音樂匣有一點類似。匣式縮影可以利用機械檢索，因此它的儲存成本雖然高一點，但是極便利的檢索性，使得匣式縮影的前途，非常的受到人們的歡迎。

七、孔卡縮影（Aperture Cards）：孔卡縮影的儲存型態是很特別的，它是由一張輸入電腦用的打孔卡片，和一份三十五厘米（或二份十六厘米）的縮影底片結合而成的。打孔卡片的大小通常是長七又四分之三英吋。縮影底片一般是輕黏於打孔卡片的右邊處。孔卡縮影的最大好處就是可以利用電腦輔助機器之一的分揀器（ Sorting Machine ），來進行檢索與追踪的工作。目前的孔卡縮影資料本身不能進入電腦作業。但是它利用電腦原理來檢索，已替管理上帶來很大的便利。

八、超級縮影（ Ultrafiche ）：在超倍率的縮影資料中，最常出現的要數超級縮影單片，例如美國的檔案經營者及行政者協會（ ARMA ），曾把一千二百位會員通訊錄，製在一張超縮影的底片上，目前又有人研究把超縮影的技術和雷射光的技術配合在一起實驗，使得超縮影可以直接的輸入電腦作業，超縮影是一種高度工藝研究發展的儲存型態，正在不停的發達中。

九、正片縮影（ Micro-opaques ）：這一種不以軟片為儲體的縮影資料，正片縮影的外形大小很不一致，小的有時只有三吋乘五吋大小，大型的有白報紙八開這麼大。正片縮影的質地就如同普通的白色硬模紙。也是一種「白紙黑字」的型態，普通要透過閱讀機閱讀才可以，但是緊急時可利用放大鏡看讀。正片縮影本身不能複製，也不能複印。所以正片縮影是一種偏重於保存的儲存媒體。

十、紙帶縮影（ Micro-Tape ）：紙帶縮影的型態就如同電報機或電腦所用的輸入紙帶。這種儲存型態的縮影資料主要的優點是可以利用機械作業，惟尚未普通化。

㈢ 檢索方式的區分方法

縮影資料給人的印象已不再是一種單純的儲存體，同時也是一種具有良好檢索功能的媒體。以檢索方式來說，縮影資料可以分成手工式縮影資料，半自動縮影資料，全自動縮影資料等三種。

一、手動式縮影資料：手動式閱覽的縮影資料，為一種很普通的型式，資料在閱讀機上的裝御，以及每幅縮影資料的移動等等，都由閱讀人用手來搖動或移動到固定的位置，閱讀完畢後，閱讀人還要把片子倒轉回來，以便保持縮影資料的原先秩序，通常成捲縮影和中低倍度的單片縮影，以及正片縮影都是手動式閱讀的縮影資料。

二、半自動縮影資料：半自動方式閱讀的縮影資料，是指借助機器操作的指示來尋找出所要的縮影幅，卡式縮影或匣式縮影就是屬於半自動化的縮影資料，當閱覽人把一整卡或一整匣的資料，送上閱讀機的固定位置，閱覽人對於縮影資料的移動，可用按鈕的方式，由機器來轉動縮影資料。

三、全自動縮影資料：此種縮影資料系統是完全利用機械操作進行資料的服務工作，從縮影資料的輸入，儲存以及檢索的步驟一概由機器處理，主要的是利用電腦的快速檢索性能，使縮影與電腦互相支援配合作業。

我們從縮影倍數，儲存型態和使用方法等三個角度去類分縮影資料時，可以幫助我們對縮影資料的瞭解與認識。

結　　論

若以電腦化和縮影化這兩種方針來權衡我們整盤的圖書館事業發展計劃時，以目前的情況而言，不論是經濟能力方面的考慮，或者是文字處理的問題，無疑地縮影化的途徑是可以先行採納的。希望我們的圖書館界早日成立縮影夥書館，以加强知識傳播的使命。也希望我們的出版界早日步入縮影出版工業的大道，以免除出版品爆炸的危險，更希望法律界能針對複印與複製等方面的版權及法律上效力的問題，進行認眞的討論，以確保我們維持進步的文化。

參考資料

1. Allen B. Veaner, Microfilm and Library: A Retrospective. Drexel Libr. Quarterly. V. 11, No. 4, p. 3-15, 1975.
2. Candace Morgan, The User's Point of View. Illinois Libraries, V. 58, No. 3, p. 216-218, 1976.
3. 35mm and 16mm Microfilms, Spools and Reels ISO/R, 116-1969 (E)
4. Scale of 35mm Microfilms for International Exchange ISO/R 218-1961 (E)
5. Henry E. Powell, The Systematic Miniature. ARMA Quarterly, V. 7, N. 3, 197.
6. Gerald F. Brown, Micrographics: The Microform Feasibility Study, ARMA Quarterly, V. 8, No. 4, 1974.

7. The Role of Scientific Management in the Library/ Media Center. Ill, Libr., V. 56, No. 3, 1974.
8. Draft Standard for the Advertising of Micropublications, LRTS, V. 18, No. 3, 1974.
9. Susan K. Nutter, Microforms and the User: Key Variables of User Acceptance in a Library Environment. Drexel Libr. Quarterly, V. 11, No. 4, p. 17-29, 1975.
10. MICRODOC, 1972-1976.

縮影圖書館

縮影資料有各種不同的設計、規格和形式，每一種型態都具有特殊儲存與檢索的功能。由於縮影圖書館並收非公開發行與公開發行的縮影資料，而縮影檔案室只收集非公開發行的資料，所以縮影圖書資料的查詢比率要較縮影檔案為高，雖然兩者有相當的出入，但籌設時，均需考慮經費、空間，以及使用量等因素。

縮影資料的媒體型態多達十幾種，一九八〇年代生產的最多的縮影媒體包括成捲縮影、單片縮影和孔卡縮影三種。每一種縮影媒體資料都具有儲存資訊的功能。然而任何一種縮影媒體資料其最終的目的不限於僅儲存資訊，還必須能夠適當地傳遞資料，或分享資訊。世界最大的圖書館於一九八〇年代初期所收藏的縮廉資料已經超過了四百萬件，其中包

四百萬件，其中包括縮影捲片約一百萬件，縮影單片約二百五十萬件，以及縮印資料約五十萬件，據瞭解美國國會圖書館也是世界上最大的縮影圖書館。從利用資料的角度而言，縮影資料可分爲兩大類；一類是祇限本單位使用，而不公開發行的縮影資料，這類縮影資料大都是自行攝製或是外包攝製的；另一類是公開發行的縮影資料，也就是所謂的在縮影出版業（Micropublishing）的發行之下，以一定的價格流通在出版品市場中。自行攝製而非公開流通的縮影資料，在我國臺灣地區正是方興未艾，而公開發行的縮影資料在我國尙未眞正的起步。在台北市地區目前有一、二家縮影服務公司和出版社可提供縮影拷貝的服務，其資料內容均屬追溯性的資料，這可以說是一種半公開發行的縮影資料，而非眞正的縮影出版。個人期望在不久的將來，我國會出現第一家縮影出版社，把縮影出版事業眞正的帶入我們的社會。

一、縮影檔案與縮影圖書館

縮影圖書館和縮影檔案室有下列的幾點區別：

㈠縮影檔案室一般祇收集自製或外包製作的縮影影檔案資料，亦即是非公開發行的縮影資料，其中包括可公開調卷查詢的縮影檔，以及機密性的縮影檔。而縮影圖書館則兼收非公開發行的縮影資料和公開發行的縮影資料，尤其在市場可以採購到的縮影資料。因此，公開發行的縮影資料在採訪、編目、閱覽、參考等方面對於縮影圖書館的影響遠勝於非公開發行的縮影資料，縮影檔案室則恰恰相反。

㈡縮影檔案室在原則上可以獨立存在，凡是被攝製成縮影的檔案，如果沒有「法律效力」方面的考慮時，理論上其原件可以銷　。而縮影圖書館則不盡然，有些出版資料如美國的紐約時報等等，幾乎同時出版縮影和普通用紙印刷的版本，通常印刷本是爲了近程使用，而縮影版則是爲了遠程使用而備的。再則，縮影圖書資料的查詢比率平均要比縮影檔案的查詢爲高。因此，縮影圖書通常必須配以印刷本的索引，以使讀者先從索引中找出查詢的線索之後，再用比較精確的查找策略去檢索出縮影媒體中的資訊。縮影檔案幾乎都沒有印刷本的索引。

縮影圖書館與縮影檔案室儘管有相當的的出入，但是在本質上，兩者的性質並不相悖。而許多單位如美國伊利諾大學芝加哥校區卽將兩者合爲一。

二、縮影圖書館的發達因素

近十年間縮影圖書館的成長非常地迅速，縮影圖書館的成長原因包括下列數項：

㈠縮影出版量的增加：近年來縮影出版事業頗爲發達，每年的成長率達到百分之三十以上。縮影出版在數量和範圍方面都有驚人的擴張，例如根據一九八三年版Serialo in Microcarm 的記載，僅在該目錄之中，卽備有一萬三千種以上的連續性刊物，係以縮影的方式出版。因此縮影媒體所蘊藏的資料量在人類知識的總比例上，占着一個相當重要的地位，縮影圖書館的成立，便是爲了處理這些縮影資料，以便利大衆運用縮影媒體中的資訊。

㈡縮影資料的使用性提高：原先利用縮影型態發行的資料，幾乎全部都是回溯性的舊資料，例如我們可以購買到一八九一年開始發行的耶魯法律學報Yale Law Journal 1891 － 1980的全部縮影資料，新出版的資料均很少利用縮影型態來發行的。目前，這種情況已經開始改變，許多資料在一開始出版時，就包括一般傳統性的印刷和縮影版本。例如哈佛敎育評論Havard Educational Review自一九七〇年代開始，所有的現刊本，都有縮影本同時發行。其他如「時代雜誌」、「新聞週刊」、「經濟學人」等介於報紙和學術刊物之間的出版品，亦以縮影版和普通印刷同時發行。由於縮影本和印刷本同時發行，使得縮影資料，在時效上可以和印刷資料並駕齊驅，這是縮影圖書館能夠快速發展的第二個有利的條件。

㈢縮影閱覽室的普徧化：縮影資料的閱覽是一種間接方式的閱覽，必須要透過閱讀機才能進行。對於一般的讀者而言，有時會產生兩種心理上的隔閡，第一種感覺是要去面對一部帶有影幕的物體；第二種是起因於要操作簡單的機械。好在目前這種心理因素逐漸的消失，現代社會的人士都有充分的看電視經驗，將這種看電視幕的經驗轉移到縮影資料的閱讀，是很順當和自然的事情，這是縮影圖書館發達的第三個因素。

㈣縮影檢索率的提高：根據艾爾滋Arntz的統計，平均在二十秒鐘之內，縮影資料的閱覽人便可找到所要的資料。尤其近年來，縮影資料在檢索方便和電腦科技相結合而產生了「電腦縮影檢索系統」CAR System ，使得縮影資料在預編的索引功能之下，又能發揮檢索上的效益。這是縮影圖書館可以和其他資訊系統鼎足而立的第四個有利的條件。

㈤縮影閱覽設備低廉化：縮影圖書館的最主要設備不是縮攝機、冲片機或拷貝機，而是縮影閱讀機和縮影閱讀複印機，本人二年前造訪美國賓州大學總圖書館時，在其三樓參觀到一座非常大的縮影圖書館，其中置有閱讀機十七台，包括可閱讀報紙半版專用的閱讀機，可閱讀單片縮影的袖珍閱讀機，可閱讀縮影捲片的標準型閱讀機。而以目前台灣地區的市場價格而言，乙台性能優良的閱讀縮影單片閱讀機，祇需一萬五千元至二萬元新台幣即可。縮影閱讀設備投資低廉，也是縮影圖書館發達的原因之一。

三、縮影圖書館的規劃

一個資料單位是否需要設置縮影圖書館或縮影資料室，以及是否設置一個獨立的縮影圖書館，或是一個附屬性的縮影圖書館，都必須從多方面去考量，以做為決策的依據，這些考量的因素主要圍繞在空間的評估，經費的估量，以及資料使用的測估；對於以上各項基本因素有了起碼的認識後，也就等於完成了經營準備上的第一步工作，於是便可就規劃性的問題加以確立標準，以便建立縮影圖書館時，能充分收到各種預期的效果。縮影圖書館的規劃是在區分縮影資料經營主管與縮影資料執行者之間的任務。經由不同層次的負責，完成縮影資料圖書館的成立。縮影圖書館經營主管所應分擔的職責包括：

㈠瞭解縮影化的價值與目的。

㈡確定縮影資料的運用性質。

㈢決定縮影化的優先次序及其範圍。

㈣編製預算並支配運用。

㈤確定縮影系統經營執行者的必要條件。

縮影圖書館經營執行者館員的職責，包括下列各項：

㈠研究縮影化資料的檔存大小，以配合機械的作業。

㈡預估縮影資料的成長率，以配合儲存及檢索的方式。

㈢分析縮影化時的材料範圍，選擇適當的類別及型態。

㈣設計並規劃一套配合縮影資料的索引系統，以供日後快速檢尋資料。

㈤建立必要的檔案，以做爲工作管制或工作變更的紀錄。

上列所述的事項都是成立縮影圖書館之初，所必須籌劃的。這種籌劃工作可以預防問題發生於未然，亦可預期縮影圖書館的經營效益。

利用縮影技術處理珍善本文獻

縮影技術係指利用光學原理，操作機械設備，將資料縮製在感光的材料之上，並同樣以光學原理反映在閱讀機上，或者是還原影印出來的一整套技術。珍善本文獻縮影化的處理程序，包括原始文件、縮影製作、儲存、縮影檢索，以及文獻利用等五個步驟，這種作業模式不但可保存珍貴的文化遺產，亦便利閱覽與流通。

資料處理的方法隨着時代日新又新地在改變。今日的資料處理工作深深地受到了電腦技術發展和縮影技術發展的影響，不論在資料的儲存檢索方面，或是在讀者利用方面，都由於應用了新的處理技術而產生了改革。本文僅就縮影技術方面的應用問題，提出若干的討論。

一、縮影技術的意義

縮影技術的意義是指利用光學原理、操作機械設備，將資料縮製在感光材料之上，並同樣以光學原理反映在閱讀機上，或者是還原影印出來的一整套技術。縮影技術與一般的攝影技術在基本拍攝原理上雖然一樣，但是兩者在表現上的要求迥然不同，這是兩種完全不同目的的攝影。

普通攝影的目的在於求「美」，爲了美的表現，往往運用許多特殊的技巧和道具，例如利用廣角鏡、濾色鏡、縱深鏡等再加上焦距與光速光圈的控制與變化，和暗房冲洗上特殊加工，所以我們常可以看到一張鮮果滴著水晶珠的照片，這也就是爲了表現美的原故。我們所照的人像底片，照相館幾乎沒有不修潤的，原因也是爲了美。

縮影製作的目的則在於求「眞」，而且要求絕對的眞，否則會發生法律上的問題。爲了「眞」的表現，縮影製作需要在規格化的穩定情況下進行拍攝，不能求個體的突出表現，不能用暗房中的任何特殊技巧，只能求標準化的一致成果。不論是拍攝階段的鏡頭、燈光或顯定冲洗等階段，一概被要求作儀表校對後的制式化表現。

換句話說，資料縮影是一種整批作業的工作，縮影作業的產品，不但要求品質上的考驗，並且要求數量上的生產效率，一般的攝影大體上屬於藝術的範圍居多，資料縮影則完全屬於工藝的範疇，近三、四年來資料縮影學被改稱爲縮影技術學的原因也在於此。

二、縮影化資料的規格種類

常見的縮影包括縮影捲片、縮影單片、孔卡縮影、夾檔縮影、超縮影、長條縮影、縮影資料等。

縮影捲片 在英文裏叫做 Micro on Roll Film，簡稱 Roll Film 或籠統的叫作 Microfilm 。縮影捲片的底片厚度，不得低於〇·一六厘米，幅寬通常為三十五厘米或十六厘米。三十五厘米的底片的縮影，影像位置不得少於一厘米，也不得超過五·五厘米。十六厘米幅寬的底片，影像距底片邊緣不得少於〇·五厘米或大於二·八厘米。片頭片尾各至少留三十公分空白為準。標準容量為每捲三十·五公尺，亦即一百英尺長為度。縮影捲片的兩種改良式，分別為匣式縮影和卡式縮影。

縮影單片 Microfiche 它的國際規格為四吋乘六吋，也就是一〇·五公分乘一四·八公分，常見的規格包括㈠十四縱欄乘七排，可容九十八幅影像之組合。㈡十六縱欄乘十三排，可容二〇八幅影像之組合。㈢十八縱欄乘十五排，可容二七〇幅影像之組合。目前流行的縮影夾檔，幾乎成為縮影單片的姐妹體，可相互轉換。

孔卡縮影的英文名字叫 Micro Aperture Card ，是由電腦打孔卡片與縮影底片結合而成的。基本規格包括一張孔卡亦稱 IBM 卡，孔卡係七又四分之三英吋長，三又四分之一英吋高，厚度〇·〇〇七英吋，絕緣、韌性高的紙卡，不受溫度、濕度變化的影響。通常在孔卡右邊裝貼上一張三十五厘米幅寬的底片，或二張十六厘米幅寬的底片，即成為孔卡縮影。可利用分揀器 Sorter 來查找所需的資料。

夾檔縮影的規格逐漸趨向於縮影單片同一個大小。縮影長條則是由縮影捲片，裁切而來的，通常為四·五吋之三十五厘米底片或十六厘米底片。縮影資料又稱為 Micro-opaque 。各種縮影的基本規格，簡略如此。

三、珍善本縮影化的重要性

珍善文獻都是具有成百年以上的重要文化財產，或者是出版已數十年而無從購得的報章雜誌，這些珍貴的文獻因年代久遠，頻受自然風化作用之威脅，尤其臺灣地區氣候潮濕，平均氣溫夏季時又在攝氏三十度以上，脆弱的珍善文獻常常成為蠹魚的溫床，而愈加使文獻受到摧殘，珍善文獻是全社會的智慧結晶，如任由其物化，那是非常可惜和不智的，如果利用縮影技術處理，則原樣文件可存入特別的保管箱保存。

再則，由於珍善文獻多半是孤本或絕本，各收藏單位惟恐稍有不慎而有所錯失，都不輕易地流通，許多有心瀏覽之士往往因申請借讀的手續繁瑣而向隅。如果利用縮影技術處理，則可以拷貝數份，分散於幾個地方，提供有意問津研讀的人自由自在地選取借閱，這樣也使得珍善文獻的眞正價值可以發揮出來，對於學術的發展一定能產生貢獻的。

我國臺灣地區利用縮影方式處理珍善文獻始自於十五年前。民國五十四年旅居美國的趙元任先生女公子趙如蘭女士，回臺灣來搜集中國音樂資料，由中央研究院提供了劉復先生主編的「中國俗曲總目稿」等資料，利用三十五厘米的成捲縮影底片，拍攝了二百四十捲的資料到美國去，這一次的創舉由美國哈佛大學出資購備拍攝設備，中央研究院歷史語言研究所同意提供資料合作而成，在製作縮影之先，由史語所的楊時逢先生花了一年工夫的時間，製就目錄乙份，也就是把原件整理了一遍。

民國五十六年七月，國立中央圖書館成立縮影室。設立之初得亞洲學會等資助，購置機件與設備，自六十二年起央館擬定了一個自六十四年度起的五年計劃，把館藏一萬三千一百〇五部善本圖書，將近十四萬册的收藏，全部加以縮影化處理，經過核准後，此項國內最龐大的珍善文獻縮影化計劃，在央館各級領導人的主持之下，以及各位工作同仁默默地殷勤努力中，終於比原進度計劃提早半年完成，總計拍攝了六百四十六萬零一百七十五張（Frame）的縮影資料。

目前中央圖書館的善本圖書計劃正在進行品質檢驗的工作，將來全部地完成之後，不但使許多未刊本得以流通於圖書館，也使得這一批寶貴的文獻獲得到良好的保存與適當的運用。

四、珍善本縮影化的作業模式

珍善本文獻縮影化處理的作業步驟和一般的縮影技術應用步驟一樣，約包括了五個部份：㈠原始文件。㈡縮影製作。㈢儲存。㈣縮影檢索。㈤文獻利用。如圖所示：

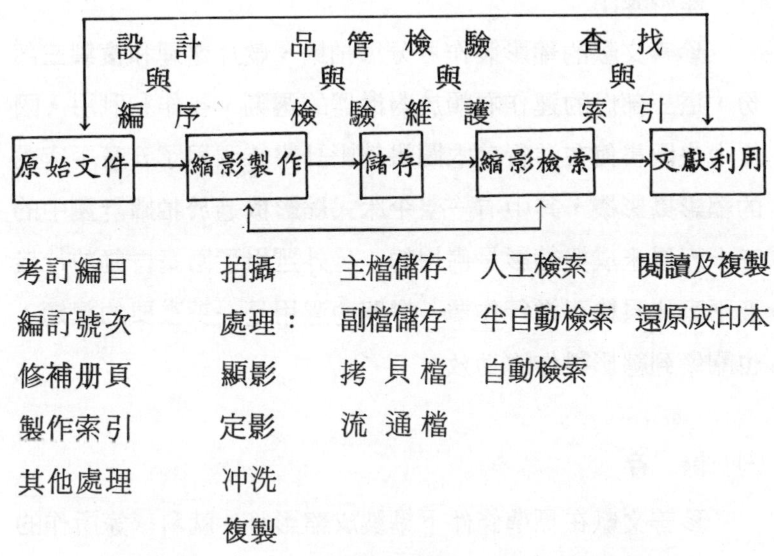

圖十六　珍善本縮影化的作業模式

㈠　原始文件

珍善文獻縮影化的第一步工作是掌握原始資料，原始文件並非可以直接地就輸往攝影機前拍攝，還必須事先加以必要的整理、設計和編序才行，對於珍善文獻的考訂編目、編訂號次、修補册頁等工作都是縮影化之前絕對必要的處理工作，所謂設計則是根據珍善文獻的原始大小及縮影化後的規格進行研究，並擬定計劃；所謂編序是指賦予原始的珍善文件以一定的秩序，這種秩序便是一種編序，要用數字或文字作爲代碼，以便日後的檢索和使用。原始珍善文獻的整理是一項最重要的準備工作，若準備不善時，很難符合日後的效率要求。

㈡ 縮影製作

珍善文獻的縮影製作可分爲拍攝、軟片處理和複製三部份，這三部份的運作有賴於對機器的選判、操作和利用，國立中央圖書館在進行善本圖書縮影計畫時選用了五臺平床式的縮影攝影機，其中有一臺平床式縮影機適於拍攝計劃中的三十五厘米成捲縮影是備用的；另外選用了兩臺自動冲片機及兩臺拷貝機正進行作業。機器的選用是一項重要的課題，也關係到縮影製作的功效。

㈢ 儲　存

珍善文獻在標準條件下攝製成縮影後，就科學家所作的技術測試結果估計，如果在穩定的保存條件裏，縮影資料應可保持數世紀之久，而不致變質。因此儲存也是縮影技術中很重要的一環。縮影儲存一般分爲主檔儲存純爲保存之用的，不供調卷之用也不供複製之用；副檔儲存才可供調卷等之用，有時副檔本身應分成若干複份儲存，例如壹份供調卷之用，另壹份供複製之用。儲存最重要的是環境因素，溫度要在華氏六五一八〇度之間，濕度要在相對濕度百分之五十左右，另外，要注意空氣的清潔過濾。除注意環境外，定期檢驗與維護是縮影儲存中不可少的工作項目。

國立中央圖書館縮影室備有自動指示的縮影底片濃度測量計，作爲檢驗濃度和鑑定濃度之用，以確保儲存品質，使其不致受到環境的影響。

㈣ 縮影檢索

縮影資料的應用必須透過檢索作業的協助，方能很迅速正確的找到文件資料的內容。檢索的方法是整個縮影系統中的靈魂，一般而言檢索方式可分爲人工檢索、半自動檢索、自動檢索等三大種。珍善文獻由於使用的頻率不會太高，可以利用製作成本最低的人工檢索，例如中央圖書館的計劃，目前便是用人工檢索。

縮影檢索和前述之設計與編序大有關係，編序不佳時檢索的功能將受到扼制。

㈤ 縮影利用

珍善文獻縮影化的最終目標還是在提供衆人利用縮影資料，利用縮影的方法，包括展示機螢幕閱讀，閱讀複印機複印，拷貝片，還原成印刷本。縮影利用最重要的一點，是要蒐集縮影利用者的反應，根據反應配合能力，適足以發展進一步的作業。對於縮影的利用者，進行適量的問卷調查是一項必要性的工作步驟，透過問卷調查可以據爲分析縮影技術的運作是否達到預期的目標，以及是否有可能達到更好的理想。

在珍善文獻的縮影利用問題中，教導及協助讀者如何利用這些縮影的媒體是一件很重要的工作。有不少的人不習慣於利用非紙張的閱讀媒體，尤其利用珍善文獻的人士多半對於機械或器具不感興趣，甚至不願加以使用，因此擔任珍善文獻服務的人員務必耐心的給予讀者幫忙，以便發揮利用縮影技術處理珍善文獻的初衷。

五、縮影技術處理珍善本的展望

縮影技術發展到一九八〇年代，不但在技術上有很大的改進，更重要的是縮影技術的社會價值觀被完全而普遍地建立起來。國際上目前對縮影技術的瞭解，係把它當作是與紙張媒體和數據媒體共同並存的三大媒體之一。縮影技術下的縮影媒體，一方面作為紙張媒體的代替物，以減輕紙張短缺及紙張價格節節昂貴的趨勢，另方面則設法和處理數據訊息的電腦，結合在一起工作，發展迅捷傳訊和自動索引的功能。

珍善文獻運用縮影技術處理時，也同樣具有這方面的意義，一則是使珍善文獻的本子得以用縮影軟片來取代，以促進資料的流通機會，還可以利用縮影出版的方式，重刊重印某些有價值的珍獻文獻，讓更多的人有機會研讀，再則是運用已發展成功的技術設備如電腦周邊設備等，以求得檢索上的功能，或是更進一步的全部數據化處理，使得珍善文獻中的每一個關鍵字，都可以成為自動索引線，設若以「影」字為索引，則所有有關「影」字的句字，全數可以檢索出來。

以現階段而言，運用縮影技術處理珍善文獻的工作，仍應以從紙質媒體轉變為縮影底片媒體為主。就這一方面而言，縮影業務需要的是高度的品質管制，也就是如何使縮影後的文獻能長久的保持，尤其是金石拓片、報紙、善本圖書、檔案等轉變成縮影片後，更要讓這些縮影片中的影像能夠完好如初才行。

縮影品質的要求包括三方面的條件：

㈠材料的條件：縮影底片中的粒子密度愈高愈好，每平方厘米若在一千一百個粒子以上，則所拍攝出來的解像率更爲精確可靠。如果以七百個粒子密度的軟片拍攝，先天的密度就不夠理想，難以保持非常淸晰的影像。

㈡拍攝及處理的條件：縮影底片在拍攝感光及冲洗後，軟片的濃度應在〇·八至一·四之間爲理想，不到〇·八時暗度太淺而不夠分明，超過一·四時明暗度太深而不夠分明，兩者都嚴重影響到影像的效果。濃度就是影像在底片上的黑化程度，在縮影處理中只能以光圈來事先控制，而不可像藝術照一樣的利用暗房加工；利用暗房加工的效果，直接地有損底片的保存壽命。

㈢環境的條件：縮影資料的保存環境是維持品質的另一項重要條件，溫度應在華氏六十五度至八十五度之間，最好是在七十至七十五度；溼度應保持在相對的五十度，空氣中的淸潔度也要加以注意。溫度與溼度偏高時縮影底片便容易發生長出霉斑，而使得底片濃度加深，仍至於變質。空氣的汚染亦宜控制，小纖維的飄揚，往往積少成多而影響了縮影底片保存的環境是維持縮影資料品質長時間的重要因素。

國立中央圖書館所進行的善本書縮影化工作，目前已完成檢驗底片的工作，寄望以優良的品質，提供讀者服務。對於珍善文獻的處理，國立中央圖書館亦創下了用彩色影片拍攝收藏彩色珍本的成績，這項彩色攝製的效果極為良好，不但可以製成縮影影片亦可複製成為幻燈片使用。最近又開始以縮影單片系統拍攝館藏的墓誌拓片等珍善資料，以應學術研究的需要。

利用縮影技術處理珍善文獻是一項很多意義的文化工作，一個國家的珍善文獻應由國家圖書館統一的規劃與設計其保存和使用的辦法才好。國立中央圖書館也應領導圖書館方面發展縮影技術的業務。

參考資料

1. 國立中央圖書館縮影業務概況　該館六十八年油印本。
2. 縮影技術的發展及其運作模式　顧　敏撰　刊於縮影研究專刊六十八年九月出版　第五頁至第八頁。
3. 利用縮影系統處理善本芻議　李清志撰　刊於國立中央圖書館館刊　第六卷第二期　第三十九頁。
4. Don M. Avedon, Micrographics in the 1980's-A Technological Assessment. IMC Journal 1980 No. 2p. 19-22.

縮影技術在資訊時代中的角色與意義

面對全面性的資訊發展系統，紙質，數據，和縮影共同被列為資訊媒體的三大核心，一起擔負資訊媒體世界中的主要地位。縮影媒體的使命時代，不單是因為它可以儲存大量的資訊，另外亦具有可變性，能夠依據使用者的需要，運用適當的設備與技術，和紙質與數據資訊媒體交互進行轉換，使得此三大資訊媒體亦能結合發揮相輔相成的資訊傳播功效。

從廿世紀八十年代開始，人類進入了全盤的資訊時代。我國也在資訊事業方面展開了全面性的發展，政府並將資訊工業明訂爲策略性的工業，全力奮起，努力直追以期在現代文明之中，持續發揮中華民族的優秀文化，奉獻炎黃子孫的智慧才能，爲全人類幸福與和平盡心盡力。

一、三大資訊媒體

縮影技術在全面資訊發展系統中，有其不容被忽視的肯定價值。一九六八年美國成立資訊工業協會（英文簡稱IIA）時，即設有專門的部門負責縮影技術的發展❶。究其原因，縮影技術乃是發展當今三大資訊媒體的主力之一，此三大媒體分別是紙質資訊媒體、縮影資訊媒體及數據資訊媒體。三種媒體之間有如階之級、鍊之環，相互依存不悖。
圖示如下：❷

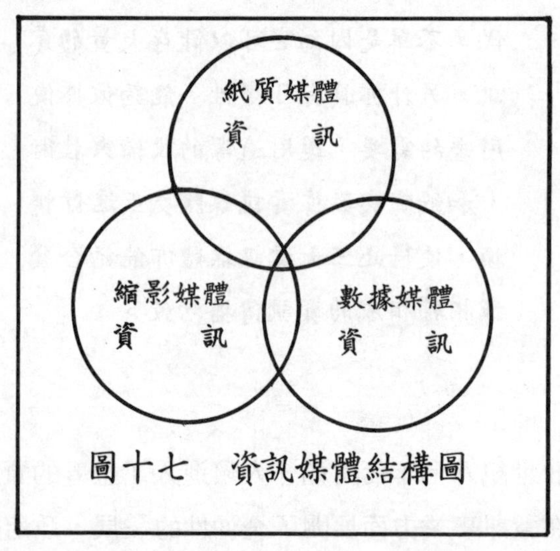

圖十七　資訊媒體結構圖

除了上述的三大資訊媒體之外，並非表示沒有其他的資訊媒體。而紙質、數據和縮影共同被列爲核心媒體，主要是基於二個原因；第一，這三種媒體在現階段中均載負著大量的資訊，這項事實使他們成爲核心媒體。第二，這三種媒體之間，可以隨著我們的需要，而做適當的媒體轉換，交互進行媒體轉換的技術成果，益發使得這三種媒體可以結合起來，並共同擔負資訊媒體世界中的主角地位。

二、縮影媒體的可變性

我們運用各種縮影攝影機，不論是平床式縮影機、輪轉式縮影機或是單拍式縮影機，都可以把紙質資訊媒體轉換成爲縮影資料。反過來，我們也可以利用閱讀複印機把各種縮影媒體包括捲狀縮影，單片縮影、孔卡縮影等媒體轉換成爲紙質媒體。

運用電腦設備作業的數據資料，則可以透過「電腦輸出縮影」的作業系統，或者稱爲孔姆COM系統，而把電腦數據資料轉換成爲縮影媒體。這方面的技術至少可包括陰極線管法、中子光柱法、光線排印法和雷射記錄方法❸。孔姆系統目前已非常的普通，個人曾在美國芝加哥市親眼目睹該市公共圖書館，運用孔姆系統把電腦處理的「芝加哥公共圖書館總目錄」轉換成爲孔姆縮影媒體系統，降低總目錄的印刷及製卡成本，而使該館一百零八個分館各擁有二套總目錄，開放給民衆查索資料，極爲稱便。另一項技術上已沒有問題的媒體轉換，是把縮影資料，轉成爲電腦處理的數據媒體，這項縮影技術叫做「電腦輸入縮影」，英文簡稱爲CIM。這是一種高度的科技技術❹。

當然紙質媒體和電腦數據媒體之間亦能轉換，因並非本文的直接主題，故省略之。以縮影技術爲中心點而視之，三大資訊媒體的轉換如圖所示：

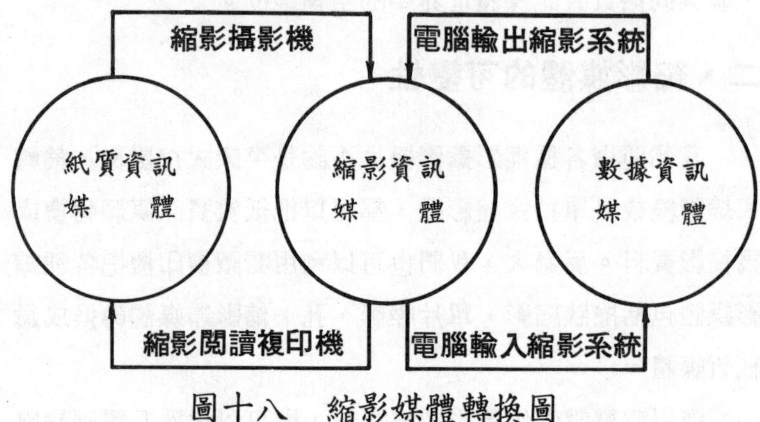

圖十八　縮影媒體轉換圖

三、縮影技術的運作

縮影技術中最常，也是最大量被運用的作業模式，是把各種紙質媒體，攝製成爲縮影媒體，以便利管理或使用。關於這套傳統性運用光學原理來處理資料的過程，包括五大作業步驟❺：個人曾在「縮影研究專刊」創刊號上，提出來做了一個初步的探討。茲修訂說明如下：

㈠ 原始文件

縮影技術的第一步工作是掌握原始資料，原始資料的來源包括檔案、文稿、書籍、帳單、電腦輸出的報表等。原始文件並非可以直接地就送往攝影機進行縮影處理，還必須事先加以設計和編序。所謂設計是根據縮影檔的大小和成本等因素，擬定實施計畫。所謂編序是指賦予原始資料以一定的秩序，這種秩序可能是一種分類，也可能是一種連續的編號。不論是用那一種方式來代表編號，都要應用阿拉伯數字或併音字母做爲代碼，以方便日後之檢索與使用。原始資料的整理是一項最重要的準備工作，準備不善時，很難符合效率。

(二) 縮影製作

縮影的製作分爲拍攝、處理和複製三部分。這三部分的運作，一方面有賴於對於機器的選判、操作和利用；另方面，要依靠品質管制上的要求，進而產生一定的效能。拍攝所需的機器是縮影攝影機。處理所需的機器是縮影處理機，複製所需的是縮影複製機。每一種機器分爲許多的類型，譬如縮影攝影機分爲平床式、輪轉式、單拍式之大類型。每一種類型又分爲許多不同性質的機器，機器的選用是一項重要課題，也關係到縮影製作的功效。另一項影響製作成效的因素，是品質管制和檢驗。

(三) 儲　存

在標準條件下攝製的縮影，可保持數世紀之久。因此，儲存也是縮影技術中的一環。縮影儲存一般分爲主檔儲存和副檔儲存，主檔儲存純爲保存之用的，不供調卷之用。副檔儲存，才可供調卷等之用，有時副檔本身分成若干複份儲存。例如，乙份供調卷之用，乙份供複製之用等。儲存最重要的是環境因素，溫度要在華氏 65～80 度之間，濕度要在相對濕度百分之五十左右，另外，要注意空氣的清潔過濾。除環境外，定期檢驗與維護是縮影儲存中不可少的工作項目。

縮影技術的基本運作過程可由圖三予以說明：

㈣ 縮影檢索

縮影資料的應用必須要透過檢索作業的協助，方能很迅速正確的找到文件資料的內容。縮影檢索都是按照光學原理而來的，可以分為人工檢索、半自動檢索、自動檢索等種類，這和器械的利用有關，可參考縮影技術學有關之部分。至於縮影檢索的方法，包括閃光卡、索引法、縮影片長度計算法、影像計算索引法、代號線條索引法，兩進位代號索引法等多種。而最重要的是檢索和前述之設計與編序大有關係，編序不佳時，檢索將受到扼制。

㈤ 文獻利用

縮影技術的目標是提供衆人利用縮影媒體，以達到分享資訊的目的。一般而言，利用縮影的方法，包括展示機螢幕閱讀、閱讀複印機複印、拷貝片、複印本印刷等。就技術觀點來看，縮影利用最重要的一點，是要蒐集縮影使用者的反應。根據各種反應做為評價的依據，然後再配合能力，方足以發展進一步的作業。此外對於縮影的利用者，進行適量的問卷調查是一項必要性的工作步驟，透過問卷調查，可以據為分析，縮影技術的運作是否達到預期的目標，以及是否有

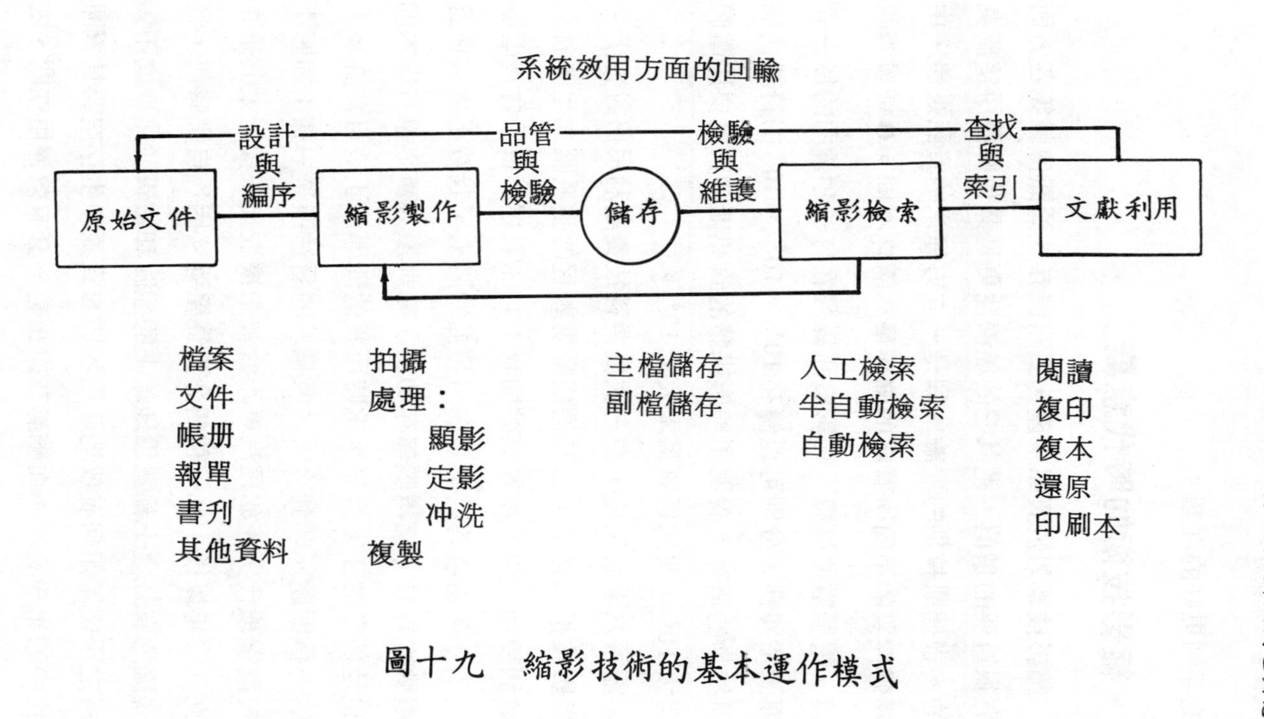

圖十九　縮影技術的基本運作模式

可能達到更好的理想。

四、縮影技術的時代意義

縮影技術對於資訊生產、資訊儲存、資訊傳輸等各方面都有很重要的價值，尤其它的經濟性更是其他媒體所望塵莫及的。根據凱拉斯的理論，同是一立方厘米的資訊媒體，由於媒體性質的不同，資訊的儲存量亦隨之不同。❻紙質資訊媒體、電腦數據媒體、縮影資訊媒體在每一秒鐘內的每一立方厘米空間裡，分別可以儲存 10^4 、10^6 、 10^8 的符號代碼。凱拉斯的研究，說明了縮影媒體的資訊儲存密度要比電腦磁帶大 10^2 ，要比紙質書本大上 10^4 。

記得六十七年底，在一次農業科技資訊利用研討會上主講縮影技術的應用，當時擔任電腦課程的張系國先生，看見學員們競相發問，亦曾輕聲問我：「你看縮影會不會被電腦取代？」。當時答以：「在可預見的將來，我看不會。你認爲電腦的胃口（指電腦儲存功能）有那麼大嘛？還有成本問題也是個考慮」。張先生當時所提的問題，正是目前許多人問的一個問題。時到今天，我個人的看法還是一樣；縮影不會被電腦取代，正如同汽車不會被飛機取代一樣。尤其是在一九八〇年以後，我這種信念更爲堅强。因爲自那時起，世界各國的有識之士都認爲地球上的能源和物質並非取之不盡、用之不竭。如何有效地運用我們的資源和生存空間是資訊時代中的第一要務。而縮影技術正是一套有效運用空間、有效運用物質，以及有效運用時間和金錢的資訊管理技術。縮影技術的時代意義是不容我們忽視的。

附　註：

❶ 顧　敏　資訊工業與圖書館事業之發展資訊電腦　第八期（民國七十年二月），第八頁。

❷ Avedon Don A. "Micrographics in the 1980 s-A Technological Assessment" IMC Journal 1980 (Second Quarter): 19.

❸ 沈曾圻　顧　敏著　縮影技術學　民國六十六年　臺北市南港　國科會科學技術資料中心出版，第二二六頁至二二九頁。

❹ 沈曾圻　顧　敏著　縮影技術學　第二三一頁。

❺ 顧　敏　縮影技術的發展及其運作模式　縮影研究專刊　創刊號（六十八年）　第六頁至第七頁。

❻ 沈曾圻　顧　敏著　縮影技術學　第五頁至第六頁。

肆、索引技術

索引是針對一組資料中所包含的內容項目，或該組資料所導出的觀念，加以分析提爲款目，再依特定的方法序列，做一種系統化的指引，可成爲資料和使用者之間溝通的橋樑。

文獻詞彙索引方法

整體的立法資訊系統預計要開發二十個左右的資料庫群，其中三分之二為提供資訊儲存與檢索，按採用「立法資訊系統文獻詞彙索引方法」為依據，以文獻內的意義和概念為檢索元，除了用「多重劃線」的方法獲取詞彙外，並加入附加描述語，故可兼顧資訊檢索的回收率與精確率，創造中文全文檢索的新境界。

索引是指利用字彙及語詞把文章、圖表或文獻中的內容項目，包括人名、地名、事務名稱，和概念名稱將以指示出來。爲了達到有條理的指示，每個被索引的項目必須按照一定的方法加以編排或序列起來，以便利人們透過字彙或語詞的檢索，而查找到所指引的出處或詳細內容。因此，索引是一種系統化的資訊指引，也是一項資訊分析工作。

索引和檢索之間有著相互因果的關係。我們用那些字彙和詞語編製索引，以及我們用那種方式編排或序列這些索引項目，都會直接或間接的影響到檢索的效果。尤其是運用機械方式，主要指電腦設備所編制的索引，事先設定的索引條件對於檢索的結果更是具有直接的左右力量。因此索引是資料和資訊用者之間的橋梁，也是文獻生產人和資訊使用者之間的傳播媒介體（Communication Link）。

索引應用在資料庫上，所講求的是整體系統。因爲所謂「資料庫」，它本身的定義就是「一組結構良好，具有電腦檢索功能，可供分享資訊，而爲諸多使用者共同使用的集合性資料」。尤其重要的是集合性資料，因此在整片索引系統中，每個索引詞彙像是一個量子，換句話說，每個索引款目都是個別體。全部的索引量子經過規律的組織後，便產生了一個連續現象，一脈上下，可視爲一個一個的功能波。這一個一個的功能波就會使集合性的資料，產生各種的資訊和資訊能量。因此惟有良好的索引系統，才能使資料庫成爲生產資訊與知識的能量庫。

目前國內資訊及圖書館界在文獻索引方面的觀念，泰半衍生自英文文獻索引方法。因此，在建立中文資料庫上的作爲，也因觀念之故而有所隅限。本文所討論的主題，則是偏重中文資料索引的實際應用情形，針對中國文字的特性和處理資料時所遭遇的難題，談其因應之道和改進之計。

一、資訊索引的基本理論

索引是查找資料和檢索資訊的橋樑。資訊索引是指應用在資料庫上的索引原理和方法，其基本精神與目的，雖然和普通索引沒有差別，然而由於應用及需要上的不同，其實際的製作方法，則和普通索引有很大的差別。

首先以「索引與檢索詞彙關係圖」（如附圖）來說明文獻索引的大體關係。如圖表示，三個方形分別代表作者、索引人與讀者在使用詞彙時的互動關係。基於三者之間的學科背景差異，和實際認知的觀念差距，以及使用語文習慣的不

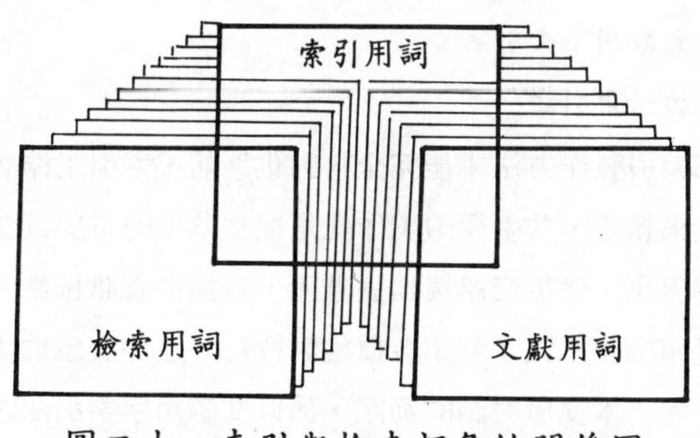

圖二十　索引與檢索詞彙的關係圖

同，致使在用詞方面必有殊異，無法達到三者同時吻合，或內含外包之同心圓的最佳關係。洞悉此點，我們必須從管理的角度爲著眼點，使三者之間有良好的溝通管道。因應的方法就是做好詞彙控制的工作。首先索引人應製有所法，製作一良好的介面，使讀者查詢有方，提高檢索效率和品質，擴大三者之交集面。這就是索引法的基本功能。

二、資訊系統的索引方法

一篇文章的組合是許多概念的串聯及詞彙的表達。如果分解而言，任何的一段文字，一句話語，都是透過詞彙的組織，而表達出一定的意義。因此，當我們運用電腦來處理這些文字時，便需要考慮到如何才能適切地檢索到所要的資訊。索引方法也就是爲了達到檢索功能的預備措施。一般而言，索引的種類可區分爲二：

1. 文獻用字索引法
2. 概念索引法

在索引製作方法未能完全自動化之前，索引工作必須由索引人來擔任，其主要的工作就是把文章中的重要詞彙或概念挑選出來，然後交給機器去處理，並提供資訊檢索人，亦即資料庫的使用人，利用各種檢索技巧，達到文獻檢索的功能和效率。本文所討論的範圍，係以文獻用字索引法之各項要點爲主要內容，並就其在中文資料庫的情況詳加說明。

文獻用字索引法完全是運用電腦處理資料後的產物，這種方法的基本目標是希望把所有具有意義的字彙或詞彙，全數的變爲索引用詞，其基本特性包括下列各點：

㈠ 使用「文獻用字法」的初始目的即在達到自動化索引作業的功能，以取代人工索引製作法，進而利用檢索技術，增加資料的檢索途徑。目前此用法在英文資料庫中非常風行，也有一定的效果，但我們中文資料庫所面臨的情況就不太一樣了，因爲中文受限於一個中文字需佔 2 個～3 個 bytes 代碼之故，尚難突破電腦技術之瓶頸，而發展中文全自動化索引作業。寄望將來中文電腦技術能有所突破，則中文資訊處理可能另有發展的新機。

(二) 「文獻用字索引法」的基本概念是由英文文獻用字索引法而來，在英文中 KWIC 和 KWOC 爲文獻用字法中的兩項主流，簡述其要點如下：

1. KWIC 和 KWOC 兩者之間，其形體的不同，主要區分在於列印方式上的不同。KWIC 是在句子中挑字出來排列，KWOC 給人的印象是接近標題。
2. 文獻索引法的發展過程，係衍自書目資料處理，尤其是對於書名，或期刊論文的篇名檢索，再發展到摘要文字的檢索，今天在英文資料庫中，其內文索引 KWIC 已邁進到文獻全文檢索的里程，但其檢索結果的評估如何呢？仍待商榷！例如查尋有關 New York 的資料就可能找出 York New 等錯誤資訊。因此，有些系統利用操作運算元（Operator）做爲輔助，以導正檢索的效果。這種不由索引方法上去著手解決問題的作法，其結果終究像治水用圍堵的方法一樣，非根本之道。
3. KWOC 的命運，則從圖書館學的研究文獻中可知此一話題目前已鮮少被人提及，遂見其沒落之端倪。KWOC在一九七〇年代後期，已經不是百分之百的文獻用字索引。因此，有許多的變貌，如 KWAC (Keyword and Context Index)便是其一。KWOC 雖然一度偏離文獻用字索引的陣容，但是距離概念索引的距離仍然很遠，因此兩邊不著頭，也就沒落了。外文鍵字索引KWOC在英文領域裡遭到這種結局，主要的原因是英文語文的特性不容許這種情況存在。

㈢ 文獻用字索引法基本上是採著者用語，即自然語言，隨文體特性，著者習慣等因素之影響，同樣一個學科，同樣一個主題，其用字（詞）的差別性亦高。例如當前的熱門話題「AIDS」就有許多不同用語——「愛死病」、「愛滋症」、「後天性免疫不全症候群」等，其用語隨著者之引用而定。但此種索引法對檢索「新名詞」、「特殊專有名詞」則有一定的功能，例如因海水污染而產生的「綠牡蠣」等新名詞，若利用文獻用字索引法處理檢索點，則可直接的選中。否則只好利用「海水污染」或是比海水污染較低層次的「海產污染」等索引之。

㈣ 文獻用字索引法基本上缺少詞彙控制，因係原件導向之傳播（Document-oriented Communication Link）。這種方式的索引方法，隨資料庫的成長而自然擴張，但是過度擴張後，勢必造成檢索“脫序”的困惑。譬如，同樣是兒童堆積拼湊的「遊戲工具」可叫做「七巧板」、「積木」、「智高」等，若沒有詞彙控制，必然是無法限制而脫序了。

三、中文文獻索引法的演進

約十年前，中文資訊檢索的概念和作法，均以單字作爲檢索元，但是由於下列各項中國文字的基本特性，轉變了國人的研究方向。

1. 中文字是由二個 bytes 以上的代碼組成。
2. 中文單字之間並無區隔。
3. 中文單字的意義本身是「多元化」的，必須和上下字結合成一個詞，才能呈現明顯的語意。有明顯的語意和意義者，才能構成一個有功能的檢索元。

基於上述原因，中文資訊檢索的基本檢索元，應該是「詞」，而不是「字」。

公元一九八〇年左右，在美洲新大陸參與資訊研究或工作的海外華人學者，首先意識到這個問題，並就中文的檢索問題進行研究，他們率先提出「字串」、「字組」、「片語」等研究計劃，爲中文資料庫文獻用詞索引的嘗試而努力。其研究方向是以人工計算中文句語，組織詞彙，來統計詞彙的出現率，遂建立了一些實驗性的小型「詞庫」，但由於研究方法僅專注於「單一劃線」的取詞法，再加上海外實驗中文資訊在先天上所受到的限制，不能做臨床實驗式的驗證，所以效果不彰，沒有一個實例可以達到廣泛的應用。就技術上而言，「單一劃詞法」不能令人滿意的原因可歸結爲下列幾個索引上的缺點：

1. 詞量有限。同一件資料所提供的檢索點太少，影響檢索機會，亦影響檢索效果。
2. 複合概念的語詞，經劃線取詞後，只能被迫以一個概念表示，而無法充分表示出豐富的「詞」概念，並造成不能完整索引的缺憾。

例如：資訊教育

如果採單一劃線作法，只能取一個檢索點。

如果採多重劃線作法，最多可取三個檢索點，表達三種概念。

3. 單一劃線取詞，常是透過索引人的主觀判斷與價值取捨而劃定之。因此很難完全排除主觀性，極可能破壞著者用語（自然語言）的自然性。另外值得重視的一點，就是索引人的角色兼負了部分「詞彙解釋」之責任，面臨選詞，斷詞之壓力，這種情況也必定影響到文獻用詞索引的基本精神。

因此之故，「立法資訊系統」所發展出來的「文獻詞彙取詞法」或稱之爲「立法資訊系統文獻詞彙索引法」，其主要的目標乃是避免以上的缺點，而以「多重劃線」的取詞方法爲改良之計。此種索引方法應用到中文資料庫時，可完全發揮文獻用詞索引的自然特性，可謂是中文文獻用詞索引法之一大演進，這種文獻索引詞彙的取詞方法，請參考拙著「索引聯用系統在中文資料庫上的設計與運用」乙文中，所舉的例子。

四、立法資訊索引詞彙的處理原則

爲了檢索機會與檢索效果的相對性考慮，立法資訊系統的文獻用詞索引法，有下列幾種索引詞彙取向上的處理原則：

1. 以「意義」取向為主

完全以自然語言的性質做斷詞處理，即可斷之處儘量斷，有詞之處儘量取。凡是泛概念、相對泛概念、主題概念、專業概念、特殊精細概念，均予以斷詞處理，或以附加斷詞處理。完全可以達到英文中 KWIC 的應有效果，在品質上則尤高其一等。

2. 以「文內概念」取向為主

有條件的從自然語言中擇取詞彙。對於不定義之概念、泛概念則不予取詞。此法乃偏重於檢索效果上的考慮，即索引人在選詞時以檢索者（讀者）之立場為考慮要項。簡而言之，為自然語言中的主題取詞法。

3. 兼顧「意義」、「文內概念」之取向

綜合意義取向與文內概念取向的二種方向，根據索引欄區的實際需要，加以處理。例如，對於法律條文之本文採意義取向索引之，對於法律條文要旨則採文內概念取向索引之。

4.「附加描述語」的特殊取向

為了達到索引在檢索上的效果，這是立法資訊系統所獨創的索引應用方法，此附加描述語可分為二種：

㈠自然語言附加描述語

除了從取詞欄位中，以「劃線取詞」獲取索引詞彙外，亦加入其他相關欄位內的自然語言為附加描述語。例如「法規文獻全文資訊系統」中的索引用詞，除了得自法條中之取詞外，另以章節名稱中的用詞為附加描述語。

㈡非自然語言附加描述語

此附加描述語為索引人自定之詞彙。「法規系統」中以「法概念」所主動加入的詞彙，即為本用法之發揮。

立法資訊系統文獻詞彙的處理方向，有上述的四種原則爲依歸。其實際的應用情形，則視各個別資料庫的資料特性而決定。例如全文性資料庫可考慮第二或第三種取向，書目性資料庫，則以第一種取向爲優先考慮。

五、立法資訊索引方法的功能價值

立法資訊系統的發展體系，經過五百天的密集規劃與作業，實際上已完成了第一號資料庫「法規文獻全文資訊系統」，以及第二號資料庫「委員質詢與答復資訊系統」的建構工作。預計整個資訊系統體系將開發二十個左右的資料庫群，其中三分之二以提供資訊檢索為目的。凡是提供資訊檢索為目的的資料庫，均將採用「立法資訊系統索引方法」為依據，加以處理。此項新的中文資訊索引方法，基本上具有下列各種功能：

1. 可以產生適當的詞量，開放相當的檢索點，以滿足不同的查找方向，和使用不同檢索元的需要。直接提高資料庫的檢索效果及效率。
2. 複合概念的語詞，不受索引人價值判斷，或主觀之影響，均能以「統合」或「單獨」的方式，表示出來，使得索引結構靈活。
3. 兼顧資訊檢索的回收率（Recall）和資訊檢索的精確率(Precision)，跨越英文文獻索引KWIC和KWOC所面臨的困擾。
4. 創造中文全文檢索的新境界，以文獻內的意義及概念為檢索元，真正達到全文檢索的資訊目的。

基於上述的四種索引功能，其對於資料庫的價值是直接而明顯的。此文獻詞彙索引方法的最大價值爲㈠提高資料庫的品質，㈡提高資訊的生產力，㈢造就低污染（Low Garbage Out）的資訊檢索環境。

「立法資訊系統文獻詞彙索引方法」是立法資訊系統索引方法的主體架構之一，也是提供資訊系統主題檢索的最基本處理方法之一。經過此文獻詞彙索引方法所處理過的索引因子，即可構成一個基礎性的檢索元，也是整個資訊系統中最底層的主題檢索款目。

參考資料

1. William A. Katz, "Indexing and Abstracting Services" in the Introduction to Reference Work, Volume 1. 5th. ed. NY: McGrow-Hill, 1987.
2. William Budington, "Access To Information" in the Advances in Librarianship, Vol. 2. P. 1-38, NY: Seminar 1971.
3. John Rothman, "Index, Indexer, Indexing" in the Encyelopedia of Library and Information Science Vol. 11, P. 286-299. NY: Marcel Dekker, 1974.
4. Hans-Ole Madelung, Subject Indexing in the Social Sciences: A Comparison of PRECIS and KWIC Indexes to Newspaper articles. In the Journal of Librarianship 14 (1) January 1982, 45-58.

5. Harold Borko & Charles Bernier, Indexing Concepts and Methods. NY: Academic, 1978.

概念詞彙索引方法

概念索引是最早發展的主題索引，也是主題分析工作的具體成績表現。所以，概念索引和其他主題索引一樣，均擔任著文獻資料與讀者之間，相互連繫的橋樑功能。概念索引在六〇年代至八〇年代之間，一度被漠視，八〇年代後期開始，又再度受到資訊處理界的重視，以適應自動化資料處理的需要。

一、概念索引的發展

資訊系統中的概念索引是主題索引的一種。概念索引在資料處理的歷史上比文獻索引應用得爲早，在完全以人工處理資料的時代裡、圖書館中的圖書編目工作常就區分爲記述編目（descriptive cataloging）和主題編目（subject cataloging），我國圖書館界把這兩種不同性質的編目工作又簡稱爲「編目」和「分類」，這主題編目就是概念索引應用在圖書目錄上的一種方法；使得圖書館的讀者可以透過這主題的概念追蹤到圖書資料。

自公元一九六〇年代開始，資料處理界積極發展的自動化資訊檢索系統，對於概念索引並沒有特別的留意；早期的資訊檢索系統所著重於研究的是，由逐字索引（concordances）而演變成的文獻索引（word indexing）。因此，在拼音語系的世界裡，爲了發展資訊系統，在六〇年代和七〇年代先後產生了各種文獻索引，包括KWIC，KWOC，KWOT，KWAC，WAdex，甚至於KLIC等。也從那時開始，由於文獻索引的各種理論直接和電腦軟體組合在一起，使得自動化檢索工具不斷地精進，文獻索引不知不覺地一直擔任了資訊系統資料庫主題檢索的主導地位。

概念索引在電腦化索引的開發過程中，其應用歷史落後文獻索引達十年以上，換句話說，由於電腦化文獻索引的應用成功，概念索引被資訊人員至少忽視了十年。而概念索引在資訊系統中逐漸抬頭，以至於佔有一定地位的眞正原因，竟然又和文獻索引直接有關，概念索引和文獻索引眞是資訊系統中的一對患難兄弟。

隨著電腦容量愈來愈大，速度愈來愈快之便，公共檢索用的資料，亦大幅度的成長；不僅是每一個資料庫本身的資料愈來愈豐富，新生資料庫也紛紛出現。資訊系統中的文獻索引造就了太多的資訊檢索款目（access point）也造就了衆多的資訊回收量（recall），正因爲這種發展有不勝負荷的趨勢，概念索引因勢而起，於是又開始佔有相當的等量地位。尤其公元一九八〇年以後，全文資料庫的紛紛出籠，資料庫的資訊又一次的形成暴漲；迫使資訊檢索者對於資訊檢索所應用的精確率不得不提出要求，超越了過往只單純要求回收量的境地。因此，概念索引又自傳統人工資訊處理的舞台上再次出發，重新在電腦化資料處理上站上一角。

資訊系統中的概念索引擺脫了傳統人工索引的許多詞彙臼巢，以便適應電腦化檢索的資訊環境。應用在資料庫系統中的概念索引，其詞彙的標準，也由以「前組合」索引為主的主題表，走向以「後組合」索引為主的索引典，以做為詞彙依據。索引典以新組合的形式，成為概念索引維持品質的新指標，資訊索引師在處理資訊系統中的概念索引時，也以索引典的內容做為其製作概念索引的資源。

這種配合新環境的革新，使得資訊人員得以充分地展現其執行資訊分析的智慧和工作能力，另一方面概念索引所聚合的資訊成品也成為資訊分析的具體表現和成果。於是概念索引又在主題檢索中形成一股新的主流，和文獻索引並駕齊驅的負起了知識與資訊流通的大任。

二、概念索引的特質

概念索引和文獻索引雖然同是資訊系統索引方法的兩大主流，但是兩者的基本理論是截然不同的。首先就資料庫中的資料組成結構而言，文獻詞彙索引是一種「內發」的索引，概念索引則係一種「外加」的索引。具體而言，文獻詞彙索引實際上係就資料中的詞彙加以選擇而成，因此在電腦化的處理方式中，「資料」與「索引」，可以是一體的，概念索引便絕對無法如此。概念索引的本質係針對資料內容的特質，而賦予適當的詞彙的標示，必須有一個專屬的欄位，容納概念索引，概念索引的理論基礎，係建立在下列各項特性上，茲分述如下：

(一) 概念索引具有內容分析的特質

概念索引的款目係針對資料庫中某一段資料內容的主題特質而賦予的。在決定索引款目的過程中，索引師必須先對資料內容有個初步的分析與研判，以確定索引款目是否足以代表該項資料內容。決定一個概念索引的款目，就是對於某件資料的一項分析。因此，威廉凱茲說：「An index represents an analysis」❶當然，一件資料可以不僅包含一個概念，有時候一件資料必須透過好幾個概念索引的款目，才能完整的表示出它的內容，和標示出它應有的特質。

(二) 概念索引具有管制知識暴漲的功能

概念索引的款目由於是經由人爲處理而誕生的標目，每一件資料的標目數量，也可以獲得合理的安排。換句話說，每件資料的最大標目數量，可用人爲的努力加以限制，例如在「立法資訊系統」中，每件中文資料最多只選用五個索引款目做爲標目，惟有如此，概念索引的標目總數，才不致隨資料或文獻的增加而無限制地膨脹。概念索引的索引款目是以「質量」爲主，而不是以「數量」取勝。因此之故，概念索引的款目數量不致造成索引資訊的暴漲，亦不致形成第二類知識（secondary knowledge）的氾濫。相反地，概念索引的索引量對於資料有很好的管制作用，更有助於知識的流通，與資訊的獲取❷。

㈢ 概念索引係以公共知識為導向

概念索引的索引款目係以公衆能夠接受的詞彙爲其標示之基礎，亦即是以「公共知識」爲其索引款目的知識❸。公共知識和專有知識（Private knowledge）是不同的，鄧普台（Humpty Dumpty）曾說：「當我用一個字彙，表示這個字彙正好能表達我的意思，所以我選用這個字彙。」❹從某些角度而言，專有知識所含有的概念，有時容易產生「爭認性」（controversial）；必須要擁有相當的知識背景和水準，專有知識才能被認同。當然，公共知識和專有知識也只是一種相對的概念。對於供公衆檢索的資訊系統來說，概念索引所用的概念，必然以公共知識爲主。非公衆所能通曉的知識詞彙，如「後天性免疫不全症候群」等，在概念索引中均避免使用做爲索引款目之標目，而代之以較通俗、較爲大衆接受的詞彙，做爲索引款目以求達到資訊傳遞的功能。

另一方面，由於公共知識和專有知識之間是一種相對的觀點，概念索引在其製作過程中，爲了配合查檢索引環境的需要，以及爲了完成傳達知識，又不得不在兩者之間擔任著適度的調和功能。

㈣ 概念索引具有統合資料的特性

概念索引經過資訊索引師的處理技術，可以將相同知識領域而散佈在不同文獻紀錄中的主題，集中於相同的主題款目下。一方面可以透過統一性的詞彙做爲索引項目，而達到簡化標目，有利檢索的目的。另方面由於性質相同用詞不同的資料，經過條理性的索引處理之後，對於整合知識，統攝資料都有一定程度的功能，對於促進學術的進步也有整理之功。此外，對於資訊系統的使用人而言，概念索引統合資料的特性，可以使得資訊檢索的回收量和精確率獲得相當的助益；亦即可以達成「有回收量就有精確率，有精確率就有回收量」的境地，換句話說，就是造就成絕對低污染的資訊回收環境。如果再配合主題權威檔的建立，概念索引統合資料的能力，更是大爲提高。

㈤ 概念索引具有知識族群關係的特性

概念索引的概念觀點，最早是承自於分類法。分類法的最大特色是具有上位概念與下位概念的層次關係，分類法的族群關係是一種層次關係，也就是「樹」型的族群。概念索引的另一個支源是主題表，主題表的最大特色是沒有很明顯的上位、下位的層次關係，但是很注重左右鄰近的平行交互關係，因此「見」，「互見」的情形相當之多，也相當之必要。

運用電腦處理的概念索引，則是兼取分類法和主題表的長處，既有上下位的層次關係，又有平行交互的族群關係重新組合成了索引概念的新族架構。在這個新架構之下，每一項概念索引的概念，都是族群概念中的一份子，兼具上下位的層次和平行位的交互知識關係的角色功能；透過一個概念索引的族群關係，可以發掘某種知識的族群關係，或者是它的相關體系。

近年來，概念索引的知識族群，又可以分為大體系的知識族群，和小體系的知識族群。大體系的知識族群是為了資訊索引師管制概念索引而設計，也是為了一般的資訊檢索而設計的。例如美國國會圖書館國會研究服務處所編製的「立法索引詞彙—美國國會研究服務索引典」便是一種大體系的知識族群❺。另外，美國國會圖書館也安排了十多種「立法索引詞彙小型索引典」，例如針對太空科學與太空、教育、貿易與國際金融、農業與食物等小體系的知識體系的知識族群，作為特定的資訊檢索服務之用。

㈥ 概念索引具有知識加權的特性

概念索引以其外加的標示方法，對於相同知識領域，不同程度記載的資料，可以就資料的「量」或是資料的「質」，加以必要的加權處理，以使相同知識不同程度的資料，獲得更爲適當的待遇，凸顯索引處理對於知識傳播的功能。

知識加權處理對於資訊檢索者和知識消費者言是一項福音，可使其減緩資訊暴漲的煩惱，例如在「立法資訊系統」中，「新聞系統」和「法規系統」這兩系統就有加權處理的設計。「新聞系統」的加權，係以新聞資料的文字字數，超過一定數目後即予加權；如此可就同一天不同的新聞資料中，擷取較翔實的部份，或者是可就累積的新聞資料中，檢取較有「份量」的資料。至於「法規系統」的加權，係似法律的章節名稱爲加權對象，以便法律資訊系統的檢索者能在法律條文，和法律章節之間有所選擇。對於資料使用者或資訊檢索人而言，畢竟不是每一件索引款目所代表引領的資料，都是具有同等份量的。遇到資料的回收量超過資訊檢索人所預期的數量時，知識加權處理便能協助資訊檢索者判斷不同份量的資料，以作適當的選擇。

加權處理並不僅限於概念索引，文獻索引亦可援用。但是，概念索引以其簡明概略的標示方式，來處理索引款目，對於浮光掠影的知識敘述，亦具有「不適於標目」的處理原則，此項原則可以視爲索引款目的「負加權」處理，此項原則可以視爲概念索引款目的另一項特徵，而文獻索引則無法辦到這一點。

三、概念索引的取向

概念索引的用詞導向，基本上和文獻索引迥然不同。文獻索引的索引詞彙完全以著者用詞爲依歸，所有的索引款目都是屬於「內造」的，故文獻索引又可稱爲文獻自然語言索引，因此之故，文獻索引不能有詞彙標準。概念索引便不同了，概念索引必須是先經由專業人員就資料的性質，加以主題分析與研判之後，才能決定索引的用語。換言之，概念索引的索引用語是由專業索引師按照一定的「標準」，分別決定而形成的。因此概念索引的索引款目是「外造」的，也有一定的標準，以做爲制訂索引詞彙的準則。決定概念索引用詞的幾項最高原則是「檢索取向」、「資料取向」、和「語言取向」。其餘的原則都是輔佐性質的處理方法。

(一) 檢索取向的概念處理

制訂概念索引詞彙的重要考慮之一，便是檢索取向，所謂檢索取向就是使用取向。由於資訊系統中的資料庫是爲許多人所建立的，也準備提供給許多人共同地使用，檢索取向自然必須採行「大衆使用的取向」，或者是「多數使用的取向」，而非僅針對任何特定的一組個人做爲使用取向的認定。任何一組或一群個人的使用取向，雖然較任何單一個人的使用取向具有融合性，但仍難免有所偏向，不符資料庫的大衆目標。因此，概念索引的詞彙標準，必須集個人用詞之大成，以融通性的表達做爲索引用詞的標示，俾達到公共檢索的目的。

在概念索引裡，集個人用詞之大成，並非指匯集所有的組群個人用詞和所有的單一個人用詞。簡而言之，此是就「詞性」而言，而不是就詞彙的外在數量而言。如若匯集所有的用詞，則必然是文獻索引自然語言的總匯，這和概念索引的基本理論不符。概念索引之集大成，在於涵集各項用詞，亦即將各個組群用詞或個人用詞的核心概念或中心概念，通達串連成爲公共檢索的概念用詞，並以適當的詞彙空間，供個人用詞與公共檢索之間的的交流，以達到不斷整合與重組的功能，使概念索引保持適切性與有效性。亦即以「檢索取向」做爲制訂索引款目的基準。至其取向，概括有三：

1.個人用詞

2.公共檢索用詞

3.概念索引用詞

檢索取向不是一成不變的，檢索人的行爲會影響檢索取向，因此概念索引的索引詞彙也不是一成不變的。

(二) 資料取向的概念處理

制訂概念索引詞彙的另一項基本導向是資料取向。所謂資料取向就是以資料量的統計與預估，做爲決定索引詞彙的依據。若某一個概念的資料量不斷的擴張或急速的增長時，則表示這個概念的索引用詞，亦需要適度的調整，並隨之作必要的分延，通常是就這一個概念的下位概念去發展。例如「青少年問題」這一個概念，如果資料量太多時，「青少年問題」的用詞就可以分延爲「青少年犯罪」、「青少年輔導」。又如果「青少年輔導」這個概念的資料量甚多，而且不斷增長時，由「青少年輔導」可再分延出「青少年心理」、「青少年管教」、「青少年娛樂」、「青少年修養」，……等概念詞彙。其分延詞彙，有如下圖：

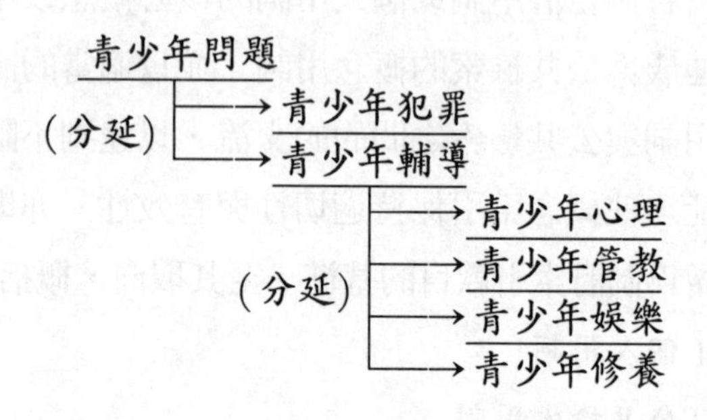

圖二十一　索引詞彙分延

另一方面而言，代表某一個概念的資料量，如果在一定的時間，或是在可預期的範圍內，未必大量出現，或者僅是小幅增加，則代表某概念的概念索引用詞，亦需開放其包容性，有時甚至可以將一個左右鄰的概念，或是一個尙不可測的嶄新的概念，暫時寄寓於它的上位概念之中；例如「超導體」這個概念在新出現時期，只須將其寄寓於材料科學中的

「導體」，就是很適當地運用了概念索引的處理原則。概念詞彙的寄寓通常都是包容於上位概念之中，但是寄寓的概念並不是永久性的，寄寓時間的長短，端視這個新概念的資料量，是不是達到一穩定的程度，或已增長到一定的數量。如果代表一個新概念的詞彙，其資料量達到一定的數量，或是相當的程度，自然需要從它寄寓的上位概念裡獨立而出，發展成為一個新的概念索引款目，即新的索引用詞。相反的，如果一個概念索引所代表的資料量在消失中，不論是因為演化的關係，或者是中止的關係，這個詞彙亦將隨之退隱，並寄寓於其他詞彙之下。

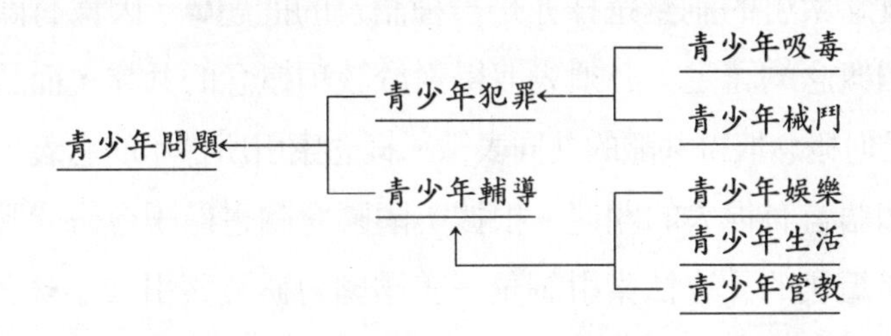

圖二十二　索引詞彙寄寓

概念索引的新款目，並不是隨時產生，而是定期產生的，其主要的一個原因，就是由於資料取向的處理。

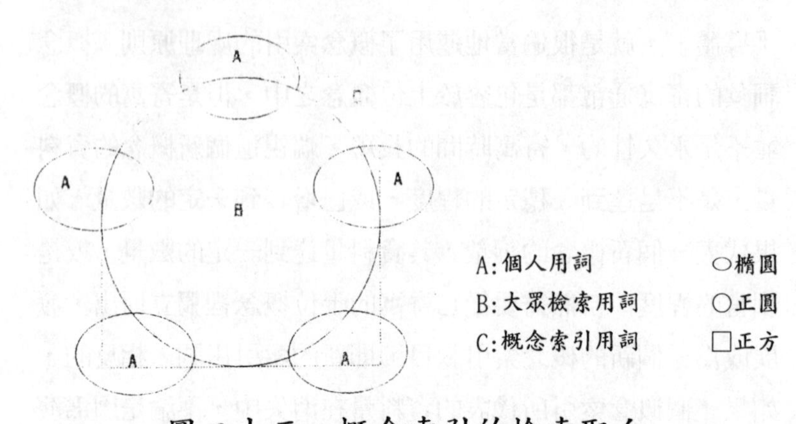

圖二十三：概念索引的檢索取向

(三) 語言取向的概念處理

概念索引的詞彙選擇亦是一種語言的問題❻。因為有關某一個概念的認定，必須先取得對於該項概念的共識，而語言是任何概念取得共識的共同表徵。概念索引所標示的意義，必然和語言有很大的關連。根據美國國會圖書館國會研究服務處所編製的「立法索引詞彙－美國國會研究索引典」❼之記載，其對於建立新的概念索引，在語詞的標準上，是非常注意語言取向的，他們的標準包括下列四項：

1.完整語詞的概念：索引詞彙必須能代表文獻中重要觀念，而不是斷章取義，並以包含有用的檢索觀念為選擇依據。

2.雙向溝通的語詞：最好以能精確的傳達被索引文獻的主題語詞為索引用語，並定期檢查其使用率，以確定是否可用。

3.新舊語詞的關係：新選用的語詞必須要考慮和以前已

選用語詞的關係，檢查候用語詞以確定其所表示的特定程度是否與現有結構（及運作條件）之程度相當，並且必須能反映和現存結構、作業要求符合的精確性，及其是否代表抽象觀念。避免選用意義和現有語詞太相類似，導致編排索引及進行檢索的人對語詞難以區別。

4.**術語環境因素**：選用的語詞須在「美國國會研究服務處」的環境之內有統一的解釋，而且是一個認可的術語；其是否可接受，關係到現行用途及其他事項之決定。語詞的被接受性，要由字典、百科全書、索引語彙和「美國國會研究服務處」科目專家的意見來決定。此外，選用的語詞同時必須考慮到能和國會標題表相通，這也是選用索引用語的重要考慮因素。

在處理中文概念索引時，上述美國國會圖書館在處理索引詞彙時所用的四項語言取向標準，第一項的完整性因受到「前組合」或「後組合」的索引組合策略問題之影響，我們或許不盡然都和美國國會以採取前組合爲主，其餘的各項如雙向溝通，新舊語詞關係，以及術語使用環境等，都是制訂概念索引時必須遵守的語言取向標準和定則。這種標準不因中文語言的不同而有所不同。

四、概念索引的趨勢

概念索引在資訊系統的發展過程中，日益顯得重要，其發展趨勢，除了保有現存的各種索引功能之外，也將和人工智慧專家系統的發展組合在一起，開創新一代的資訊儲存與檢索資訊系統（ISAR System），亦即所謂專家系統的資訊檢索系統（expert system for onlines searching）。在未來，資訊檢索人員可以利用終端機螢幕上多窗的功能，一邊進行資訊系統的檢索作業，一邊利用具有專家系統特性的新型索引典，同步檢視系統詞彙❽；檢取適切的概念索引詞彙，作爲檢索元的組成條件，以求達到較好的檢索效果。概念索引在資訊系統中的前途是亟待努力發展的。

附　註：

❶ William A. katz, Introduction to reference work, Vol.1 5th ed.(New York: McGrow-Hill 1987). P121.

❷ Dougles E. Berninger and Burton W. Adkinson. "Interna-tion between the public and private sectors in national information programs," Annual Review of Information Science and Technology, Vol. 13 (1978). P11.

❸ Tofko Savacevic, Paul Kantor, A study of information seeking and retrieving, I. Background and Methodology, JASIS 39(3); 165 (May 1988)

❹ 立法索引詞彙——美國國會研究服務索引典，中譯本（台北市：立法資訊及研究服務小組編印，民77。

❺ 同❹。

❻ Dagobart Soergel, Indexing Languages and Thesaurus: Construction and Maintenance. (Los Aangeles: Melville, 1974). P.77.

❼ 同❸。

❽ Donald T. Hawking, "Applications of Artificial Intelligence (AI) and Expert Systems for Online Searching" Online 12 (1) ; 35−36 (1988)

索引聯用系統的設計與運用

由於受到中國文字特性和中文資訊處理的影響，中文資料庫不能沿用傳統的索引系統，然而係以「詞」為索引的基本單位，依據小觀念和大概念之別，分為「文獻用詞索引」和「概念索引」兩類，此種索引理論的轉變，促使本文創設中文文內索引與中文文外索引的聯用系統，簡稱為索引聯用系統。

以資訊科學的領域而言，爲資料庫所設計的索引系統可以區分爲三種性質：其一爲主題索引，其二爲非主題索引，其三爲資料庫索引。以上三種爲資料庫所設計的索引系統，其基本的目的是爲了方便資訊的檢索，這跟傳統的索引是爲了方便查找資料的目的，在基本原理上是一致的。但是在設計方法和檢索運用上，則因爲條件之不同，功能也顯得大有區別，這是人工索引和資訊化索引最大的不同之處。

索引的設計和資料的性質有很直接的關連性，資料庫的索引設計，與資料庫的基本性質也有很大的關係。大體上資料庫可以區分爲開放性的資料庫和非開放性的資料庫這兩大類，開放性的資料庫是以提供公共資訊檢索爲目的，也是組成公共資訊系統的資源，非開放性的資料庫，則是以達到業務管理爲主要的目的，由於這兩類的資料庫，其基本的目的不同，對於索引設計的需求也各有所不同，但不論是那一種資料庫，均一定有其索引系統的存在。就開放性的資料庫而言，索引系統設計的好壞，和這個資料庫的運作是否成功是一體的，它可以立即反應出資料庫的服務效率與功能，這一點在以管理爲主要目的的資料庫，就沒有那麼明顯。因此以提供公共資訊檢索爲目的的資料庫，均努力於索引系統的設計與運用。

開放性的資料庫大多數均以主題索引爲基本索引，並將非主題索引列爲輔助性索引，或附加索引（ additional index ），至於第三種性質的資料庫索引，則是一種針對資料庫族群所設計的索引，便利人們能從資料庫族群之中找到最適合的資料庫，俾便提高檢索效率。開放性資料庫以主題索引爲基本索引的理由至少有下列三點：

1. 主題索引具有層次性，可以進行不同層次的資訊檢索。
2. 主題索引基本上是屬於資訊群的檢索，而非單一資訊的檢索。

3. 主題索引可以配合檢索策略(searching strategy)，增減各項索引條件，而達到靈活運用的目的。

本文所介紹的多元化索引系統，即係以主題索引爲主題。

一、中文索引的基本特質

索引系統的關鍵性在乎於索引方法的應用，索引方法的基本要素則是索引用語。索引用語和語文的特性有很大的關係，不同的語文，其索引用語的結構也有很大的出入，如果試拿中文和英文做一個比較，則中文索引和英文索引之間的用語結構，就有很大而明顯的差異。

英文由於是拼音文字的結構，除了“a”“I”這兩個字；只有a一個字母組成之外，其餘的每個英文字都由若干個字母所組成，其中除了冠詞，連接詞，和介系詞之外，英文中幾乎每個單字的字義，均含有一個或若干個明顯的語意，簡單言之，英文中幾乎是沒有「字」，「詞」之分的。這種文字上的特性，應用到索引方法上時，就產生了以關鍵字Keyword 爲索引的方法，在文內關鍵字索引KWIC中，除了少數如冠詞，連接詞，介系詞等沒有明顯語意的單字，每個英文單字幾乎均可以成爲關鍵字；倒是反過來將不能成爲或不必要成爲關鍵字的英文字，列成一個字表，叫做非索引用字表（stop list for KWIC）。因此，在英文，或其他拼音文字的資料庫中，只要是索引區域內的字，絕大多數均能成為關鍵字，也均能成為有意義的索引用字，這種情況在中文索引中便大不相同了。

中文單字的結構主要是沿自於象形，每個單字均有其字源上的原始意義，但是「字義」和「詞義」截然不是一回事，中文單字的字義，往往獨立於「詞義」之外，而能單獨的具有意義。中國語文中的詞義或語意通常是由「一組字」結合而成，中文語意的基礎單位是「詞」而非「字」，雖然也有單字構成為詞的情形，就如同英文字中有a這個字母成為一個字的情況，但畢竟是極少數。嚴格的講，在中國語文中「字」和「詞」並不是相等於的，試舉「華僑銀行」這一串字，所代表的詞義是由「華僑」和「銀行」這兩個「詞組」為基礎單位，而不是以「華」「僑」「銀」「行」這四個分別獨立的中文單字為單位；因為此四個中文單字，分別各有其獨立的字義組群，茲分析如下：❶

「華」者。1榮也，2光華也，3文采畫飾也，4華夏也，5粉也，6髮白也，7花也，8虛浮也，9中製之也。

「僑」也。1高也，2客也，3寄也。

「銀」也。1化學金屬元素之一也，2白色有光澤者也，3界限也，4廉鍔也。

「行」也。（發音ㄏㄤˊ）[1]列也，[2]百工所執業也，[3]買賣商貨之媒介所也。

由是觀之，中文單字各有其獨立的字義「意義」組群存在，中文語意的形成是隨機性的。一個具有明顯而特定語意的概念，必須是由「詞」爲基礎，也就是由中文單字就字義中的意義組群先予隨機組合（Randomly Organized），成爲定形的「詞義」，並表達出一個概念。理論上來講，中文詞義的變化與字義的關係，是由「字義」族群乘上另一組「字義」族群的表現而來，即設若「甲」「乙」兩字，甲字有五個字義，乙字有三個字義，則甲乙兩字所組合成的「詞義」最多可達到十五個之多。因此，每一個「字義」在一個詞中所佔的「意義比率」，比之於英文也隨之降低，中文字義不能相互等於「詞義」的原因，便在於此。從另一角度而言，中國文字組成「詞義」的彈性及韌性是其他語文所少有且不能企及的。

中文索引基於中國語文上的此種特性，其關鍵字的產生，姑不論是文內關鍵字或文外關鍵字，均應以「詞」爲最基本的索引元素，才能表示出具體而固定的概念，也才能達到索引的意義及目的，在中文索引中以「詞」爲單位的索引方法，才是較爲理想的索引方法。

二、中文索引的詞彙組合

主題索引建築於主題概念。主題概念包括單一的主題概念，複合的主題概念，以及交疊式的主題概念。主題概念必須經由專業知識的主題分析（ Subject Analysis ）之後，才能以適當的詞彙表示出來，此在編目學上稱為主題標目，在資訊科學中稱為主題索引。

中文主題索引受到前述中文索引基本特質的影響，其詞彙的組合也有一定的性格；亦即是以「詞」為最基本的主題索引元素，玆就「華僑銀行」這個詞彙的組合情況，分析如下：

㈠「華僑銀行」這個詞彙中的「華」、「僑」、「銀」、「行」四個中文單字的字義組群，分別圖示如下（參見前段所述的字義）：

華[1][2][3][4][5][6][7][8][9]
僑[1][2][3]
銀[1][2][3][4]
行[1][2][3]

圖二十四　字義族羣的示意圖

㈡「華僑銀行」這個詞彙的主題概念，係由「華僑」和「銀行」這兩個詞彙爲基本的語意單位，其中「華僑」之爲語意，係由「華」字的第四個字義：華夏也，和「僑」字的第二個字義：客也，所組合而成的。另外「銀行」之爲語意係由「銀」字的第一個字義：化學金屬元素之一，和「行」字的第三個字義：買賣商貨之媒介所也，所組合而成的。以上二個詞彙的語意組合，分別圖示如下：

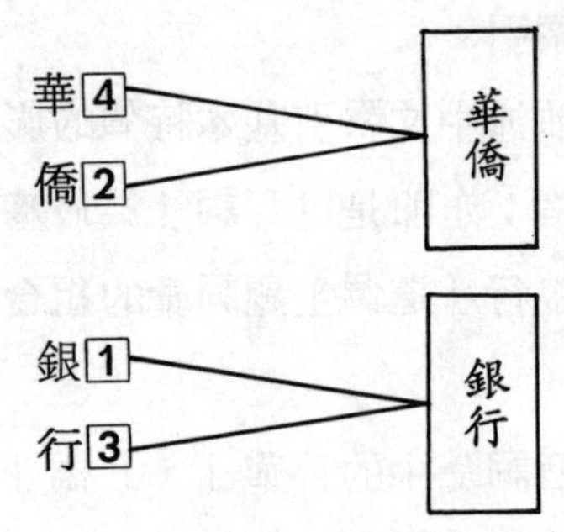

圖二十五　詞義（即語意）的組合圖

㈢「華僑銀行」這個詞彙，在主題索引中的結構係由二個主題概念：「華僑」與「銀行」複合而成爲一個索引用語。茲將其構成圖示意如下：

由是觀之，中文索引的詞彙組合至少要經過二個層次；即由字義族群中的字義，和詞義組合中的語意，但是，有時往往也還需要經過第三個層次的組合，也就是由二個或二個以上的詞義，而構成一個索引用語，如「華僑銀行」便是一

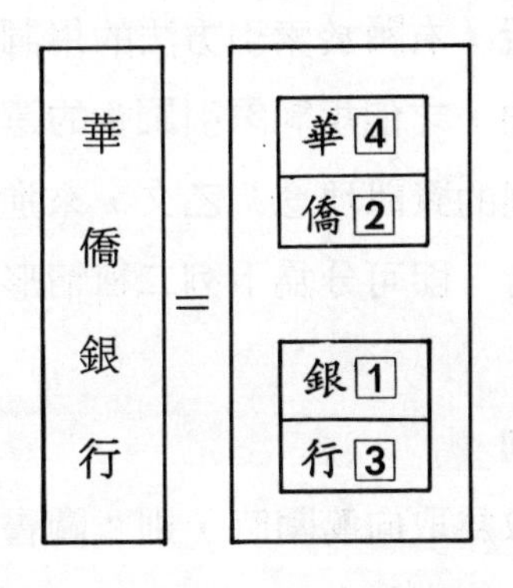

圖二十六　中文主題用語的結構圖

例。中文索引的詞彙組成，尤其是中文主題索引的詞彙組合，是有其語文上的特性的，這種特性來自於中國文字和中國語言的傳統。中文資訊索引者如能瞭解於此，當有助於工作之進行。

三、中文索引的詞彙取向

中文索引詞彙的取向，可按照資訊處理的需要，以及依照資訊處理方式的安排來決定。索引詞彙取向範圍的運用，基本上可以區分爲文詞內的詞彙（或者稱爲文內關鍵詞）的取向KWIC-Oriented，和文詞外的詞彙（或者稱爲文外關鍵詞）的取向KWOC-Oriented 等二大類。

以資訊科學中的傳統索引方法而言，索引詞彙的取向，和索引詞彙的選判，有很密切而不可分割的關係，前者深深的影響著後者。換句話說，有關於索引方法的用詞問題，應該先決定索引詞彙的取向，才能規範索引詞彙的選判。試舉“圖書館朝向自動化發展的資訊理念”乙文，來進行篇名主題索引詞彙的用詞選判時，即可分為下列二種情形：

㈠ **文內範圍詞彙的取向**

以文句之內的詞彙做為取向範圍時，則“圖書館朝向自動化發展的資訊理念”乙文之篇名，可獲得三個文內範圍索引詞彙，即：

(1) 圖書館
(2) 自動化 或
自動化發展
(3) 資訊理念

㈡ **文外組合詞彙的取向**

如果以文句之外的詞彙做為取向範圍時，則“圖書館朝向自動化發展的資訊理念”乙文，可至少獲得二個文外範圍的索引詞彙，即：

(1) 圖書館自動化
(2) 自動化理念

如果有必要，甚至還可以增加幾個文句之外的索引詞彙，如:

(3) 自動化發展

(4) 圖書館發展

(5) 圖書館理念

(6) 圖書館

(7) 資訊

文內範圍詞彙和文外組合詞彙在索引方法的應用上，各有其優點。在英文索引法裡，文內索引幾乎沒有詞彙選判的問題，僅有文外索引才有詞彙選判的過程，但是這種情形，在中文索引法中便不同了，中文文字索引詞彙由於語文上的特性，不論是採文內詞彙，或是採文外詞彙，總是要由詞組組成之，因而有「詞組」Word-Division 的選判，才能達到主題的效果。就文內詞彙索引而言，目前對於中文詞彙的選判，俗稱爲「斷詞」。斷詞工作做的好壞，直接關係到詞組的組成，亦直接影響到索引的效率。斷詞工作雖然使得資訊處理的準備時間拉長，但是另一方面而言，也使得索引詞彙有較好的製作水準，並且能提高檢索的精確率和效率。

四、斷詞法在文內索引的應用

在中文文內索引中，中文斷詞問題是中文資訊索引詞彙的由來，中文斷詞技巧因此遂成爲影響索引品質的重要因素。正因如此斷詞方法的原則化則是很值得研究和探討的問題。

斷詞方法，或簡稱斷詞法，至少必須面對下列的幾個問題：

㈠ 專屬名詞的斷詞處理問題。

㈡ 文句中普通概念名稱的斷詞選判問題。

㈢ 索引詞彙有效範圍的設定問題。

就中文文詞的性質而言，索引製作人在進行文內索引的斷詞時，可能遇到專屬名詞的斷詞處理問題，專屬名詞如係人名、地名、事務名稱等簡短而單一的名詞時，則僅需將其視為一個詞彙處理即可，例如「林則徐」，「青島市」，「洞庭湖」，「讀者文摘」等均直接取之成為索引詞彙。然而專屬名詞如為會議名稱、法律名稱、論文題名等，則有時並非一個單純的詞彙，而是一組詞彙的結合，遇到這種情況，若僅將該專屬名詞作為整體處理，將不容易達到檢索的目的，譬如文內提到論文名稱為「我國台灣地區圖書館自動化資訊服務的發展」；或是文內提到法律名稱為「空氣污染防治法施行細則」；或是文內提到會議名稱為「國際資訊管理學會一九八五年亞太地區資訊與縮影管理會議」等具有複合詞彙性質的專屬名詞時，若將各括弧中的名稱均一律視為一個索引詞彙，勢將引起檢索的困難而難以獲得預期的檢索效果，而必須考量專屬名詞之內的斷詞分析問題，並給予必要的斷詞，以提高檢索的機率和效率。然而若決定專屬名詞內之斷詞，則又破壞了專屬名詞的整體性，此爲中文文內索引採用斷詞法的問題之一。

中文文內索引採用斷詞法來決定索引詞彙，所遇到的第二個問題，便是如何從普通文句中來決定一個概念的範圍；亦即如何來裁量在文句之中何處爲「最佳的斷詞之處」，換句話說，中文文內索引的詞彙選判問題，將直接的關係到索引的效率，因此，斷詞工作必須聘用學科專家來擔任之，才能減低發生此類問題的比率。

在中文文內索引的斷詞處理上，第三個重要的論題是有關是否需要設定「斷詞有效範圍」的問題。基於減少資料庫建成之後所可能產生的資訊垃圾，並爲資料庫檢索的精確率予以事先的舖路，設定斷詞的有效範圍，在資訊處理技術上是有其必要的。此處所謂斷詞的有效範圍，係指一個索引詞彙在中文文句中所代表的跨度範圍。其有效範圍需要設定的理由至少有下列二點：

㈠避免文內鄰近重覆出現的完全相同詞彙，再度成爲索引詞，這種被重疊選定的索引詞彙，在實際檢索功能上失去了指引的意義，而產生了許多重覆而沒有用的資訊，俗稱爲資訊垃圾的資訊。

㈡適切表達出一個索引詞彙，在文內所代表的跨度範圍有多大，亦即一個索引詞彙，係代表一句完整的話語，或係代表一節（或一段）完整的文詞？或係代表一個完整的篇章

?跨度範圍的設定，可採單層式或多層式的方法來進行。單層式的設定卽係規定所有索引詞彙均只代表一句話，或一段文字（一節文字）的跨度。多層式的設定卽係規定某些索引詞彙代表「句」的跨度，某些詞彙代表「節」，「段」的跨度，另一些則設定代表「章」或「篇」等等。

專屬名詞的斷詞處理，判詞概念的裁量及選判，以及斷詞有效範圍的設定，均爲採用中文文內索引方法所遭遇到的實際問題。

五、中文斷詞處理的機率效果

運用文獻內的自然語言來做爲索引用語，可以達到以文獻爲導向的索引目的，而且在拼音文字的世界裡，這種方式很受重視。中文文獻要用文獻內的自然語言來做索引時，便需要運用斷詞法來處理文獻內的詞彙，使之成爲中文索引用語。中文詞彙在斷詞方法上的癥結問題是一個詞往往可以有不只一種的「斷」法，因此，就產生了中文斷詞處理的機率問題。

設若以中文斷詞法來處理「電腦科技對圖書館資訊事業的影響」這一組字，其中有兩種性質的字，不予列入索引用語；一種係屬於介詞性質的字，如上一組字中的「對」、「和」的兩個字，另一種係屬於泛概念的詞，亦不予列入索引用語，如上一組字中最後兩個字所組合而成的“影響”一詞。在中文文句之首，或是文句之尾，常有泛概念的詞彙出現如「發展」或「論」等詞彙，此類泛義字或泛義詞本身並無「固定的主題意義」即無主題詞意，故可以不予定為索引詞。除了上述兩種性質的字詞，不予列為索引用詞之外，「電腦科技對圖書館資訊事業的影響」這組字，可有下列幾種不同的斷詞方式，以及獲得索引詞彙的結果：

●斷詞方式之一：

電腦科技對圖書館資訊事業的影響

斷詞結果之一：

獲得「電腦科技」，「圖書館資訊事業」二個索引詞彙。

●斷詞方式之二：

電腦科技對圖書館資訊事業的影響

斷詞結果之二：

獲得「電腦科技」，「圖書館」，「資訊事業」三個索引詞彙。

●斷詞方式之三：

電腦科技對圖書館資訊事業的影響

斷詞結果之三：

獲得「電腦科技」，「圖書館資訊」二個索引詞彙。

●斷詞方式之四：

電腦科技對圖書館資訊事業的影響

斷詞結果之四：

獲得「電腦科技」，「圖書館」，「資訊」三個索引詞彙。

●斷詞方式之五：

電腦科技對圖書館資訊事業的影響

斷詞結果之五：

獲得「電腦」，「圖書館」，「資訊事業」三個索引

詞彙。

●斷詞方式之六：

電腦科技對圖書館資訊事業的影響。

斷詞結果之六：

獲得「電腦」，「圖書館」，「資訊」三個索引詞彙。

●斷詞方式之七：

電腦科技對圖書館資訊事業的影響

斷詞結果之七：

獲得「電腦」，「圖書館資訊事業」二個索引詞彙。

●斷詞方式之八：

電腦科技對圖書館資訊事業的影響

斷詞結果之八：

獲得「電腦」，「圖書館資訊」二個索引詞彙。

“電腦科技對圖書館資訊事業的影響”這組中文字，至少有上述八種情況的斷詞機率，每一種的斷詞機率均以能夠導出這組文字中所包含的內容或觀念爲前題。文句中的詞彙組合尙包括①科技②圖書③事業三個詞，然而在此處，這些詞組並不具前項中「前題」的意義，亦即不能夠實質上的指示出

所包含的內容和觀念，故不予成立爲本組中文字的索引用詞。因此，也不構成爲本組中文字斷詞機率問題的因素。

在「電腦科技對圖書館資訊事業的影響」這組文字之中，以斷詞法處理的方式共有八種機率，其間最小的有效斷詞方式，可獲得二個索引詞彙，而最大的有效斷詞方式，亦僅可獲得三個索引詞彙。各種斷詞處理的結果，都產生了“魚”與“熊掌”不可兼得的困境。這是中文文內索引所遇到的一個重大的問題；雖然在各種斷詞方式的機率中，可以主觀性的找出「最好的斷法」，但是未必會被資料庫的使用者認同而達到共識。

上述的八種斷詞機率，總共獲得二十個索引詞彙，扣除重覆的不計，其有效索引詞彙共計七個。換句話說，這七個索引詞彙均有可能成爲資訊查找者的檢索點（access point），但任何一種斷詞後的文內索引，最多只能提供三個檢索點，資訊檢索效率的成功機率，將因此受到重大的影響。

六、文內與文外索引聯用系統

基於中文文字的特性影響着中文索引詞彙。爲中文資料庫所設計的索引系統，爲了達到較完好的資訊檢索效率，必須在索引觀念上配合中文索引詞彙的特性，以進步的創新設計，建立起一種適合中文特性的索引方法與系統風格，才能達到資訊索引系統的目的。文內索引與文外索引聯用系統的創設，就是爲了配合中文資料庫資訊檢索系統的需要，以提高中文資訊檢索效率爲目的，所發展出來的一種索引處理方法和索引系統。

文內索引與文外索引聯用系統，簡稱索引聯用系統或聯用系統，其設計的目的在於順利地發展中文資料庫的全文檢索（Full-text searching）。中文資料庫的全文檢索系統，目前正是資訊界所努力研究的一個課題，按全文索引檢索的觀念，原係溯源自文內索引，文內索引的基本原理在於利用原作者所運用的詞彙做爲索引詞彙，故又稱爲自然語言的索引方法，這種索引方法配合電腦硬體速度的不斷加快，而發展成爲全文檢索。

中文方面的全文索引檢索，基於前述中文語文上的特性，必須先以斷詞方式進行文內的詞彙選判，才能獲得索引詞彙供檢索之需，然而斷詞的結果，又產生了“魚”與“熊掌”不可兼顧的困境，例如「文化中心圖書館」這幾個字，在進行斷詞時，可將其視爲一個詞，也可將其斷爲「文化中心」，「圖書館」二個詞，但是我們確不可能又要「文化中心圖書館」這個詞，又要「文化中心」，「圖書館」這二個詞。索引聯用系統的創設就是爲了解決這個基本而重要的困境，以使得中文自然語言的索引方法，順利進行。

試若運用文內索引與文外索引聯用系統的方式，來處理上乙節所提到的「電腦科技對圖書館資訊事業的影響」這幾個文字的索引詞彙時，基本上是將各種有效的斷詞機率所產生的索引詞彙集合起來，並一起表示出來。這組文字運用自

然語言索引法的原則，經過各種斷詞處理後，共計可得七個索引詞彙，亦卽

(1) 電腦科技
(2) 電腦
(3) 圖書館
(4) 資訊
(5) 圖書館資訊
(6) 資訊事業
(7) 圖書館資訊事業

索引聯用系統對於這七個被選定的索引詞彙，所採用的表達方式則是以八組斷詞方式中的任何一組文內斷詞方式爲基礎，並附加因其他斷詞處理機率所產生的各種索引詞彙，另外再加上文外索引詞彙如圖書館事業，或電腦事業等，因此索引聯用系統的索引詞彙其基本組合的公式如下：

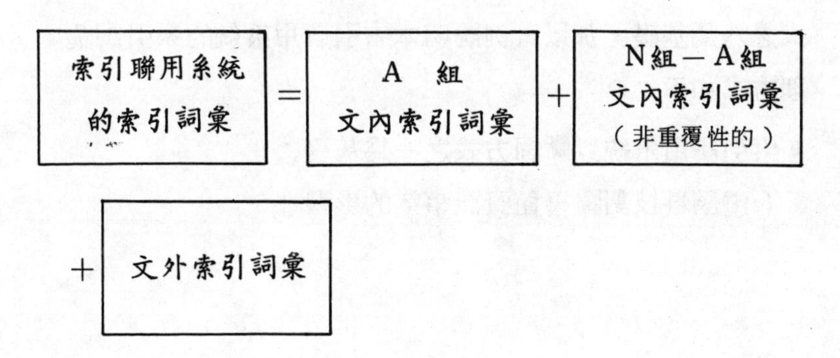

事實上，除了被選定的A組文內索引詞彙之外，其餘各種斷詞處理方式所產生的索引詞彙，相對的而言，均爲文外索引詞彙。故聯用系統索引詞彙的組合公式，如果以最簡化的方式表示之，可得下列公式：

聯用系統詞彙	=	A組 文內索引詞彙	+	文外索引詞彙

文內索引與文外索引聯用系統的索引詞彙，可以提供給中文資料庫的資訊檢索者，各種可能的檢索款目（即檢索點），這對於中文資料庫的資訊檢索效率，提供了潛在的成功機率。

七、索引聯用系統處理的實例

根據上節所訂的公式，並分別以「中文斷詞處理的機率問題」乙節所舉之斷詞方式之一，斷詞方式之二，及斷詞方式之六爲基礎，加以實例說明本索引聯用系統的索引詞彙處理方式如下：❷

- 索引聯用系統以斷詞方式之一爲基礎：

「電腦科技對圖書館資訊事業的影響」

♂電腦♀♂圖書館♀♂資訊♀♂圖書館資訊♀♂資訊事業♀♂圖書館事業

索引聯用系統的結果：

獲得「電腦科技」，「電腦」，「圖書館」，「資訊」，「圖書館資訊」，「資訊事業」，「圖書館資訊事業」，「圖書館事業」等八個索引詞彙，即提供八個檢索點。

● 索引聯用系統以斷詞方式之二爲基礎：
電腦科技對圖書館資訊事業的影響。

♂電腦♀♂資訊♀♂圖書館資訊♀♂圖書館資訊事業♀♂圖書館事業

索引聯用系統的結果：

獲得「電腦科技」、「電腦」、「圖書館」、「資訊」、「圖書館資訊」、「資訊事業」、「圖書館資訊事業」、「圖書館事業」等八個索引詞彙，即提供八個檢索點。

● 索引聯用系統以斷詞方式之六爲基礎：

電腦科技對圖書館資訊事業的影響。

♂電腦科技♀♂圖書館資訊♀♂資訊事業♀♂圖書館資訊事業♀♂圖書館事業

索引聯用系統的結果：

獲得「電腦科技」、「電腦」、「圖書館」、「資訊」、「圖書館資訊」、「資訊事業」、「圖書館資訊事業」、「圖書館事業」等八個索引詞彙，卽提供八個檢索點。

綜觀上述三個處理實例，其文內斷詞的基礎雖然不一，然而索引聯用系統下所獲得的索引詞彙，却是相同的。這說明了索引聯用系統可以跨越了中文斷詞的“選判”困境，以及免除了中文斷詞不可“兼顧”的困境。這兩大難題的迎刄而解，對於中文資料庫的文字索引系統，帶來了極大的便利。

立法院資訊中心運用此項新創設的索引聯用系統，來處理法規文獻資訊系統的資訊索引與資訊檢索問題，預計可以很順利的達到中文資料庫全文索引的目標。也就是採用中文法規中的自然語言，做爲索引詞彙，而可檢索到全部的法律條文及內容。

附　註：

❶ 臺灣中華書局辭海編纂委員會，辭海，二版（臺北市：中華書局，民國七十一年），上册，頁四三六；下册，頁三七六一，頁三九五〇，頁四四九五）。

❷ 此項索引聯用系統詞彙處理方式所運用的附加描述語功能識別號 ♂♀ 係依據「立法資訊系統先期計劃」系統細節功能說明第４號第二頁所規定的方式處理之。

參考資料

1. Raya Fidel, Toward Expert Systems for the Selection of Search Keys, Journal of the American Society for Information Science, 37 (1) Jan 86, 37-44.
2. Hans-Ole Madelung, Subject Indexing in the Social Sciences; a Comparison of PRECIS and KWIC Indexes to Newspaper Articles. Journal of Librarianship 14 (1) Jan 1982, 45-58.

伍、全文檢索

全文資料庫自公元一九八四年以後，由羅馬語系的資料庫／數據庫，開始迅速發展與成長。中文全文資料庫提供連線服務者，以公元一九八八年開創的「立法資訊系統」為首例，該系統法律全文資料庫、法律沿革資料庫，以及立法委員質詢答復資料庫，均有「中文全文檢索」之功能。近期網路化資源中全文資料增多，全文檢索的需求更殷切地被網友和讀友所期待。全文檢索與逐字檢索應有所不同，才能達到檢索的目的。

全文資料庫與全文檢索

資訊檢索系統是電腦化「人機互動關係」的具體設計。全文檢索系統更是「人文化」電子資料處理的必然發展，也代表了人類眞正進入資訊社會，步入資訊時代的全面性參與。全文檢索與全文資料庫原來是兩個課題；全文檢索的發達，早於全文資料庫的發生，但是在九〇年代兩者的互動，有非常實質的意義，那就是資訊效益的問題

一、全文資料庫

全文資料是公元八〇年代初期開始出現的資訊工業產品，全文資料庫也是電子出版品的先驅產品，由於全文資料庫所能提供的資訊內涵與資訊完整性，比起其他類型的資料庫，在一定的範圍之內具有相對的優勢條件。因此在八〇年代初期研發成功後，如雨後春筍般地成長開來，形成提供公共資訊的有力產品，在公元一九八三年以前全文資料庫的發展以美國的法律資料庫群LEXIS系統爲限，其服務只限於美國國內的

部份地區，直到美國一種有名的雜誌「哈佛商業評論」全面開展全文資料庫之後，短短兩年之間，根據曾任美國資訊科學學會會長的威廉斯女士的統計，在公元一九八五年時，實用性的全文資料庫系統，即達五百三十五個之多，三年後在公元一九八八年又成長一倍餘，達一千二百八十五個系統，又三年在公元一九九一年時再幾乎成長一倍，達二千零四十個系統，而九一年至九二年的短短一年之中便增加一千零三十七個系統，使總數增加到三千零七十七個大小不同的全文資料庫系統。

在中文資訊方面，也受到世界性全文資料庫風潮的影響。中央研究院計算中心、立法院資訊中心、行政院法規委員會、內政部營建署等單位也紛紛進行全文資料庫的研究與發展。其中立法院的法律全文資料庫及法律沿革全文資料庫採用主機系統，開放供各連線單位使用。此外，內政部營建署的個人電腦版營建法規系統，亦能公開發行提供使用。資訊工業策進會亦全力提倡，及建構發展全文式資訊檢索體系。此項工作計劃，預定先行整合試驗三方面的全文系統，包括行政院主計處的主計法規輯要系統、立法院的法律全文及法律沿革系統。這項計劃中的試驗是要透過一組標準的應用軟體，以相對的主從運算架構，再配合一組稱做應用系統目錄服務的介面性媒體爲橋樑，以達到各系統之間的檢索作業。這項計劃的執行經驗，未來或可以成爲進一步發展中文全文資料庫所需的資訊檢索引擎（Search Engine）。資料庫檢索引擎是公元一九九二年才出現的課題，主因在於目前資料庫檢索系統，尚不能完全滿足資訊消費者的需求。或者也可以套配工程——即全文檢索系統進一步的研發，才足以發揮全文資料庫的應用價值與功能。❶

二、全文檢索關係面

全文（Full-text）資料庫在公元一九八二年以前並不多見，然而自公元一九八四年開始，美國MDC公司首先提供此項電子版圖書資料的檢索服務後，最近許多連線系統紛紛增設全文檔案的資料庫，這種趨勢有日益普遍的現象。究其原因則不外乎全文資料庫具立即提供完整資訊服務的功能，無需像一般書目性資料庫般，必須於檢索完畢後，再花時間找出資料原件。在終端使用者的需求以及資訊供應市場的雙重取向之下，全文性電子版圖書資料庫已經成爲時下資訊發展的另一股風潮。

電子版全文資料庫的成長速度，儘管很快，但是全文檢索系統卻仍未臻完備，其中所隱含的檢索「陷阱」，即使對一個細心而頗富經驗的傳統資料庫檢索員而言，也會因摸不清妥適的軟體應用架構，及確切的檢索策略而致徒勞無功。就目前公開發行的電子版資料庫而言，全文資料庫系列就好比一個內藏無限寶藏的知識迷宮，知識檢索者如果不諳方法，即使花費許多時間在其中探尋，也可能會空手而返，形成既花費了許多時間，又花費了不少金錢，而所獲的資訊又很不盡如意的情況。全文資料庫發展至今，也引起學術界的部份人士認爲是最不具實際檢索效率的資料庫群，這是因爲對其抱以很大的希望，冀望電子版資訊可以一口氣解決所有的資訊提供及資訊取得的問題。

本章將著重全文資料庫及全文檢索的各種特性❷，除了將優點和缺點加以述明之外，也針對各項缺失提出實際可行或計劃中的解決之道。根據美國奧伯金資訊服務（AUBERGINE Information Service）公司總裁巴許（Reva Basch）的評論，目前英語世界中的全文檢索系統含有七項嚴重的問題，簡單歸納如下：

1.**多種媒體資訊**：一件相同題名的知識產品，因爲媒體不同而產生了印製本與電子連線版本內容不完全一致的情形，以致影響了大衆對於電子版內容是否「正確如眞」的困惑，同時更嚴重地影響到電子版資料的公信度。

2.**檢索元與檢索組合**：全文檢索系統的檢索特性，在於不限辭彙，檢索辭彙之多，達到思及索極的境地；資訊檢索人員，可隨心俯首自手指中彈出，但卻缺乏文詞語句或是任何辭彙的控制體系，流於多而不當，多而少用的情境。

3.**檢索方式與檢索效率**：如果資訊系統使用者的檢索技術不是頂成熟，以及該資訊系統的軟體功能不能彰顯全文資料庫的特性，則很容易導致全文資料庫資訊檢索效率的低落。因此，如何不斷提昇資料庫的檢索效率，從現存的缺點中跳出來，是爲此方面的核心研究課題。

4.**檢索結果與資料取得**：全文資料庫由於較不重視資料結構的組合，故「庫質」不優於「文質」，實爲可惜。當資料庫檢索人員，將檢索結果確定後，現有系統往往無法配合檢索需求，將相關的資訊內容顯示於螢幕或列印出來，而發生檢索結果功能不全的問題。

5.**資料庫品管與檢索**：全文資料庫在建庫之際，很仰賴大量文字輸入，常有文字文詞的錯誤或遺漏。

6.**資料庫範疇與限制**：全文資料庫的生產者，爲求完整的資訊功能，誇大可提供資訊之程度及其內涵，造成不實的「整體檢索」印象，但難以達到檢索的整體功能。

7.**全文資料庫的組織**：全文資料庫不只是灌入資料即可，亦須要建構性的建設資料庫，否則混亂無序的大量資料儲存方式，無法眞正發揮資料庫的功能。

從以下我們針對各項問題所做的個別討論，將不難發現無論是檢索員、資料庫發行者，或連線系統服務中心人員等，對於各個問題的形成均應承擔部分責任。

三、多種媒體的資訊

若以期刊文獻爲例，市面上所流通的印刷本與存放於全文資料庫的連線版本，內容有顯著的不同。連線版本，可能會非本文的資訊，例如版權頁、訃告、社論或讀者來函等部分刪去，只儲存期刊中的各篇本文，或甚至於只保留主文；文章如附有表格，則在全文資料庫裡可能會被刪去，而改以註解方式說明。而輔助本文的加框內文有時也會被刪掉。至於圖表與相片則基於技術問題，皆不會存入連線資料庫，但若干使用光碟系統者倒是含有相片與圖表。廣告頁更是極少存放在連線版內；惟一例外的是目前已不再使用的Adtrack資料庫——一種廣告專業資料庫。

另外使情形更複雜的因素就是：即使是同一份出版物，若經由不同的連線系統處理，則其結果也往往並不一致。此乃由於連線系統對資料儲存並無統一的格式，有些系統採用較完整的索引編製法則，有些則只選擇性的建立大略的索引系統。對文章的儲存與否，亦因系統的不同而各有其認定標準；畢竟資訊界人士對「全文」一辭所代表的意義目前也缺乏完全相同的共識，有的人士將其解釋爲印刷物內的所有內容，也有的人士則不認爲諸如信件、訃告、電文等也能算是刊物的內容。一篇文章的標題包括正標題與副標題，也可能出現在不同系統中被冠以性質截然不同的標題之情形，甚至於因標題選用的原故，而被排出資料庫之外。此外，各系統資料庫建立標題的起始日期不一，有些較早期的資料會因而被遺漏，而連線系統中心也不見得都會將遺漏的部分加以一一查核整理並建立索引以供參考，因此全文資料庫的完整性仍頗受若干人士質疑。

系統所存資料之時效性則是另一項重要差異；一般而言，採單一資料檔案的資料庫，其結構往往比採多重檔案者的時效性來得高。時效性顯然是資訊服務業者的一個主要吸引點。不過，時效性的定義也因主題不同而有不同的要求。以全球著名的美國華爾街日報所提供的金融資訊爲例，在美國股票市場Dow Jones新聞／檢索系統中可檢索出該報當天的商情資訊，不過如果從Data Times系統中去檢索同樣性質的金融資訊，則只能找到三天前的資訊。再舉一例英國路透社（Reuters）與PR Newswire所發出的新聞電文，只要十五分鐘後即可由DIALOG檢索系統的First Release中找到該電文，而若從NEXIS系統檢索，則就不只是一、二天的時差了。當然這是電子版資料庫的資料蒐集政策與資料更新政策使然。

經由上述的瞭解可得知，如果希望透過全文檢索系統尋找某一特定期刊或文章，則應先明白資料檔案在系統中所採用的索引方式與建檔時間是如何安排的，同時也應了解其索引系統的編製法則爲何，以明白其索引系統是否有「選擇性」的編製法，預先知道那些類型的資料是該系統所慣於不收錄的？此外，對於資料更新的速率問題爲何？備用檔是否能夠充份支援？以及資料庫是否完整等問題，也宜事先瞭解。如遇資料庫系統在提供服務的註釋方面有不明確的情形，則最好向資訊服務處請求參考服務；這種先期檢索的準備工作與暖身步驟，將能讓我們預見確定是否能從資料庫連線系統中找到我們所要的資訊而不致平白的浪費時間。

四、檢索元與檢索組合

許多研究報告針對全文檢索資料庫的資料回收率（recall）與資訊查準率（Precision）間的平衡點進行研究，並試圖以折衷取捨的方式來解決問題，而過去十幾年也有許多專家對於全文檢索在此方面的問題有過相當廣泛的討論。簡而言之，檢索過程中使用檢索辭彙越多的結果，固然增加了檢索入口點的選擇性，讓檢索者能不假思索的使用許多字辭去進行檢索，這種開放性的功能增加了檢索空間與範圍的試探領域，不過其最大的缺點則是會造成大量的資料回收率，過多的回收率將使查準率大大地降低，而失去了實際的檢索效率。❸

一般說來，全文資料庫的索引方式並不如書目資料庫那樣詳細，且多半沒有建立具有層級管制的分類（hierarchical classification）系統，因此無法如書目資料庫在特定的檢索欄位中進行檢索。全文檔案中的資料記錄，本身往往即是資料的最基底，而缺少其他的資料層級，再加上連線檢索本來就形同一個只似單方面可探索入內的「黑盒子」，沒有其他的指引線索或指標，因此乃造成系統本身未能提供足夠的，具有管制性的檢索點（controlled access points），而這項不足往往造成檢索用詞的未能著力，形成回收資料較難捉摸，易遭遺漏而無所覺。

再者，某些全文資料庫雖然採用了少數檢索控制辭，但多半屬於泛論性的辭句；換句話說，這對本身而言列入控制並無多大效用，當然是多餘的；畢竟這些控制辭也爲資料庫提供了第一道過濾功能，至少可先排除一些不相干的檢索路程。如能有效的將檢索控制辭與全欄（free-text）檢索方法的功能特性予以結合，則可擴大檢索結果的範圍，並增加檢索結果之相關性（relevance），如此對於資訊正確率的提高，必能有所助益。

由上所述，我們知道一般全文檔案的索引不夠精確，且過份單純化，而導致了缺乏彈性的缺點。顯然索引系統的不良是造成資訊檢索不易獲得滿意，和可能遺漏資料的主因。針對這點，或有一些改善的方案可供參考：

㈠檢索者可按自己經常使用的檢索概念爲中心，蒐集相關的術語、同義／反義字，建立自己的檢索辭庫。

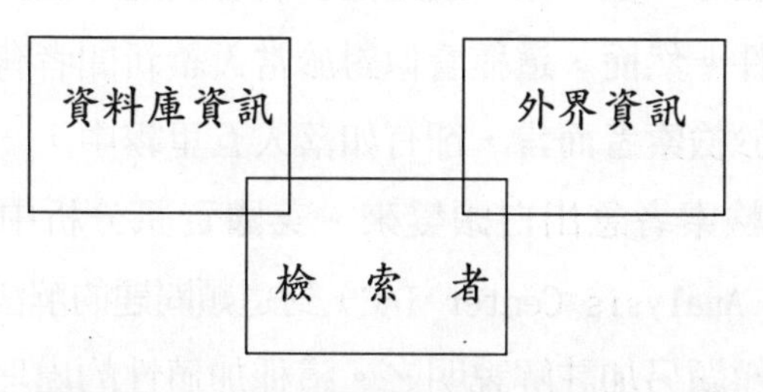

圖二七　檢索者的檢索辭彙庫

㈡檢索者個人辭庫中的單字字尾變化很大。例如英文的bay及bays在辭庫中是不同的，如果是中文系統則沒有這種問題，諸如「椰子樹」與「椰子林」所以也不必刻意去製造單數或複數問題。

㈢利用設定性參數、接近運算質（Proximity operators），及系統提供的其他功能。以提高檢索準確性，不然亦可針對檢索結果做「相關性」分析，藉以修正檢索策略，改善檢索結果。

㈣選用檢索辭彙時，先要考慮該辭所適用的領域或文章段落。例如檢索報紙新聞資訊時，應把握新聞界特有的「誰、爲何、何事、何時、如何」等敘述原則與慣有段落性。不過亦有某些新聞檔案並不遵守此一通則，因而增加了索引者的困難。同樣的，由於沒有檢索控制辭彙可供使用，因此有些檢索者會以新聞標題做爲選用檢索辭的根據，這樣的做法有時並不可靠，因爲報社的編輯先生或女士往往會很聰明的立下奇特的標題，以求吸引住當天閱報人的注意。例如報紙新聞標題可能是「他、他、又是他」內容則是立法院的委員肢體衝突事件。然而，這種看似對於當天讀新聞者有吸引性的標題，對於檢索者而言，卻有如落入五里霧中，一愁難展，甚至會讓檢索者急出白頭髮來。美國資訊分析中心（In－formation Analysis Center IAC）對這類問題的解決之道是，對奇特的標題另加註解說明之。這種加值性的處理，對於資料庫的品質肯定地有很大的助益。「立法資訊系統」中的立法新聞資料庫，也就是採用這種方式，設有附加描述語，或是加值性的關鍵字以提高檢索的效率。

㈤先以書目資料庫檢索，找出檢索控制辭彙，再回到全文資料庫檢索。亦即讓全文資料庫成爲單純的資料儲存庫，而非一檢索工具。IAC中心的TRACE AND INDUSTRY INDEX、MAGAZINE INDEX，及COMPUTER DATABASE等三種資料庫皆可用這個方法檢索，且無需於操作時更換檔案。換句話說，把資訊系統分成的二大部份，一部份是索引庫，另一部份是資料庫。所有的全文資料記錄均先行編製索引，再將索引跳出來結合之，因此，全文資料庫雖無法直接接受檢索詞或檢索元的讀取而進行檢索，不過可在同一資料庫內顯示或列印出來。

五、檢索方式與檢索效率

以公元九〇年代初期的水平而言，絕大多數的全文資料庫在建構之時，都忽略了辭彙控制的問題，缺乏檢索控制辭彙成爲全文資料庫的一大缺失，而軟體應用是否適合也是一個足以影響整體檢索效率的嚴重問題。此外，若單就檢索者而言，如果未能克服既有的檢索習慣並善用各該系統的特性，則顯然也須對檢索效率低落的問題，負起一部份的責任。關於這方面我們可分別從三個領域來探討可能性頗高的改進方法❹：

㈠充分利用連接運算元：布林（Boolean）邏輯連接運算元（如：AND.OR.NOT等）是一種具有運算彈性的「近接連接運算元」（PROXIMITY CONNECTORS）。在全文檢索時，單一辭彙的檢索效率是非常有限的。若未能善用「近接連接運算元」連接兩個以上的辭彙則幾乎不可能有效的執行檢索任務。關於「AND」這一運算元，在全文資料庫方面的運用，比在其他種類的資料庫中更有活動的空間，除了某些定義明確的運算（如：以達到資料極限）或已預期只能檢索到很少資訊的情形之外，它的使用在全文檢索之中並沒有什麼限制。通常此一布林邏輯運算可將文件中，相距遠且沒有上下文字關連性的概念串聯起來，而創造出一組新的檢索條件，這組條件可以改變原有檢索元或原有檢索條件的檢索結果，就全文資料庫的檢索領域而言，往往更具效率。

目前大多數系統中，甚至幾乎所有的電腦檔案，皆已可接受由辭彙設定的近接搜尋（Proximity Searching）的檢索方式，例如Data Times即曾嘗試過幾種方法：其中專門研製檢索系統軟體的IDI公司所發行的BASIS多功能檢索軟體（Basic Proximity Searching）可從同一個句子裡找出英文中的某些單字，而不論其介於不同的引文之間的單字數量有多少。這套軟體可再擴充至對幾個句子進行近接檢索，另有一些個別的指令可供檢索名字或片語。但是如果要從若干個句子裡找到一個特定的單字，則需採二段式的檢索程序：首先要先用布林運算元或文句的近接性進行檢索，然後使用一個限制範圍或限制檢索有效區的指令如「Within」的陳述去掃描第一段檢索結果，以便找到最接近的字辭，據悉新版的BASIS，可直接接受檢索範圍的設定，而進行檢索。這是利用軟體工程上的設計功能，來帶動提高全文檢索的實質功能。

此外，News Net系統的通報（newsletter）其在全文檢索的功能上則有不同的限制；該系統雖接受近接與布林運算元的即時檢索模式，不過其現行的News Hash軟體卻只能接受所謂的Side-by-side的符號是用「+」代表，如直接鍵入「AND」則該軟體並無任何反應。

㈡**檢索詞與對等用詞**：我們在討論全文資料庫的第二項問題時，曾就全文資料索引的編製問題，提出一些改良的建議，由索引的角度先行解決一部份的檢索問題。不過克服索引問題的責任並不全然應由使用者去承擔，因爲資料庫的生產者或服務中心也可提供許多協助給使用者；例如建立連線檢索詞彙或相關詞彙的拼法、縮寫、標點、同義字及其他表格等，以供使用者參考。

就這方面而言，某些連線系統的加值服務確實頗受使用者的歡迎。MDC資料中心（Mead Data Central，MDC）即能透過預先設定在系統內的對等辭，來解決標點與拼字不統一的問題；該中心的這項服務功能也許是肇基於他們在法律研究方面的根源。由MDC所提供的LEXIS系統所能接受的對等檢索詞，遠比其姐妹系統NEXIS更多；相對的，NEXIS只能在某些特定的「圖書館」即資料庫群；係由許多具相容性的檔案整合而成，或檔案群中才能使用「對等檢索詞」。

MDC、VU/TEXT、Data Times與BRS等這幾個資訊供應系統都能將多數法律規章的名詞，自動轉換成複數形，以求英文檢索名詞的單一化，雖然在語意上單數與複數的意義是不同的，但是就調取資料而言，主題領域是百分之一百相同的，因此這是很有用的系統功能。在中文資訊系統裡，這方面的問題倒是不太大，因爲中文特性之一便是名詞的單數是合一的，例如學生、科學家、政府工作人員。但是也有例外的如椰子樹與椰子林便是一例。然而在拼音文字系統裡這是一個小小的問題，不過若要眞的提高檢索效率，則此一轉換功能必須同時能接受使用者做出強迫性要求（OVERRIDE）。VU/TEXT與BRS系統即能接受檢索者下達「中斷複數轉換」的指令；亦即恢復原文中的單數、複數狀態。（Data Times）系統則仍要求想找一個名叫Diamond的檢索者，不能輸入gem、jewel、stone、ring……等之類的對等詞。其中之原因，就是沒有詞彙的層級安排，檢索詞與檢索詞之間，只有平行的關係；因此，「白馬」也就非「馬」了❺。

從以上的幾方面可知，若要提高檢索效率，檢索者除了應熟悉硬體設備與軟體功能之外，全文資料庫軟體本身的改良也是一大重點。然而令人懷疑的是，以現有的軟體技術而言，是否眞能夠克服電腦連線全文資料庫檢索的缺失呢？事實上我們知道目前許多自用（inhouse）資料庫已有數種精密的設計，中文方面也有內政部營建署的「營建法令檢索系統」是這種設計性質的優良全文檢索系統。此外，商用文書（commercial test）檢索軟體系統已經具有選擇性；這些軟體除本身已設定的功能之外，尙可應顧客需求變更設計，滿足不同使用者對檢索概念的特殊要求。有的軟體結構採等級制分類原則，有的則用概念架構設計而成。檢索者只要指定某一檢索詞，這類軟體系統即可自動地找出所有同義字；檢索者亦可運用此項功能，檢索至更狹義的概念（narrower concepts）。

某些情形下，選出一個檢索詞後，系統即列出各相關詞，甚至提供參見欄資訊，以供檢索至較廣義的概念。此外，尚有一些全文檢索套裝軟體可根據檢索結果之相關性，並將分析結果自動顯示出來，好讓檢索人員作資訊檢索最後結果的決策。

顯然的，現有軟體技術已具備相當的水準，只不過這些技術並未跟上資料庫發展的需求，以致於只拘限於自用資料庫的運用，而未能擴充至廣大的連線系統。因此應用於大型資料庫的軟體改良，勢在必行，也唯有藉檢索軟體功能的提升，才能協助全體資料庫突破檢索瓶頸，發揮全文資訊系統的功能。

六、檢索結果與資料取得

全文資料庫系統的檢索效率問題亦和全文資料庫系統的資料顯示功能的優劣，對使用者的檢索結果，與資料選用等方面皆有直接的影響。我們可分別從三個方面來看全文資料庫的資料顯示功能，藉以了解其問題所在[6]：

㈠資料顯示的重點：使用者在進行檢索的過程中，系統應協助其找出重要的檢索關鍵詞；亦即檢索者應能檢視僅含檢索詞的文件部分，且螢幕上應有資料視窗（window），說明資料意義如同傳統性的關鍵詞法／Key Word In Context，KWIC所能提供的顯示功能。例如NEXIS系統即擁有眞正的KWIC功能；在NEXIS系統中，一個檢索若有多個檢索詞，則系統將從文件檔案中，挑選出與這個檢索詞所有有關的全部文獻內容。此外，DIALOG系統中配合KWIC顯示功能的全文檔案，同樣能執行這種功能。不過有些系統如VU/TEXR、Data Times等則無法執行這種眞正的KWIC功能；這三個系統會將任何檢索詞所出現的部分均顯示出來，而不論那些檢索詞之間是否具有近接性（proximity）。這種一視同仁的顯示法則，雖然能夠彌補KWIC之不足，然而卻容易誤導檢索者，徒增許多因難；例如；某人使用「Congress」和「Pay raise」兩個詞彙，結合成關鍵詞進行檢索，即可能會檢索出一長串的資料，但是其中只提到過一次「pay raise」以及很多次「Congress」的國會活動記錄，可想而見的是，這些記錄中不相干的資料必然占很高的比率。

以連線檢索而言，諸如上述的系統顯示功能，若未能配合使用者的檢索結果需求，則不僅浪費時間，且檢索效率也必然降低許多。反過來說，一個設計良好的顯示功能，不僅有可能彌補檢索策略的缺失，也能節省昂貴的連線檢索費用。以NEXIS系統爲例，使用者可先做廣泛的搜尋，檢索出大量的文件，然後將這些文件以列舉式的款式顯示於單一螢幕上，以節省逐筆瀏覽的時間。接著再選出較符合條件的數件於KWIC系統中去驗證其相關性，最後才將確定的文件完整的顯示於螢幕或列印出來，這樣就具有較高的效率。

㈡**資料記錄的長度**：爲了讓使用者能預先了解所檢索到的資料段落或資料長短，應於資料起頭處設有長度指標。這個指標可以是印製版的總字數、頁數或欄數、或是連線版的螢幕頁數（SCREEN PAGES），也可用諸如短篇、中篇、長篇等相對數量表示法表示之。同樣的，系統軟體也應能預見讓使用者知道該筆資料記錄的列印費用爲何，以供使用者決定是否全部列印出來。

由於資料列印費用並不便宜，而且爲了提供「資訊是有價的」的觀念，列印費用通常由需要者付費，然而爲了費用支付問題，以及養成不浪費資源的資訊消費習慣，除非確知所檢索到的資料內容與長度，否則最好先行瀏覽並預估符合所需的資料長度，然後再要求列印。在使用NEXIS系統時尤應遵照此一原則，因爲NEXIS資料庫的文件可能是整本書，而列印費用是按行數計費的。NEXIS系統提供給使用者的方便之處是當使用者選妥列印款式的指令後，系統可立即算出預估的列印的長度，不過如果使用者下達的是批次（batch）列印，則系統只能在完成列印後，才報告出顯示的總行數。總之，資料不在多，而在於是否眞正有用，事先能有資料記錄的長度功能，可以節省許多的社會資源。

㈢**列印款式的要求**：全文資料庫系統的軟體應可連續列

印出檢索者所指定的文件，並且能於列印過程中，按檢索者的要求保留或去掉螢幕上的頁標題（Page headers），如此不但可節省列印時間，也方便資料的整理。DIALOG系統中有一個「不執行」的功能，可滿足此項要求，但是NEXIS系統沒有這些功能。

七、資料庫品管與檢索

資料庫的最基本質地，仍在於資料的品質管制。愈具有結構性的資料，其品質管制的標準與要求也相對提高，但是一般全文資料庫的資料品質管制，則比較單純。例如一筆資料記錄的字數越多，則出現錯字的可能性越大。這雖是細微的缺失，不過卻是最易被察覺的。一般而言，資料在輸入的時候並不容易發覺是否爲錯字，但在螢幕上檢視或列印輸出的時候卻非常顯著。而錯字又往往易爲資料庫的發行者忽略，畢竟它並不致嚴重的影響資料庫品質。有人則認爲一份資料若交由不使用該類型資料的輸入員負責，則由於不會受根深的語言型態，以及觀念所影響，也不致因誤解字義而擅自變更文字，因此由於僅爲機械式的專門輸入作業，或可減少錯誤的發生。只不過這並不能確保文件能達到零錯誤的要求。

以往在個人電腦尚未普及的時代，除了勉強接受這項缺失之外，就只好請使用者多包涵了，不過現在我們已有「文字處理」軟體可過濾出錯字來；然而問題是，把時間花在這上面是否值得？如果錯字不致影響原文大意也就罷了，但如果發生整段重要文字被遺漏而又未被查覺的話又該如何處理呢？所以校對並非只是校一個、一個的字而已。

惟有做好嚴格的資料品質管制才是解決上述問題的不二法門，這項工作不僅應實行於新資料的建立，同時也應做回溯性的資料檢視及修正。否則，檢索者調出不正確的資訊，實在是「非戰之罪」的錯誤了。此外，如果全文資料庫有索引的加工，或是將全文資料做若干結構化的處理，則資料庫的品質管制就更形重要❼。

八、資料庫範疇與限制

全文資料庫的出現，改變了人們對資料庫一詞的傳統定義，同時也帶來一些觀念上的新穎度。現在的全文資料庫有所謂「單一資料源」（SINGLE-SOURCE）與「多重資料源」（MULTIPLE-SOURCE）之分；前者是指與單一的傳統出版品，平行出版的電子產品，後者是指結合若干一次資料，或二次資料等所重新組合成的資料庫。

許多連線系統把資料依照主題、地區或年代的不同，建立了較大型的檔案架構，在其資料庫內包含了一個或更多的「單一資料源」以作爲全文檔的內容。例如在NEXIS系統中的大多數「單一資料源」檔案，也能被視同屬於另一個「多重資料源」檔案群的一部分來進行檢索，這就是資料庫的組合問題。

有些系統則以這種整合性的資料庫檢索，給予一個叫做global檢索系統的名稱，以爲號召，所謂「整體檢索」或「一次檢索」（One Search）等名稱所隱含的意義是指對同一類源的資訊集合，可進行一次無阻的資料搜尋，也是屬於跨資料庫的檢索；但是實際的效果是否如此之美好，則有待進一步的瞭解與改善。有些連線系統會允許檢索者整合資料庫中不同的資料源，建立所謂的「巨型結構檔案」（megafile），但往往這種大檔案內的「可檢索段」（Searchable fields）、術語、與資料顯示功能並不會完全相容。DIALOG系統在一九八七年時即推出了這種措施，經過了幾次修正，才有使用者願意試用，可見檢索設計與實質需求的結果，仍是有相當之差距的，而需求結果與資訊滿意度則另有落差。

以NEXIS系列爲例，它的資料庫把具有相容性的檔案整合成許多的資料庫群，亦稱做「圖書館」（libraries）；檢索者可自行整合同屬某一資料庫群「圖書館」的檔案，且不受檔案數量的限制，不過若檔案不屬同一「圖書館」，則因爲結構關係不能整合在一起，同樣理由也不能將整個圖書館整合至其他「圖書館」內。MDC資料中心認爲，就檢索相容性與資料顯示款式而言，NEXIS系統的這種多重檔案檢索是行得通的。雖然並不是所有檔案都會有共同的「可檢索段」，不過NEXIS已針對這點建立了一些交互索引的檔案，例如採用對等詞，將By line對應於Author便是一例。但是檢索詞如已被限定需對應某一「檢索段」時，則不含該「檢索段」或「對等檢索段」的檔案資料源，即會自動被排除在外，也就是檢索詞無法至該區段內進行access檢索。另一方面，一個被指定的資料顯示指令，會把在該檢索區段內每一筆檢索到的資料記錄，顯示出來，同時所顯示的資料至少包括其基本書目資料，而不論經指定的「檢索段」是否存在於某一特定資料源中。換句話說，不論在那一個檢索區中進行檢索，資料顯示的功能方面必然也必須包括資料源的區別。

Data Times與VU＼TEXT系統也同樣接受由使用者自行整合檔案方式的「多重檔案整體檢索」，而即使是擁有不同「可檢索段」或全文定段標識符（field tags）的檔案資料源也可以結合成一巨型檔案，會把不符合檢索需求的檔案資料源，亦即不含該特定檢索段的檔案自動地排除在外，而只在符合該特定區段檢索條件的檔案中尋找，因此它並不具備以所有資料源爲檢索對象的「整體檢索」能力。換而言之，VU/TEXT是以定欄檢索或稱爲固定檢索區段的設計爲主。Data Times則採不同的處理方式，它能在使用者選定資料庫後，即提供一組「類屬檢索詞」（generic field names）以配合執行「整體檢索」工作。如果系統所找出的檢索段不能與類屬檢索詞相容，則會出現「錯誤」訊息並回到系統指令模式，理論上可以達到使檢索者重新下達檢索指令的環境，唯Data Times中的某些指令在整體檢索模式中會有不同的效力，或甚至於不適用。

立法院的立法資訊系統在一九八五年設計之初，就考慮到資料庫群的整體檢索與一次檢索，並確定「主題檢索詞」爲巨型結構檔案的共同檢索段❽。而此檔案的原始規劃代號爲「第五號資料庫」。至於像Data Times系統中所遭遇的問題，在LEGISIS立法新聞資料庫中，亦有相類似的情況發生。

「檔案通路」（GATEWAYS）的設立，似乎也是阻礙「整體檢索」的一項因素。雖然Dow Jones新聞／檢索（DJN/R）資料庫可透過Data Times系統及其指令進行檢索，不過若是採用「整體檢索」模式，則資料庫中的華爾街日報檔便無法被接受；同樣的，像歐洲、加拿大、或澳洲等國家的資訊在Data Times系統中設有「檔案通路」限制的檔案源，也無法採「整體檢索」模式，其理由很簡單，那是因爲財務計算與分配的問題，換句話說是因爲資訊業界行政管理上的政策問題，而非技術性的設計問題。若是使用VU/TEXT系統，則美國邁阿米前鋒報與美國底特律自由報兩種報紙的檢索必須透過不同的「檔案通路」爲之；目前爲止，邁阿米前鋒報只能從某些預設的整體檢索模式，才能執行「整體檢索」，而美國底特律自由報則完全不接受「整體檢索」方式。

DIALOG資料供應中心於公元一九八七年開始提供系統的「一次檢索」（One Search）功能，對檔案的結合幾乎無所限制，不過使用者必須確定使不同檔案間的檢索段名稱能彼此相容的檔案也應設法排除或找出解決的方法，再不然就只好全然取消檔案類屬的限制條件。同時，使用者還必須選擇妥當的資料顯示款式，避免因檔案之不同而有資料顯示量相差懸殊的情形。

檢索者在使用「一次檢索」模式時所可能犯下的最嚴重錯誤就是把全文資料乃由於許多全文檔案都缺少敘詞（descriptors）；即使有的話，也多半屬於非常一般化的敘詞或是與檔案資料源密切相關者。以該DIALOG系統資料輸出款式8（Format 8）之瀏覽技術找出「敘詞」並將其插入檢索策略的方法，在全文資料庫中「一次檢索」的情形是很少能行得通的。因此若把含有敘詞的書目檔與全文檔混合的話，那麼粗心的檢索員可能會因爲將檢索限制在敘詞段而導致所有的全文檔皆被摒除在外的情形，其結果也就可想而知了。在DIALOG系統執行「一次檢索」時，使用者並無法透過系統的錯誤訊息（ERROR MESSAGES）了解是否碰到上述的「錯誤」，而且系統也不會提出任何建議給使用者，以供其改變檢索策略，例如，馬上去除字段標識符使其形成Free text檢索的環境，或者是對受影響的檔案，另外分開執行個別檢索，以彌補此類錯誤。另一方面，全部欄位無限制檢索（freetext searching）雖然是一種有效的全文資料庫檢索法，但這類檢索卻可能會遺漏掉那些利用控制字符做爲主要的主題檢索門徑下的書目資料記錄。

執行「整體檢索」時所需的費用也因系統的不同而有不同標準。因此必須針對各系統的計費原則來擬定檢索成本策略。VU/TEXT與Data Times這二個系統的資料庫連結費率（Connect rate），在使用整體檢索時，比一般性的檢索約需多出三分之一或更多一點的附加費用。NEXIS系統的檢索費用與所需選用的資料檔案數成正比，若是由顧客指定或選擇一組未曾結合過的檔案群，則所需支付的費用最高。DIALOG系統的「一次檢索」收費方式則與所需的「檢索」和「瀏覽」時間有關，計價方式則按各資料庫的每小時費率累計而成。同此可知，檢索策略運用不當的結果，不但會浪費很多時間，而且也會損失大筆的檢索費用。因此，檢索人員的專業知識就更形重要了。

撇開檢索費用不談，「整體檢索」的另一明顯缺失就是它很容易讓人們產生錯覺，誤以爲某一檢索策略，不論是由使用者自行設計或由連線服務人員補助設計的，一定能讓涉及該檢索的各個資料庫所接受，並且皆會有同樣的檢索效力。然而事實上並非如此；因爲一個設計不當的檢索策略很容易導致各資料庫間極其不當的相互妥協，無法精確地獲得令人滿意的結果；對於這點，檢索者可能會因系統並未自動化地提供訊息，而毫不知情。總而言之，「整體檢索」最大的缺失，便是往往無意中誤導使用者對一組原本即不應結合在一起的檔案群進行會同檢索。不過整體檢索如能予以妥善的運用，則不難發揮功能，造就成爲一種高效率且合乎成本效益的全文檢索工具。

九、全文資料庫的組織

從上面的討論我們已知「整體檢索」所採行的基本原則是試圖在某一單次的檢索策略中，就安排就緒一切的檢索要件，讓檢索作業的對象涵蓋數個檔案資料源並排爲「資料源檢索」。這種檢索法所關心的只是找出一個連線全文資料庫網，試圖一網打盡所有的資料源，而不管該資料所隸屬的系統或資料庫究竟爲何。在這種情形下，使用者需要有相當程度的資料庫背景知識，並瞭解資料庫與資料庫之間在資料來源上的共同性與差異性，以及各種資料庫的建構特性。換而言之，使用者需克服許多先行瞭解的障礙；以倫敦的金融時報（Finanial Times）爲例，它已經儲存於十數個或數十個歐、美國際連線系統內，其中有些是屬全文資料檔，有些則只儲存摘要，另有一部分資料庫會僅以簡要的書目記錄款式來存放。因此，倫敦金融時報的資料庫形態可能是一個單一全文檔，或者只是一群檔案中的資料源之一。依此爲例，一個使用者不僅要能知道資料的檢索款式，也需知道應從那一個連線系統去檢索，才能找到最適合他自己的資訊。再者，認識資料庫源也變得很重要；年代不同的資料有可能以不同的建構及建檔方式處理。此外，那一種資料庫系統的索引編製範圍，是採封面至底面，鉅細靡遺地全篇採用，那些資料庫又是只採選擇性的局部資料索引等，也都是檢索者必須先行了解的問題，否則檢索結果與檢索數率難掌握達到最佳化。

解決上述問題的方法之一，便是事先仔細查閱每一個儲存該項資料檔資料中心或各個連線系統所提供的文件處理說明，另一個方式就是直接向連線中心的顧客服務部門請求協助。任何一份標準的資料庫目錄，不論其爲連線版或印製版，都應該會提供有關某類資料被視爲隸屬同一資料庫而儲存在某一系統或多個系統中的題名（title）資訊，尤其是以不同包裝的方式出現時，題名雖與內容未必是完全相同，如何選判就是一門學問了。這些有關系統的資訊，通常會包括系統名稱、建檔日期，或備用檔的大小等，不過對於資料更新頻率與編輯方針等資訊則通常只會略爲帶過而已。

就英文全文資料庫的檢索而言，尤其是美國方面的出版量比較大，因此美國「聯邦文件檢索」系統（Federal Document Retrieval）所定期出版的「連線期刊目錄：索引、摘要與全文」（Directory of Periodicals Online: Indexed、Abstracted and Full-text）是一份比較值得參考的目錄，它把每個連線系統所儲存之出版物的資料庫名稱、資料涵蓋日期、流通情形、與儲存款式，例如係屬於引文、摘要或全文等皆註明在目錄內。此外，由書目資料（Bibliography Data）公司出版的「連線全文資料源」（Full-text Sources Online）也是值得參考的目錄，在這本全文資料源的第一版中列舉了每一種出版物的連線系統服務名稱，而在公元一九八九年夏出版的「更新版」則包括一份主題索引與出版物的涵蓋日期。此外，DIALOG系統之全文目錄內含報紙新聞、電文、期刊與通報等六百多個主題。

反觀我國，中文資料庫的發行，包括全文資料庫在內，仍處於萌芽之初期❾，電子版資料的發行在工業規格及出版法律方面均付闕如，各種可供公共檢索的資料庫，均爲非正式的發行物，因此截至公元一九九五年元月尙無乙份記載詳實的參考目錄出版。

照理說，在使用外文資料時有了這麼多全文資料庫系統之後，應該比以前更容易檢索出某份期刊中的文章才對，可是目前的情形卻有剛好相反的態勢。說來奇怪，最早約在公元八〇年代初期，全文檢索並不是件難事；簡單的環境，簡單的處理，簡單的檢索即可，因爲那時全文檢索系統只有兩種；若要尋找華爾街日報的全文資料，就可使用Dow Jones新聞／檢索系統，其他則使用NEXIS系統。數年前，大量的全文資料庫系統群如NewsNet、VU/TEXT與Data Times等等相繼提供全文資料系統且各有其特色，雖然形成全文資料庫的百花齊放，不過因爲各系統檔案重疊的情形尙屬有限，因此並未造成多大的問題。最近幾年由於全文資料庫與全文檢索的風潮湧現，資訊檢索的實用情形則大不相同；此係直接肇因於DIALOG系統及其他「書目」或「參考」服務中心所積極建立的各類全文資料庫，已使得連線全文檢索成爲相當複雜的問題；因爲資訊檢索者，必須面臨檢索技術進入了資訊結構設計多元化的環境，全文資料庫必須和其他資料庫和平共存於資料庫族群之中，因此在多元化的資訊檢索現實環境中，遠比以往更不容易找尋到眞正所需的資料。

老實說，資料檢索的主要目的若是爲了尋找文件，而不是爲了研究檢索策略或另有其他目的時，那麼檢索者實無需與各家系統玩捉迷藏的遊戲。誠如芭芭拉，昆特（Barbara Quint）在一九八八年十二月份的Data base Searcher中指出：「檢索者所使用的全文資料源不應具有隱密性，且系統應能讓使用者僅靠出版物或文件的大標題就能輕易的檢索到所需的資料」。這是又走回到老路上的建議，就是以題名或標題的檢索，代替每一個字的「全文檢索」，也就是用非全文檢索的方式去調閱全文資料庫的內容。在理想的情況下，一個使用者應能單靠一段引文或一個期刊標題，即可透過系統的協助找到合適的全文資料源，而不論所選用的連線系統是否正是儲存該資料源的系統，亦可不論資料檔案的號碼或名稱爲何。昆特小姐並認爲：「檢索服務部門應建立一套資料通路工具（gateway tools），將該部門《索引與摘要》的參考服務和其他資訊服務部門的全文資料源相結合」。這個意見，用專業化的術語來說：就是對於全文資料庫的檢索，採用兩段式的方法進行，第一是利用控制字符在書目資料庫中檢索，當檢索到確定的資料庫時，再進行第二段檢索，亦即轉到全文資料庫將文件檢索出來。

除了上述那種加工性的資料通路建立之外，還有一種不算過份浮誇的替代方案就是建立一個通用的，沒有界限畫分的全盤性資料庫，以替使用者詳細的說明各全數資料源的文件處理方式，這個資料庫的資訊內容可包括：各全文資料源所採用的連線服務系統及各系統說明有關資料的流通情形、備用檔之大小、索引的方式與索引編製的細分程度（depth of indexing）、編輯方針、檢索與列印／顯示費用等。如此一來，使用者即可利用這些資訊選擇一個較為合適的連線系統去檢索文件，然而問題是任何一個顧及營運績效的連線服務中心，是否願意容納這樣一個現在看來可能會將顧客「趕」到另一服務中心去的訊息資料庫，這當然是一個觀念問題，就像許多其他事務一樣。

十、資訊檢索展望

全文資料庫雖然像是一處取之不盡的知識寶庫，尤其是上網以後，然而那些寶藏卻無法像探囊取物那般輕鬆的可取得，除了法律方面的問題如智慧財產權及著作權等因素外，在軟體技術上亦甚至於還隱藏著許多無法克服的陷阱，不知其道的人往往耗費時間與金錢只能空手而回。同時，資訊消費者必須體認到全文資訊系統的優點往往會因軟體功能不彰、索引編製不當，與文件輸入錯誤等純技術性因素而受到相當程度的影響。目前全文檢索系統雖然仍存在著許多亟待改進的缺點，需要各界人士共同努力，一起研發前述的資訊檢索引擎，以求更加精進，更加實用[10]。我們必信不久的將來藉著資訊科技與軟體技術的開發必能一步一步地獲得解決，使人類社會中的知識社會，眞正地走上電子化的道路上去，尤其是中文全文資料庫的建設與中文全文檢索系統研發與應用，更是刻不容緩的事情。立法院過去幾年在此方面的努力，也是有目共睹的。不過，日新月異，精益求精的再求精進，以迎接新環境、新時代的來臨仍屬必然之趨勢。

附　註：

❶ 徐惠文「全文資料的發展與現況」科學月刊19卷4期，民國77年4月，頁248—253。

❷ Tenopir, Carol, "Full Text Databases" Annual reviewing Information Science and Technology 19: 215-246 1984

❸ Tenopir, Carol, "Full Text Database Retrieval Performance" online Review p.149－164 1985.

❹ Blair D.C. and Maion M.E. "An Evalution of Retrieval Effectiveness for a full Text Document Retrieval System", Communications of the A.C.M 28 : 289－299 1985.

❺ 顧敏「立法資訊系統文獻詞彙索引方法」，中國圖書館學會會報40期，民國七十六年六月，頁101－106。

❻ 同註❸

❼ Arno peels, Nor bevt Janssen, "Document Architecture and Text Formatting" in the ACM Transactions on office Information Systens, VOL3, No. 4, p.347－369, October 1985.

❽ Ku, karl The Preface of "LEGISIS Thesaurus" 2nd. ed., p.X－XIII, 1991.

❾ Ching－Chun Hsieh, "Full Text processing of chinese Language — An experimental system for studying chinese History Literatures "Ansnual Conference of the Association for Asian Studies, SIG panel, Chicago USA, March 21－22, 1986.

⑩ 謝清俊、丁之侃「中文電子文獻管理系統的現況與展望」，國際資訊管理學會資料及文書管理一九八九年會議論文集，頁267－283。

陸、參考資源

參考服務在工作上是協助讀者，在目的上是利用資料，在觀念上是傳播知識。參考服務即是館員站在讀者與資料之間，接連通訊與傳遞知識，簡而言之，參考服務是圖書館進行知識與資訊傳播的過程，爲整個現代圖書館的成敗關鍵所在。

圖書館資源示意圖

現代化圖書館的一切經營活動是為了傳播資訊與推廣知識，圖書館資源示意圖（Library Pathfinder）是一種參考部門推廣知識的新技術，具有「輔助研究」和「引導瀏覽」的雙重特性，乃就一個特定的主題，以一定的模式列出館藏中相關的資源，提供讀者群一份簡明扼要的資料檢索示略。

一、推廣知識是圖書館的天職

圖書館不單是一個讀書的地方，也是一個傳播知識的據點和機構。圖書工作人員在一個社會中所擔負的角色，也不僅僅是知識財富的守護者，同時也兼具着推動知識消費（知識流通）和知識生產的社會職責。現代化圖書館的一切經營活動，若要簡單地用一句話來歸根它的目的，那便是「傳播資訊與推廣知識」，甚至連圖書館最傳統的分類編目工作，從某個角度來看，也是爲了方便傳播資訊和推廣知識。

一個圖書館所要做的知識推廣工作，必然是一項全面性的普及措施，也就是必須要配合一個社會多種層面的不同知識需求。例如：公共圖書館的知識推廣工作，係以推廣國民生活基本知識爲準，公共圖書館或可利用辦理插花盆景等節目以提高國民生活品質，也可以舉辦工商講演會以提高國民從事工商事業的謀生技能與知識，同時公共圖書館更可以舉辦各種書展和讀書討論會等，誘導民衆增進各種有關的知識和生活情趣。時下有一些工作同道和同學們誤解了圖書館推廣工作，以爲「辦活動」就等於推廣。事實上，圖書館辦活動，只是爲了要達到推廣知識而已。圖書館舉辦活動是一種表徵性的手段，辦活動的實質目的在於推廣有關的知識。當然，圖書館爲了推廣知識不僅僅限於辦幾場活動。本文所要介紹的圖書館資源示意圖，便是另一種推廣知識的服務。

二、圖書館資源示意圖的起緣

圖書館資源示意圖(Library Pathfinders)是一種由參考部門負責設計、製作與執行的專題性知識推廣工作。圖書館資源示意圖首先於公元一九六九年出現於美國麻省理工學院巴克圖書館（The Tame Madison Barker Engineering Library at MIT），隨即於一九七〇年該學院爲了提高圖書館的服務品質，引用了若干新型的技術和方法，而設置了模範圖書館計劃（The Model Library Program)

，在當時圖書館資源示意圖也是一種被廣泛應用的新技術，這種專題性的知識推廣工作在短短一年的時間之內，由理工圖書館而普及到社會科學圖書館。圖書館資源示意圖是一份提供資料查找方略的說明書，每一種資源示意圖必須有一個被選定的主題（Specific topic），這個主題就是這份示意圖的題名，例如：「社會指標」、「華德迪斯奈的卡通電影」、「B型肝炎」、「勞工社會福利」、「太空探險」、「李爾王」、「中國武俠小說」等均可做為一個被選定的主題，並將和該主題有關的各種圖書館館藏資源，用一定的標準方法標示出來，以提供給讀者群一份簡明扼要的資料查找方略。一份優良的圖書館資源示意圖，可以使得任何一位讀者都能「按圖索驥」，隨着示意圖中的指標查找到他所想要找的主題資料。

一九七〇年代初期，圖書館資源示意圖在美國圖書館界風行一時，有些出版公司如Addison－Wesley 曾以一塊美金一份的訂價公開發行圖書館資源示意圖。當時若干美國圖書館員認為，圖書館資源示意圖的製作可以成為「放諸各館皆準」的標準服務，於是在當時許多圖書館的參考部門大家分工去做資源示意圖，以求達到合作的效果。很遺憾的是大家忽略了各館的館藏資源不盡然相同，在甲館適用的資源示意圖，未必也能完全適合於乙館之需，因此，圖書館資源示意圖在館際合作上所產生的效益，不如早先所預計的大。目前的趨勢是，各館以自己的館藏來編製資源示意圖，以達到推廣知識服務讀者的目的。

三、美國國會圖書館的資源示意圖

一九八四年六月，因得參加「美國國會制度研討會」之便，承美國國會管理基金會安排了四整天參觀美國國會圖書館的日程，而在美國國會圖書館內的幾個部門中分別瞭解到圖書館資源示意圖在該館中的發展現況。首先，在該館的畫片及照片組 Prints and Photographs Divison，看到了許多的圖畫資源示意圖 Picture Pathfinder ，包括華盛頓特區的建築、人像資料、海報資料、鐵路建設等，每一種資源示意圖均編製得相當引人入勝。據在該組服務多年的伊森小姐Mary Ison相告：畫片及照片組所收藏的畫片資料是該館的特別收藏之一，他們透過圖片資源示意圖的服務，可以達到宣介特藏和鼓勵讀者利用的目的。她認爲資源示意圖的編製工作相當地花費時間，尤其該組收藏的均爲稀有的圖片資料，每份資源示意圖的設計與編製，約需花費二個月至八個月的時間才能完成，編製資源示意圖的圖書館員，最好要具有有關的專業知識。伊森小姐本人是一位建築系的畢業生，她在本年四月才完成了一份如何查找海報資料的資源示意圖。美國國會圖書館畫片及照片組係屬於人文學科方面的資料單位，資源示意圖的服務則設置在該組的入口處，供讀者自由取閱利用。

在六月十四日上午，訪問到國會圖書館的科學技術資料組。該組的參考部門從一九七二年開始就施行了圖書館資源示意圖的服務，到一九八四年初，該組總共研製了一百五十餘種科技資料方面的圖書館資源示意圖。這些資源示意圖的主題包括人工智慧、太陽黑點、針灸、工業用機械人、太陽能、纖維光學、核子安全等，幾乎科技知識的論題，都被歸入了資源示意的範圍之中。美國國會圖書館科技資料參考組所編製的資源示意圖，取了一個獨特的名稱，叫做 LC Science Tracer Bullet。該組的負責參考部門的主任卡特小姐（Constance Carter）指出：科技方面的資源示意圖，經常需要更換資料，以保持時新。她並以一九七二年出版的針灸資料示意圖爲例，說明了資源示意圖不時更替換新的情況，該組最常用的方式是利用信函通訊的方式，將補充資料寄給讀者。美國國會圖書館科技資料組，編有資源示意圖的目錄，供讀者函索。據卡特小姐表示資源示意圖頗受該館讀者之歡迎。

此外，美國國會圖書館的國家諮詢中心 National Referral Center 對於該中心的電腦資料庫資源，亦編製了資源示意圖，取了一個很有味道的名字叫做「你知道嗎？」Who Knows？。美國國家諮詢中心的電腦資料庫蒐集了該國約一萬三千多個機構的資料，每個機構的各種研究計劃均可透過這個資料庫去查找，尤其是不同機構往往研究若干相關的問題，譬如太陽能的問題，會有許多機構分別地加以不同題目的研究，而每個題目之間有其一定的關連性存在。爲了便利考察及瞭解，於是「太陽能」便成爲製作資源示意圖的一個主題，以提供讀者一個仔細的綫索，去查找各種有關太陽能研究的知識和資源。該參考諮詢中心自動化及出版組主任羅遜堡先生 Staffan Rasenborg 很肯定的認爲資源示意圖對於電腦資料庫的推廣利用，助益很大。當然，他們的資源示意圖也在考慮電腦化了。

四、圖書館資源示意圖的基本內容

就圖書館服務的角度而言，圖書館資源示意圖是一項主動提供知識給讀者的作業方式。資源示意圖的內容，必須具有「輔助研究和引導瀏覽」的特性。因此每一份圖書館資源示意圖均包括了一些基本的項目和內容。資源示意圖的基本記載事項含有下列各點：

1. 示意圖的題名：亦即被選定的知識主題。

2. 主題範圍的闡述或界說：用以說明此資源示意圖所含示的知識目的或用途。文詞務求簡潔、明確。

3. 在可能範圍之內，提示出一篇能代表本知識主題的文章或書籍，以做爲認識本主題的最基本參考材料。只要讀者閱讀了本件資料，就能對於本主題知識有全盤性的瞭解。

4. 指示出本主題在圖書館目錄中的排檢情況，在主題目錄裡的標目方法，以及本主題和其他有關主題的關連性暨是否有層屬關係。

5. 指示出有關本主題的經典之作，或是必不可忽略的基本讀物。

6.索書號亦可以標示出來，以方便檢取資料。

7.指示出含在手册、百科全書，或字典中有關本主題知識的內容。

8.指示出和本主題知識有關的書目資料，包含單行本的專題書目和連續性出刊的書目。

9.指示出和本主題知識有關的索引或摘要資料，並指示出本主題知識在該索引或摘要中的標示方法。

10.指示出五種和本主題知識有關的期刊，或者是五種經常刊載此方面論題的期刊。

11.指示出和本主題知識有關的研討會會議記錄，評論性資料等有關資料。

12.指示出和本主題知識有關的視聽資料，包括縮影資料、幻燈片、電腦資料庫等。

13.指示出和本主題知識有關的其他資料，例如剪輯資料、報告資料等。

14.每一種被指示出來的資源，應儘可能標示出其和瞭解本主題的適用程度Relevance。這種適用程度的註明，一般可以分爲若干的層次，例如非常適用、適用、論題較廣泛但適用、論題較廣泛、論題較精專、論題相關可備參考（ related but lower relevance ）。適用程度的指示愈精密，愈能節省讀者的時間，也愈方便按圖索驥。

以上第四點到十三點的記載，應力求目錄記載事項的完整，若無法周全時，至少需要著錄其作者、題名、版次或出版年，以及頁碼。除此之外，資源示意圖的編製人姓名以及圖書館的地址亦應有所註明。

五、資源示意圖在我國的未來展望

圖書館資源示意圖是一項很值得推廣的知識推廣工作，尤其我們台灣地區的圖書館事業正進入一個新的轉型時期，文化中心的圖書館須要吸引讀者走進圖書館來利用資料；大專院校及機構圖書館開始進行自動化作業，須要培養讀者具有主題觀念，以方便資料檢索，而圖書館資源示意圖的服務，可以配合讀者在查尋資料和建立主題概念上的需求。從另一方面而言，我們的圖書館員亦可藉著對編製圖書館資源示意圖的研究，增強對館藏資源的認識，這對於提高館員修養和服務品質，都可以產生間接的幫助。個人覺得，展開資源示意圖的服務時機已經來臨了。附圖書館資源示意圖的基本著錄格式如下：

圖書館資源示意圖

主題名：＿＿＿＿＿＿

定義：

以上有關＿＿＿＿＿論題之界說，摘自＿＿＿＿字典。P.＿P.＿＿＿

有關＿＿＿＿＿本主題及其它關連性主題，可在下列款目中查得：

認識本主題的基本讀物包括：

其它關於本主題的資料文獻，其檢索類碼為：

中國圖書分類：
杜 威 分 類 ：

在手册資料中有關本主題的有：

在百科全書資料中，有關本主題的有：

與本主題有關的書目資料有：

與本主題有關的索引、摘要資料有：

在研討會議記錄，評論資料中有關本主題的有：

在視聽資料中有關本主題的有：

其它有關本主題的資料有：

與本主題有關的期刊如下：

經常刊載有關本主題之論題的期刊有：

編 製 人：________

本館地址：________

本館電話：________

※主題名：勞工法資源示意圖

※定　義：勞工法亦稱勞動法或勞工立法。勞動法是規定勞動關係及附帶於勞動關係的一切法規總稱，而以雇主和勞工間的勞動授受關係爲其規定的主要對象；也包括由於這個關係所引起的其他附帶關係，如雇主團體和勞工團體的關係，雇主勞工與國家的關係，亦爲勞動法，規定的對象。

以上有關勞工法論題之界說，摘自：

薩孟武等編　法律辭典　中華叢書編委會　民五十二年　一〇〇〇頁

※有關勞工法本主題及其它關連性主題，可在下列款目中查得：

勞資關係（非常適用）

勞資糾紛（非常適用）

勞動條件（適用）

勞工問題（論題較廣泛但適用）

勞工福利（論題較專精）

勞工保險（論題較專精）

勞動刑法（論題較專精）

勞工組織（論題較專精）

工廠管理（論題相關可備參考）

※認識本主題的基本讀物包括：

陶百川　最新六法全書　三民　民七十三（廣泛但適用）

內政法令解釋彙編　勞工類　內政部法規彙編委會　民七十二（非常適用）

陳繼盛　勞資關係　三民　民六十八（非常適用）

陳國鈞　勞工立法新論　正中（非常適用）

劉志宏　勞工問題及勞資關係論　正中（適用）

丁幼泉　企業內的勞工問題及其處理　正中（論題相關可備參考）

※其他關於本主題的資料文獻，其檢索類碼爲：

中國圖書分類法：五五六（廣泛但適用）

※在百科全書資料中，有關本主題的有：

現代生活法律顧問百科全書　龍江文化事業公司　民六十九　一二一八——二三五頁（非常適用）

環華百科全書　環華出版事業公司　民七十一　四七八一五〇八頁（論題相關可備參考）

※與本題有關的書目資料有：

國際勞工評論：勞工問題書目彙編　民七〇（廣泛但適用）

※與本主題有關的索引資料有：

中文法律論文索引　東吳大學　民五十二—。　可在下列款目中查得。

1.內政法規（廣泛但適用）

2.勞工法（非常適用）

3.勞動基準法（論題較專精）

4.勞工保險條例（論題較專精）

中華民國期刊論文索引　中央圖書館　民五十九—。

可在下列款目中查得。

1.勞工法（非常適用）

2.勞動基準法（論題較專精）

3.工廠法（論題較專精）

4.勞工保險條例（論題較專精）

5.職工福利金條例（論題較專精）

6.工會法（論題較專精）

7.職業安全衞生法（論題較專精）

8.勞工安全衞生法（論題較專精）

9.礦場安全法（論題較專精）

中文報紙論文分類索引　政大社會科學資料中心　民五十二—。　勞工問題（廣泛但適用）

※其它有關本主題的資料有：（政府出版品）

立法院公報　民四十二—。（廣泛但適用）

法律案專輯　第四十一輯　立法院（論題較專精）

中華民國內政統計提要　內政部（適用）

中華民國勞工統計提要　內政部（非常適用）

台閩地區勞工保險統計　內政部（論題較專精）

台灣省社會事業統計（適用）（論題較專精）

△勞工行政

※與主題有關的期刊如下：

法學論叢　六卷二期　民六十六　二〇五——二二二頁

王澤鑑：勞工法之社會功能及勞工法學之基本任務

新出路　民七十二、八、一　二六——二七頁

谷紀：勞動基準法案總說明

※經常刊載有關本主題之論題的期刊有：

中國勞工　半月刊　中國勞工出版社

勞工之友　月刊　勞工之友社

勞工月刊　月刊　勞工月刊社

國際勞工評論　雙月刊　國際勞工研究資料中心

勞工研究　季刊　中國文化大學勞工研究所

參考資料

1. Eloise L. Harbeson, Teaching Reference and Bibliogrophy: The Pathfinder Approach, Journal of Education for for Librarianship 1972, pp. 111-115.
2. Charles Bange, Strategies for Updating Knowledge of Reference Resources and Techniques, RQ, 1982, pp. 228-232.

專題書目與圖書館資源示意圖

專題書目和圖書館資源示意圖均屬於第二類知識的服務範疇，皆以特定的主題為依歸，有其一定的範圍、目的和對象，然而圖書館資源示意圖對於所選定的主題，加以分析，並給予加權處理，且介紹同一主題不同類型資料的查詢方法，故就傳播知識的功能而言，較專題書目更具有推廣性、教育性和前瞻性。

不斷的改進、發展和成長是任何一種有資格被稱爲「專業」的行業或事業，都有的一個共同點。如果一個行業已無多大的改進餘地，或發展潛能，這個行業也將逐漸的不成其爲專業（Profession）。

和其他許多事業比較起來，圖書館業在人們的概念中開始成爲一種專業，還是不多久以前的事情。近年以來，世界各地的圖書館事業，無論在建築方面，作業制度方面，管理方面，以及服務讀者方面，均有相當好的進步和發展。這說明了圖書館事業正進入了發展時期，值得改進之處正多，整個圖書館事業的發展潛能也正開始。今後圖書館業之專業地位，隨著圖書館事業的持續發展，也必然更加地能夠獲得社會的公認及廣大的支持。

一、兩種「第二類知識」的服務

專題書目和圖書館資源示意圖(library Pathfinder)都是由圖書館參考部門對於讀者所提供的服務措施。這兩種服務有助於增強圖書館與讀者的關係，藉此，對於圖書館專業知識和專業精神，也可做到一種表達的效果。專題書目和圖書館資源示意圖均屬於「第二類知識」的服務範圍，也都是以「主題」的方式而爲之。所謂「第二類知識」second knowledge 就是介紹知識、管理知識和運用知識的知識。

圖書館學中的許多知識均和第二類的知識有關，尤其是推動參考服務的方法性知識，更直接地成爲第二類知識中的核心知識。其中專題書目和圖書館資源示意圖的編製方法和原理，僅是許多已發展，或正在發展中的第二類知識裡的部份內容。然而，這兩種服務如能按步就班適當的辦理起來，對於知識的促進和推廣有相當重要的幫助。

二、專題書目編製要旨

一份好的主題書目，不論其爲電腦化的書目，或是人工印刷的書目，它的編製要旨都是一樣的。一般而言，其編製約可包括下列幾方面：

㈠ 編製目的

每一種書目均應該配合讀者的某些需要而編製，明確的主題，可以清晰的顯示出編製目的，因此，主題書目對於主題的扼要闡述是必須的。

㈡ 確定範圍

書目是知識的說明書，因此任何的一種書目必然在時限、語文、地區、資料媒體、館藏等方面，或是收錄標準等有所範圍上的限定。這些編製上的範圍不妨在前言中加以說明。

㈢ 講究方法

主事書目編製的人員，需要和書目或編目工作人員一起研討有關書目的取材，編製的方法等事項，並且也可以參考一些現有的書目成品，以求集思廣義。

㈣ 精密編輯

配合主題的性質，書目的主體部份在編排上應以一種多數人都覺得很方便瀏覽的方式編排之。並配以多方向的檢索通道 Access 提供各種的查找途徑，以利使用。至於書目的結構則可包括下列各項：

1. 前言——簡述本書目的範圍及目的。

2. 凡例說明——幫助讀者了解及使用本書目。

3. 目次——提綱挈領。

4. 書目主體——固定格式，標明順序。

5. 輔助索引——至少一種，能多則多。

6. 主題參照——多予應用，以宏效果。

7. 註明收藏——取書、追踪。

主題書目的組織愈是精緻細實，愈能發揮傳達知識的功效。

(五) 考慮提要

主題書目亦可分爲有解題書目和無解題書目。如能給予適當或適合的提要、摘介，或是由專家提供評論性摘述，則更能提高這份書目的參考價值和研究價值。

(六) 發行計劃

新資料不斷地出現，一份好的主題書目，除了應有補充書目資料的補篇計劃之外。對於主題內容的時新性亦應予注意，並做適當的汰舊換新的調整。另外，彙編本的刊印亦值得考慮，凡此種種措施都是計劃性編製主題書目的工作範圍。

三、資源示意圖與專題書目的區別

圖書館資源示意圖基本上是一種書目性的資料 Bibliographical Materials ，係就一個個不同的主題，分別展示圖書館中各種研究資源的座落點，列舉條述不同類型的參考資源，並分別說明其組織情形及查找方式。因此，圖書館資源示意圖很明顯地有別於傳統的書目。

圖書館資源示意圖和專題書目雖有其相同之點，例如兩者均以主題爲依歸，均應該有對象和目的，均有一定範圍(Scope &Definition)。然而，兩者出入之點更多，約可分爲下列各項說明之：

㈠書目一般限於書目，雖然現代的書目亦包含了多媒體的材料在內，但是總歸是「書」目。資源示意圖的範圍較廣，舉凡和該主題有關的材料包括索引、指南等均可鉅細地包羅在內。從另一方面而言，書目可以有輔助索引，及摘要。圖書館資源示意圖則完全沒有。

㈡圖書館資源示意圖除了直接指引若干資料之外，更介紹同一主題不同類型資料的查找方法。主題書目則沒有這種功能。這種查找方法的指明，也就是何以圖書館資源示意圖在英文中叫做Pathfinder 的原因了。

㈢圖書館資源示意圖對於所選定之「主題概念」加以分析，並給予加權處理。這是資源示意圖的特色，亦即在資源示意圖中被指示出來的圖書或資源，均應標示出適用程度 relevance，這種適用程度的註明，可分爲若干層次，如非常適用、適用、論題較精專、論題較廣泛、論題較廣泛但適用、論題相關可備參考等。這種「加權」處理，一則訓練了圖書館員的主題分析能力，同時，也培養了讀者對於主題查找的分析能力。這對於已進入或將要進入電腦化資訊檢索的單位而言，是一項很重要的準備訓練。

㈣圖書館資源示意圖由於其性質使然，就傳播知識的功能而言，較專題書目，更具有推廣性、教育性和前瞻性。示意圖的目的包含了預定目標的設計在內。也是一種館際參考的媒體。對於資訊需求比較高的圖書館而言，好的圖書館資源示意圖可以使若干相類似的參考問題，不刄而解。對於資訊需求低的圖書館，圖書館資源示意圖具引導「資訊消費」的功能。

參考資料

1. Guidelines for the preparation of a Bibliography prepared by the Bibliography Committee, RASD, ALA. RQ, Fall 1982, P. 31-32.

2. 顧敏，圖書館資源示意圖，臺北市立圖書館館訊二卷一期，民 73，第二頁至六頁。

圖書館自動化有關文獻的書目剖析

圖書館的經營面臨今日資訊服務的衝擊，自動化已經是一個必然的趨勢；因此近年來圖書館從業人員除熱衷圖書館事業之外，亦竭盡全力展開圖書館自動化作業，此文係以書目計量學的方法，將發表於文獻中的成果，加以分析研究，歸納出有關於此方面書目成長的特性。

圖書館自動化是資訊時代的一種趨勢。圖書館自動化也是一個社會推廣應用性資訊知識的主要途徑。過去十五年間，圖書館自動化已在國際圖書館界形成了一種自然的運動，圖書館自動化有關的文獻也如雨後春筍般地增加中。我國台灣地區所出現的第一篇有關圖書館自動化作業的論文，是十七年前由沈寶環教授所執筆的「圖書館工作自動化問題」乙文，刊於東海大學圖書館學報第十一期。隨後幾年之間，間或有圖書館自動化方面的文章出現，惟文獻整體之成長，則並不快。惟這種情況自民國六十九年開始，則有不同的轉變。

根據李德竹教授的研究，民國五十二年出版的「圖書館學論文索引文」，及民國五十八年出版的「圖書館學論著資料料總目」，均未見任何討論圖書館自動化的文章，而民國六十四年所出版的「圖書館學期刊索引」，列有七十八篇相關文獻❶。七十五年十二月國立中央圖書館所編印的「圖書館學文獻目錄」，則可查得三百四十一篇有關文獻。本書目剖析主要的基礎，即是以「圖書館學文獻目錄」所列之資料，以及筆者檢視其他未被收錄的文獻如「圖書館學與資訊科學教育國際研討會會議論文」等，基本上是以「文章」爲限，專書及研究報告未列入本次的範圍。

一、學術會議引導文獻成長

本項書目剖析係以在台灣地區所生產的文獻量爲準。包括中文文獻和外文文獻，因此，外國人在台灣所發表的文章亦列入計算，而不在台灣地區所發表者，則不在討論之內。文獻採用以民國六十九年開始，至七十五年底，前後共計七年。這個期間的圖書館自動化文獻，相當蓬勃，因有下列二個文獻生產上的原因：

㈠民國六十九年開始，一連串的國際會議及學術會議在台北舉行，每次會議均促成圖書館自動化文獻相當幅度的增產。

㈡該年中國圖書館學會與國立中央圖書館成立了「全國圖書館自動化作業規劃委員會」在教育部支助下，展開了中文機讀編目格式，中國編目規則，中文標題表等自動化作業的準備工作，促成了許多研究成果的發表。

學術會議對於研究文獻的生產，有很直接的催生作用，以六十九年爲例，圖書館自動化的文獻計有四十四件，其中有十六篇文章，係出自該年所舉辦的「1980 圖書館事業合作發展研討會」。七十年因爲舉辦「中文圖書資料自動化國際研討會」，使得文獻達到六十篇的高峯，因爲該次研討會的論文即有二十五篇之多。但七十一年因未舉辦大型的學術會議，有關文獻即下降至三十一篇，即爲明顯的例子。隨後在七十二、七十三、七十四，三年之間雖然亦舉辦了若干次的研討會，包括一次取名爲「第一屆亞太地區圖書館學研討會」的會議，然而文獻數目，始終在六十篇以內。

這種情況一直到七十五年才被打破，該年的文獻增至六十五篇，無獨有偶的，該年亦舉辦了一次「圖書館事業工作發展研討會」的國際性會議，這次會議計有十五篇有關圖書館自動化的文章，這也是促成本年度文獻增長的有力因素之一。

在過去七年之中，圖書館自動化有關的文獻，大體上是呈負成長狀態的。其成長圖如下：

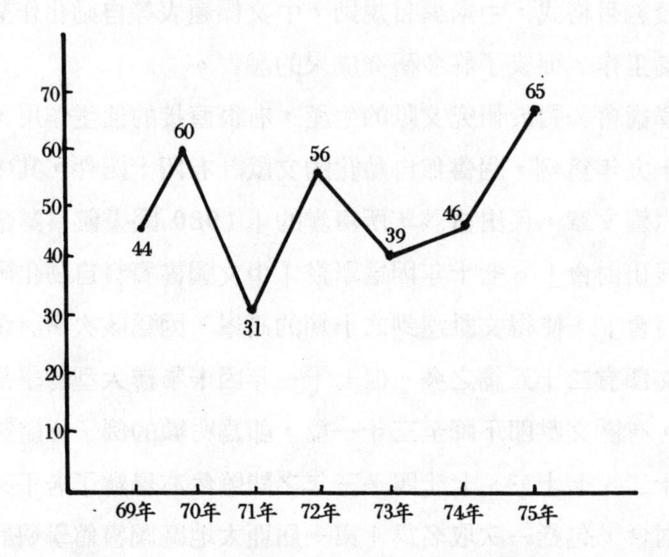

如果以分年分項顯示之，則圖書館自動化文獻的統計情況如下圖：

分項＼年度	69	70	71	72	73	74	75	分項總計
概　論	17	14	11	2	16	20	26	125
資訊系統與資訊網	5	7	7	12	5	6	15	57
新媒體技術	2	0	1	2	3	0	7	15
機讀式目錄	1	7	6	4	2	3	7	20
漢字處理	3	20	1	11	4	8	0	47
資訊檢索	5	3	5	4	5	5	2	29
資料庫	11	9	0	2	4	4	8	38
年度總計	44	60	31	56	39	46	65	341

二、二百多位著述蔚成大觀

過去七年之中，在圖書館自動化這個主題之下，共有二百十三人發表有關之論述，另以團體名義發表者有十七個。二百十三位個人作者之中，除少數爲共同作者之外，獨立作品佔絕對的多數。分項主題中均有作品發表，可見其研究的廣博面。張鼎鍾女士在圖書館自動化七個分項主題中，除漢字處理及新媒體技術二項未見發表作品之外，共在五個分項主題中發表文章，這五個分項主題包括圖書館自動化概論、資訊系統與資訊網、機讀式目錄、資訊檢索、資料庫等，爲所有二百多位作者中，研究跨度最廣的一位。在圖書館自動化研究跨度方面佔第二位的爲旅美學人周寧森，和淡江大學教授黃鴻珠，各有四個分項研究的作品均沒有超過三篇，達到三篇者僅張鼎鍾教授一人。

如果就圖書館自動化分項研究的專精度觀之，除「圖書館自動化概論」不計算在內外，分項研究連續發表超過三篇者有二人，即周駿富先生，和謝清俊先生，兩人均對「漢字處理」這個分項主題，發表了四篇作品，爲二百多位作者中，研究專精度最高者。

另外，以個人作品發表量而言，張鼎鍾女士佔十二篇（包括中文八篇、英文五篇），獨占榜魁居冠。顧敏有十篇，包括一篇英文論文，佔第二位。胡歐蘭、黃鴻珠各有七篇，幷居第三位。周寧森、謝清俊各有六篇，他們二位有一個共同的特色，那就是六篇文章之中，均爲四篇英文論文，二篇中文論述，並居發表量的第四位。七年之中，發表五篇論述的著者共計六位，他們是王振鵠、沈寶環、周駿富、林孟眞、黃世雄、及王士峰等先生女士。

三、產生自動化文獻的園地

「圖書館學文獻目錄」共計收錄了二百九十八種書刊，但是未包括專書在內。在收錄的書刊中，計有五十四種刊載圖書館自動化方面的文章，約佔百分之十八。這五十四塊生產圖書館自動化文獻的園地，共分爲四種性質；即會議記要，紀念論文集、報紙、及期刊。其中期刊有三十種，報紙十一種、會議記要十種佔多數。三十種期刊之中，有十八種期刊所生產的文獻，低於五篇，亦即每年平均不到一篇。經常生產圖書館自動化文獻的，平均每年有二篇以上者，計有下列七種期刊，依照生產數量如下：

刊名	篇數
1.教育資料與圖書館學	36
2.中國圖書館學會會報	25
3.圖書館學與資訊科學	24
4.書府	18
5.國立中央圖書館館訊	18
6.台北市立圖書館館訊	18

7.新知集　　　14

四、自動化文獻的幾個特徵

在這總數三百四十一篇的文獻中，除了中文之外，英文著作卽達八十五篇之多，佔總數的百分之二十四點九（24.9%），幾年就等於四分之一。七年之中，在台灣地區產生如此多的圖書館自動化方面之英文作品。主要有下列幾個原因:

1.舉辦國際會議，吸引外籍人士在會議上發表文章。

2.因爲自動化等於發表的需要，邀請外籍人士來台，發表演講，藉以吸收資訊方面的科技知識。

3.以英文發表中文資訊的研究成果，輸出知識建立專業地位。

4.以英文報導台灣地區資訊事業的成長，促進國際瞭解。

就吸收資訊新知而言，三百四十一篇之中亦有中文譯文十二篇，這是另一種生產文獻的方式。

自動化文獻的另一項特徵是通論與基本概念的文章特別多，計有一百二十五篇，超過了三分之一。相對的，討論資訊檢索的文章只有二十九篇，論述資料庫的也只有三十八篇，兩者平均才三十三點五篇，還不到總數三百四十八篇，兩者平均才三十三點五篇，還不到總數三百四十一篇的十分之一。這顯示有關資訊檢索技術和資料庫建置的討論仍然不足，對於資訊使用的推廣教育，尙需加强。換句話說，對於資訊消費人口，仍須積極養成才行。

參考資料

1. 圖書館學文獻目錄，民 75 年 12 月，臺北市：國立中央圖書館編印，第 127 頁至 149 頁。

柒、比較研究

圖書館事業在各先進國家中已形成為一種社會公器，亦被視為一國文化教育發展的標竿，近年來圖書館學重視「比較圖書館學」之研究，玆列舉世界各國之資料，供作比較分析之參考。

國際圖書館界的慧光

圖書館學被稱為一個「科學」、一項「專業」，應歸功於藍甘納薩氏的學術努力，他提出「分析與組合的分類法」，日後並孕育出「冒號分類法」，為分類方法在自動化方面的應用，奠下良好的基礎，另外更重要的作品是「圖書館學五大法則」，即為——圖書為使用而生（Books are for use）

每位讀者有其書(Every Reader; His Book）

每冊書有其讀者（ Every Book; Its Reader）

節省讀者時間（Save the Time of the Reader）

圖書館是個成長的有機體（ A Library is a Growing Organism）

藍氏所發出的智慧光芒是國際性的現代化圖書館學知識

圖書館長年以來一直被認為是書記性的作業，和圖書館業務有關的活動也被當作是一種純粹的收藏管理工作。根據圖書館學與資訊科學百科全書的記載，一直到公元一九二五年開始，由於當代圖書館學泰斗藍甘納薩氏❶對於圖書館學的潛心研究，才首先打破了這種景觀，改變了世人對於圖書館作業的看法❷❸。

一、藍甘納薩氏的貢獻

藍甘納薩於一九二四年年初接掌印度馬德拉斯大學圖書館之後，曾廣泛地周遊了當時大英帝國內幾百所的圖書館，這一次的遊學給藍甘納薩許多的閱歷，也觸發了藍氏對圖書館問題的興趣，藍甘納薩在這一次為期九個月的實地訪問後，提出了「分析與組合的分類法」的概念，試圖藉此發展出一套新的圖書分類法❹，並且一九二五年開始努力於圖書館學科學領域的探討與耕耘，長年以來的專心致力，終於獲得了豐碩的收獲。藍甘納薩對於圖書館學的整個研究工作，可以劃分為兩大階段：在前二十五年的第一個階段裏，藍甘納薩氏獻身於單獨奮鬥的鑽研，以其個人的沈思、領悟配上科學學養進行純理論的研究；在第二階段的後二十五年裏，藍氏組成了研究工作小組，以團隊的整體力量，配合統計方法，實地調查等方式，並持續進行各項研究工作。

藍甘納薩一生總共出版了六十二種圖書館學的專書，發表過的學術論文達一千五百篇之多，另外，在其主持之下訂定了二十三項有關圖書館的標準❺，並主持編輯了印度馬德拉斯大學圖書館的七種目錄，綜觀起來，藍甘納薩氏對於圖書館學的研究非常地浩瀚淵博，舉凡圖書館的組織、圖書選擇、圖書分類、圖書編目、參考服務、圖書館行政、文獻處理學、書目學、專門圖書館經營、學科專家與圖書館、圖書生產、成人教育等各方面的問題都著有專書問世。藍甘納薩替圖書館學的研究領域開拓了許多新天地。

在藍甘納薩氏的研究成果中，最重要的作品，要數一九三一年所出版的「圖書館學五法則」，這項圖書館界的曠世作品於一九五七年時又出版了修訂後的第二版。藍甘納薩氏自己在「圖書館學五法則」第二版的第86 節裏指出：「五法則將圖書館學思想領域內最完整的特質，用科學方法萃滙而成。此法則並充份地影響了近六十部的作品；一九三一年所出版的圖書館學五法則初版，恰似一部鉅書中的首章，其餘的作品便似組織各章各節的各個部份，因此，五法則可說是（本人）所有作品的肇始之作」。在藍甘納薩的觀念裏，他所從事的各個部份的圖書館學研究，都是棲息相關，互有所繫的一個整體❻，而五大法則便是綱領，可供探源、可供推演、也可供評準。圖書館學五大法則並不是圖書館學領域中的一棵孤荒之樹，而是一欉生氣蓬勃的樹林。圖書館中許多問題的端倪，都可藉此一喬木大林獲得靈感或啓示。

二、圖書館學五大法則

藍甘納薩所創的圖書館學五大法則，即是❼：

圖書為使用而生 Books Are For Use

每位讀者有其書 Every Reader, His Book

每冊書有其讀者 Every Book, Its Reader

節省讀者的時間 Save The Time of The Reader

圖書館是個成長的有機體 A Library Is A Growing Organism

圖書館學五大法則的詞句幾經修改、更動與潤飾❽，中文的譯文也有好幾種，有些是因翻譯風格的不同而不同；譬如有用口語的，有用文句的❾，有些則是因用字遣詞上的不同而有出入；譬如有基於語意關係，或是牽涉到修辭方面的技巧問題❿。各種譯文的原始目的，當然都是在詮釋和推介這五條法則。

廿世紀初期對於圖書館學及英國公共圖書館發展極有貢獻的圖書館學者布威克、塞歐⓫在一九五七年英國圖書館協會所出版的藍甘納薩氏的「圖書館分類序論」第二版序裏讚稱：圖書館學五法則是一項精品，它蘊含著深奧的玄哲之理，也顯示出藍甘納薩氏各項活動的熱泉⓬。塞歐氏對於他的足藍甘納薩氏所創的五項法則的評論，言簡意賅正中要點；因為事實上五大法則正是將深奧的玄哲之理，以簡要的方式表示出來，讓學圖書館的人或是未曾學圖書館的人都能一目瞭然的知道，圖書館作業應該是怎麼回事。

波磨氏⓭在一九六六年所出版的「一串堅果——專業圖

書館在英國」乙書中指出：圖書館學五法則簡明扼要地說明了圖書館學之所以爲圖書館學⓮。長年以來從事圖書館教育工作的波磨先生對於圖書館學五大法則的看法與觀點，竟是如此的推崇。以波磨的體認而言，五大法則的出現確定了圖書館各方面的問題及相關的問題是值得探討的，也是有所探討的。因此，對於圖書館問題的探討，可以肯定地發展爲一種學科或學術。換句話說，「圖書館學」是成立的。

英國北倫敦學院圖書館學研究所的講座蘭格瑞爾⓯在一九七〇年所出版的「圖書館學」第三卷中發表了一篇名爲：「圖書館學統合觀」的論文，在該文中蘭格瑞爾先生認爲：圖書館學五法則替圖書館學創設了一套基本定律，這套定律將所有的問題都繫於其中……姑不論這些定律是否完好無缺，但重要的是這些定律指示出了一個方向，同時圖書館界有責任對於這些定律的精確性，做全面的研究。從上述蘭格瑞爾的言論中，我們不難聽出蘭氏呼籲大衆一起來討論圖書館學五大法則的心聲。時至今日，圖書館界從業人員一直在爲追求圖書館業務及圖書學領域內更完美、更眞確的學術原理與應用方法而苦惱。以五大法則爲基礎，未嘗不是一個很好的探索藍本，而且也是一個很好的研究方向。

一九七二年秋季，美國圖書館協會所出版的「圖書館資源及技術服務」季刊，爲了紀念藍甘納薩先生的逝世，首闢專欄介紹藍氏的五大法則，並鄭重的表示藍甘納薩所創的法則，將不停地指引圖書館界，進行圖書館業務的現代化⓰。

這項宣示對於自一九三一年以來，逐漸引起人們所注意的五法則，給予先前所未有的重視，就圖書館五大法則的推廣、認識而言，更是具有加速的影響。

圖書館學與資訊科學百科全書對於藍甘納薩的圖書館學五大法則，評價更高，根據該百科全書第十一册第三百二十五頁上的記載所示：圖書館學五法則係就圖書館的所有實際業務和服務作業訂下了統一的理論，同時也替圖書館學的動態發展與研究，劃出了一連串整體性的指標綫，五法則中所蘊含的基本原則、規範和原理，使得圖書館學各部份的發展與研究，都獲得了探討上的指引。

依上述由國際圖書館學者群所執筆的「圖書館學及資訊科學百科全書」的記載，幾乎將藍甘納薩的圖書館學五大法則視作爲圖書館業的大憲章，這種評價的本身已經夠高了。似乎不能再添加些什麼。

總而言之，圖書館學五大法則確實是智慧的結晶，它蘊含了許多的啓示。如何運用五大法則中的啓示，擴大圖書館學的研究範圍，將是一件很有意義的事情。也是探討圖書館學時一個很值得把握的好方向。尤其，當我們想要探討圖書館學到底是不是一門科學？以及探討如何使圖書館事業成爲一門科學？或者是如何來研究和發展我們自己的「中國圖書館學」時？凡此種種，屬於圖書館學哲學的問題，都可以從這一道慧光之中，去參悟參悟，或許有所助益。

附　註：

❶ 藍甘納薩的英文名字叫做 Ranganathan, Shiyali Ramamrita 1982–1972　。印度馬德拉斯州madras人，他自己喜歡用的名字是 Ramamrita Ranganthan　。藍氏早年是一位很成功的數學及物理敎師，原先對於擔任圖書館工作極不感興趣，偶一次在老朋友處，遇見馬德拉斯州州務卿後，被堅持去接任馬德拉斯大學圖書館長的職務，不料竟從此（1924年元月4日起）著迷似的苦研圖書館學科學，終身不綴，而成爲現代圖書館學理論與原理的主要奠基人。

❷ 根據「圖書館學及資訊科學百科全書」Encycolopedia of Library and Information Science 第廿五册第六十五至六十六頁之記載；一九二五藍氏獻身於圖書館學的研究後，圖書館業的景觀才被改變。

❸ 一九七九年冬季，美國出版的「圖書館學趨勢」第廿七卷第三期刊載了一篇美國北伊利諾大學圖書館學系 Lewis E. Stieg 敎授的 The Library and American Education: The Search for Theory in Academic Librarianship 乙文，在該文中述到：找尋一個理論的結構來解說圖書館作業現象的，當推一九三三年出版由鮑特羅 Pierce Butler 所撰的「圖書館學導論」乙書，意指鮑特羅氏爲現代圖書館學原理探討之第一人。此份該敎授所代表的西方學人之偏見，研究學問者不可不加思索地全盤驟然相信。

❹ 分析與組合分類法的概念，日後孕育出了「冒號分類法」，也替分類法在自動化檢索中打下了良好的基礎。

❺ 這些標準均屬於印度統計研究所 Indian Statitics Institute (ISI) 所製訂的。

❻ 一九七四年所出版的大英百科全書第十卷第八六七頁中，亦認爲 Library Science is the discipline that encompasses all aspects of Library operations 可謂不謀而合。

❼ 採錄自圖書館學與資訊科學百科全書第二十五卷第六十一頁。

❽ 五法則的第二法則又曾書爲 "Books are for all; or every reader his book" 。第四法則又曾書有附則；Corrollary to the Fourth law: Save the Time of the Staff ，此乃係書於不同時間中的記載，應予注意。不可前後混合談論。

❾ 藍乾章教授曾於民國五十六年台灣大存圖書館學會所出版的「圖書館學刊」第一期中，發表了「多面圖書分類法淺釋」乙文，在該刊第四十九頁中，並對五法則作了介紹：該文中的五此則譯文如下：

㈠書籍是爲了使用而製作的。

Books are for use.

㈡每一讀者有他要用的書。

Book are for all or every reader his book.

㈢每一册書有他的讀者。

Every book its reader.

㈣節省讀者的時間。

Save, the time of the reader.

㈤圖書館是一個成長的有機體。

A Library is a growing Organism.

王振鵠教授於民國六十三年台灣學生書局所出版的「圖書館學」乙書中，發表了「圖書館與圖書館學 」乙文，在該書的第八十至八十一頁中，對五法則作了介紹；該文中的五法則譯文如下：

㈠圖書是爲利用的。

㈡圖書是屬於所有人士的。Books are for all.

㈢每一本書應有其讀者。

㈣節省讀者的時間。

㈤一所圖書館是一個成長的有機體。

從以上兩位的翻譯中，我們很容易發現風格不同的影響。

❿ 劉清先生在一九七七年所出版的「香港圖書館協會會報」第四期中，將五法則翻譯爲：

第一條：所有圖書是爲使用的。

第二條：每位讀者（有）他（所要）的書。

第三條：每本書（有）它的讀者。

第四條：節省讀者的時間。

　　第四條附則：節省員工的時間。

第五條：圖書館是一個生長的機體。

並且提出了若干修辭上的問題，也影響到了語意上的效果。由劉先生對於修辭上的比較分析，使筆者想到文句與口語之間的差別性和適用性的問題。因爲口語翻譯和文句翻譯必竟是不完全相同的。

⓫ 布威克、塞歐 Berwick Sayers 1882-1960.

⓬ 此段文字的原文爲：Five laws are a work of simplicity which conceals depth and yet reveals what may be called the spiritual but in tensely practical springs of his activity.

⓭ 波磨 Bernard Ira Palmer ，自一九四八年起擔任英國圖書館協會教育工作的負責人。

⓮ 波磨在一九六六年所出版的 From Little Acorns-The Library Profession in Britain 乙書中指出：The Laws Were Sacci-nct statements of reasons of our Profession.

⓯ 蘭格瑞爾 Berek wilton Langridge 是 School of Librarianship, polytechnic of North london 的 Principal Lecturer 。在一九七〇年提出 United view of Library Science 乙文，並指出 In this book (The Five laws) of Library Science) the profession was given for the first time a set of fundmental u laws e to which all problems may be related..... whether they are adequte and sufficient is not, of course, the point, The point is that they have shown the way and it is up to the profession us a whole to examine their validity.

⑯ 參見 Library Resource And Technical Service 1972 Fall.

美國國會山莊的資訊系統

美國國會山莊是美國全國的意見中心、知識中心、政治中心及文化活動中心，山莊中的國會圖書館，為其知識的後勤補給之地，自八○年代開始，電腦化科技的應用在國會山莊已經非常普遍，參眾議員利用他們的 House Informatron System 及 SCORPIO 使得國會的立法議事功能，更能發揮良好的成績。

美國國會山莊擁有兩套資訊系統。其中乙套係支援行政及事務處理方面的資訊系統，由美國國會行政管理委員會監督衆議院資訊系統處主其事，內容包括議場表決、預算統計、電子信件處理、委員會聽證記錄等。另外的乙套資訊系統則是以提供參考、研究爲主要目的的美國國會圖書館資訊檢索系統，計有法案文摘、國會紀錄摘要、國會研究資料、及圖書目錄等資料庫。這兩套資訊系統的建立，替美國國會山莊帶來了極爲濃郁的資訊氣息，對於美國國會山莊的立法工作產生了相當良好的積極影響。筆者於一九八四年六月應美國亞洲基金會之邀，訪問華盛頓三週，出席美國國會研討會，得有機會瞭解美國衆院資訊系統的一般發展情形，並藉單獨安排訪問美國國會圖書館之際，考察其資訊檢索服務系統。

一、美國國會山莊掠影

國會山莊是美國全國的意見中心、知識中心、政治中心及文化活動中心。

美國國會山莊位於美國首都華盛頓市的地理位置中心，當公元一八〇〇年美利堅聯邦定都於華盛頓哥倫比亞特區後，整個華盛頓市的規劃，係以國會山莊為幾何中心分為東北、東南、西北、西南四個區域，據此呈放射狀向整個市區分佈。美國國會山莊，以矗立在中央的國會大厦為核心，國會大厦的周圍包括二幢參議院的議員辦公大厦，三幢衆議院的議員辦公大厦，以及三幢國會圖書館的鉅型建築物。山莊外圍不遠的東北區有一所參議員會館，東南和西南區分別有一所衆議員會館，三幢會館供國會議員們在會議期間住憩之用。整個國會山莊及其周圍，若以遠東地區人口密集的眼光來衡量，其空間的分配與佈置正如一座鉅大的公園；山莊間佈滿着高大的喬木，綠蔭扶疏，街道兩旁人行道外草地整潔，空氣顯得十分地清新。

美國國會山莊之成為全國的意見中心，係因該山莊的主人——國會議員，來自美國全國各州和各地。其中代表州的參議員，每州有兩個名額，共計有一百位參議員，任期六年;代表各地區民衆的國會議員，總計有四百三十五位衆議員，任期二年，這五百三十五位國會議員便是國會山莊的主人。每一位國會山莊的主人，各有一個獨立的辦公室，安置他們的行政助理、立法助理、事務助理和其他雇用人員，每一個國會議員的辦公室都是一個小型的政治體，國會山莊的主人們在當選後，很自然的把美國五十州和各地區的意見都帶上了山莊，同時他們也習慣性地透過助手們，或是直接由本人和選區交換意見，把最新的意見傳達到山莊內的議事堂去，以求取合理的妥協、折衷，並融合而成爲大多數人都能接受的共同意見。國會山莊因此變成了該國意見總滙之所。

意見的表達是以「知識爲底，理性爲表」。美國國會山莊除了國會大厦和議員們的辦公室之外，尙擁有三座鉅型大厦的國會圖書館，做爲其知識的後勤補給基地。美國國會圖書館所屬的傑佛遜、亞當斯、麥迪遜三幢大厦，佔了國會山莊總面積的百分之十五；國會圖書館的法律圖書館位於亞當斯大厦之內，遐名的國會研究服務處位於麥迪遜大厦之內，傑佛遜大厦則是國會圖書館的總樞紐處。國會圖書館於一八〇二年由國會通過法案設立，如今該館的收藏超過了九千二百萬件的資料，包括圖書及視聽資料，工作人員五千二百餘人，國會山莊有了這樣一所知識水庫和學術銀行，以及國會議員和其助手們不停地向知識銀行索取知識消費的行爲，使得該山莊成爲美國的知識重鎭之一。根據一九八三年的統計顯示，平均每年約有兩百萬人進出國會山莊的知識銀行，國會議員所要求的知識消費（服務）每年逾二十五萬件。

華盛頓的國會山莊除了是國會議員的聚集之所，代表司法的美國最高法院亦在本區之內，和立法、司法辦公區相隔幾條街便是美國聯邦政府行政部門的集結區域，因此，行政部門的要員不時地穿梭於國會大厦和行政機關區之間；美國國內或國際間的許多重大問題，便在這種政治穿梭之下而決定。國會山莊雖然不一定是美國的權力中心，但是國會山莊成為全美國的政治舞台中心，和國際上的重要政治核心之一，卻是被一致公認的。美國總統大多是先步上國會山莊歷練其政治才長，而後「下山」逐鹿總統職位的。

美國國會山莊朝西和華盛頓紀念碑相遙而對，其間廣潤的一片區域，係被當地人叫做Mall 的史密斯松尼學院區。史密斯松尼學院創設於公元一八四六年，係由美國國會接受英國科學家詹姆斯·史密斯於一八二九年的捐款，以及其為了「增進及傳播人類知識」的宏願而設。這個由美國政府所支持的科學及文化機構，目前附屬近二十個各型博物館，從自然科學博物館、國家歷史工藝博物館、美術博物館到航空太空博物館，以及國家藝廊和國家人像藝廊等文化單位。美國國會山莊本身的吸引力，加上了國會支持的史密斯松尼學院區，以及鄰近的美國國會圖書館、國家檔案局、傑佛遜紀念堂等紀念性建築，使得國會山莊及其週遭成為該國最大的文化見習中心和文化觀光中心。從文化層面而言，美國國會山莊導引着該國大批的民衆來到華盛頓市從事低層次的觀光，乃至於到高層次的研究。美國國會大厦，無論在雪夜或晴夏，給人的印象總是神采奕奕地矗立着，並直勇地向遊客道出了：「一個國家的國會就是該國社會文化氣質的表徵」。

二、美國國會步入電腦化

美國自公元一九七〇年初期開始由高度發展的工業社會，進入到資訊社會。目前美國國會也緊隨着美國社會步入了以電腦爲主導的資訊時代。史提夫·佛雷兹指出：僅僅十年前，電腦科技的知識在國會山莊一般人的心目中仍然非常地陌生。然而一九八四年的美國國會山莊，對於電腦科技的應用已經非常普遍，山莊中每一間辦公室平均至少有乙台電腦終端機，參衆議院中有些辦公室對於電腦資訊所帶給他們的便利，產生了相當程度的依賴性。有些國會議員的辦公室主管甚至認爲如果目前取銷已有的電腦設備，他們將不知道要如何才能圓滿地完成如許多日常事務和工作。因此，國會山莊的資訊人員認爲：資訊系統所帶來的便利，正如同鐵、公路系統打通後，對於陸上交通所帶來的便利；能使人們的活動量大爲增加，並促進各種繁榮。

美國國會山莊各辦公室之所以紛紛利用電腦，主要是基於下列三個理由：

㈠建立辦公室自動化系統：運用英文電腦和文獻處理機相互結合的硬體設備及軟體程式，國會山莊辦公室的各種文書記錄，可直接輸入電腦處理。這對於文書信件處理、和檔案管理的效率及效能均大爲提高。同時，辦公室的作業流程，也隨着自動化系統的運用，而更加地趨向於科學管理之途，提高辦事效率。

㈡促進法律文獻研究：將電腦設備做爲研究工具，利用電腦終端機查找國會山莊自己發展出來的資料庫，以及透過資訊交流網向各種公開發行的資料庫中去查尋有關的資料。如此可以精簡國會議員、議員助理及委員會職員蒐集研究資料的時間，相對地可提高研究成果的品質。

㈢開放設立個人資訊銀行：配合設計好的套裝程式，電腦設備可以成爲「隨儲隨用」的資訊銀行，許多國會議員藉着國會山莊的電腦措施，建立起個人專用的電腦資料庫戶頭，對於瞭解法律案的最新現況，及有關資料具有莫大的幫助。

美國國會山莊參衆兩院自動化的歷程並不完全相同。衆議院在自動化過程的初期，係由各議員辦公室按照自己的需要分別和電腦廠家訂定合約，後來基於這種獨自發展的方式，不能配合資訊整體系統的發展，而特別設置了「衆議院資訊系統服務處」，以求集中經理各種資訊系統。例如：各辦公室爲了自動化業務所需的人員培訓、電腦檢索及使用的訓練、辦公室自動化作業的規劃設計，以及電腦主機的運作和維修均仰賴資訊系統服務處的服務。美國參議院辦公室自動化的進程和衆院略有不同，參院的自動化相當地早，可推溯至公元一九六〇年代，當時利用第四代有記憶的電動打字機來處理各種文件，而建立了參議院通訊管理系統Corresponden-ce Management System (CMS)。每乙台電腦終端機可以透過分時系統的中央處理機以每小時處理四十封信件的速度，爲參議員辦公室服務。目前，每一個參議員辦公室平均擁有五台處理信件的電腦終端機；一個中型的參議員辦公室，每週要傳遞二千五百封的信件給選民，這項在國會山莊和選區選民服務處之間的通訊，即是利用被稱爲是電子郵遞El-ectronic Mail (EM) 的資訊系統來達成的。美國每乙名選民平均每年可自其參議員處收到二封信，如果不是利用這種電子科技的傳郵方式的話，是不可能做到的。密奇爾、羅賓遜從電子資訊的傳播角度觀察時認爲：今日的美國參議員辦公室猶如電子傳訊世界中的太空船。每位議員的辦公室不但要發射出許多的資訊，另方面也不斷地收到許多的傳郵，包括立法案件的傳郵和選民委託事項的信件，這種來來往往的資訊活動，構成了一幅繁盛的資訊交流圖，也反映了美國國會山莊的活動能力和資訊氣質。

三、美國衆議院資訊系統

美國衆議院資訊系統House Information Systems 簡稱(H.I.S.)係美國衆議院行政管理委員會所屬的一個單位。此資訊系統雖取名爲衆議院資訊系統，但是和行政管理委員會一樣，它所服務的範圍卻涵及整個國會山莊的參衆兩院，截至一九八四年夏天，此系統包括了下列幾種重要的資訊服務：

㈠電腦化投票系統——美國衆議院自一九七三年開始發展，這項取名爲EVS 的系統，一年後正式啓用。此項按鈕控制式的投票資訊系統，每年可以節省國會議員們六萬小時的時間；每次會議票決情形，均可即刻分曉。此系統最主要的功能包括兩項，第一項是投票紀錄的統計和分析功能；凡是議場中的投票情況，可隨着投票進行的速度，立即傳送給多數黨或少數黨的政黨領袖們作爲立場上的參考。並且透過閉路電視的螢光幕可以把各種投票的分析和統計很清楚地顯示出來。這些分析和統計資料，同時可以直接地轉錄到美國國會紀錄上去。第二項功能是投票檢索功能；這項功能是爲了方便人們瞭解一個議員的投票立場，透過投票立場即可得知其政治立場，凡是任何的投票紀錄，只要在五秒鐘之內，即可納入查詢檢索的範圍。

㈡通信管理系統——美國國會議員們的通信管理系統 C-orrespondence Management System（CMS），首先係由參議院發展起來的，它的主要目的在處理國會議員和選民之間的信件往來，以促進議員和民衆之間的溝通。維琴尼亞州共和黨參議員吳爾夫Frank Wolf的助理麥克卡里女士 J-udy Mc Cary於本年六月五日在其華府辦公室告訴筆者等人，吳爾夫議員辦公室平均每天要接 150 個電話，一千件信件，這些信件之處理便借助於此CMS 系統，此系統係利用乙套PDP-11系列的中型迷你電腦爲主機。配以在各議員辦公室中能夠直接進行線上資訊處理的文獻處理機Word P-rocessor 進行作業。參議員和衆議員利用這項系統可以隨時答覆選民們所託辦事項的進行情況及處理情形。CMS 系統中的每乙份資料均記載著通信選民的姓名、地址、電話號碼、辦公地址以及託辦事項的分類代號，和選民背景資料的代號。由於每份資料均列有詳盡的記載項目，選民或是議員助理隨時可從不同的角度去查詢調卷。此系統另外具有提供國會議員和選民之間往來書信原文拷貝的功能，以及爲分發文件而自動更替受信人姓名和受信地址的自動繕打功能。

㈢衆院出版品及檢索系統——電子照像排版技術的發明和應用，使得出版品的排印過程產生了戲劇性的變化。美國衆院行政管理委員會目前也運用了電子照像排版技術來處理各委員會的聽證會紀錄和法案研訂的紀錄，這項資訊系統取名爲衆院出版品及檢索系統House Publication and Re-trieval System。聽證會紀錄之處理係由衆院的官方紀錄，直接輸入電腦，然後顯示在有螢光幕的終端機，加以適當的編排如決定標題字的大小及字體等，一旦排面決定後，即可直接傳輸至美國國家出版局Government Printing Off-ice（GPO）去，請該局按照電子排版的大樣付梓印刷。至於法律案的研訂紀錄，則由衆院秘書處，或由立法諮詢處Office of the Legislative Counsel 將之輸入電腦排版，最後的定稿也是傳輸給美國政府出版局出版。此外國會山莊的電話薄，衆院院聞House Journal 等出版品也是利用這套電子照像排版系統處理的。此系統除了排印方面的功能之外，亦具有檢索查找的資訊功能。

㈣立法財務分類資訊系統：美國國會具有撥核國家預算的憲法職權。美國國會預算局The Congressional Budget Office (CBO)爲了聯邦政府的預算科目而建立了此項立法財務分類系統Legislative Classification System (LCS)的資料庫，這個資料庫包括了一千二百個聯邦政府預算科目項下的紀錄，每個科目的預算均記載着：㈠預算核定的委員會、㈡預算撥付日、㈢審查意見、㈣撥款時所引用的法律依據等。此系統在電腦軟體方面也是採用衆院資訊系統所發展的資料庫管理第二〇四號套裝程式 (Model 204)，這個資訊系統的經辦單位是由國會預算局的預算處理小組來負責辦理的。和立法財務分類資訊系統有關的另一個正在發展中的資訊系統是預算追踪資訊系統Budget Tracking Systems (BTS)，從這個預算追踪資訊系統中，美國的國會議員可以瞭解到各類授權法案中的預算執行情形。

㈤政策分析資訊服務系統：爲使美國國會議員在作法案決策時有所依憑和考量，衆院資訊系統特別發展了政策分析服務系統Policy Analysis Services。此服務系統主要提供經濟景氣預報和人力資源兩方面的資訊。在經濟景氣預報方面所提供的資訊相當廣泛，例如包括：⑴能源因素和區域因素在大型經濟、財政、國際和農業方面所產生的影響預報，⑵經濟計量模式和經濟統計數據資料等。在人力資源方面所提供的資訊亦相當深入，例如包括(1)人力市場的就業需求情形(2)專業技術職位的分佈等。此項資訊服務雖然由衆議院資訊系統中的政策及預算系統小組直接負責，但是爲了做好政策分析該小組幾乎和國會任何有關的委員會及單位都打成了一片。以求提出最新、最有把握的政策分析資訊。

美國衆院資訊系統除了極力發展上述的幾項資訊服務之外，對於美國國會參、衆議員辦公室的自動化，也提供技術性的支援，溫特士先生Gary Winters於本年六月八日上午向筆者說明H. I. S.工作概況時亦強調這一點，他們對於國會議員辦公室自動化所提供的技術支援包括舉行工作研討會、學識研討會，對於電腦設備的評估，提供電腦測試項目的服務，資訊需求分析，轉換電腦磁帶，代爲設計程式等，幾乎國會議員辦公室對於電腦科技資訊的疑難問題，衆院資訊系統處均給予全力的協助。這是美國國會議員辦公室自動化能夠順利快速發展的一個原因。

美衆議院資訊系統處除了對於國會議員辦公室全力支持之外，對於欲使用該系統的議員或工作人員亦成立了一個支援使用者小組User Assistance Office (UAO) 的單位以每週五天的時間，替使用人介紹衆院資訊系統和示範各種操作及運用的方法，以達到推廣資訊知識，增加資訊人口的目的。

四、國會圖書館資訊系統

美國華盛頓國會山莊在行政及事務處理方面的資訊系統是由美國衆議院行政管理委員會所屬的衆院資訊系統處來負責籌劃及執行。美國國會圖書館資訊系統在國會山莊所擔任的則是資料檢索及參考諮詢方面的服務，國會圖書館資訊系統對於法案研究、資料徵信、問題參考等立法支援工作相當重要。行政資訊系統和資料資訊系統兩者之間，又有相輔相成的立法功能。

美國國會圖書館電腦化資訊系統的總名稱叫做史考匹奧資訊檢索系統SCORPIO。此資訊檢索系統的服務範圍遍及整個國會山莊，除了國會圖書館內所設的電腦終端機可以查尋之外，各國會議員辦公室，及各委員會亦可利用其自己的終端機進行直接的資料檢索工作。史考匹奧資訊檢索系統包括下列幾個主要的資料庫。

㈠法案文摘資料庫：此資料庫提供了一九七三年美國第九十三屆國會以來所通過的各種法案及法律案的文摘，故取名爲法案文摘資料庫Bill Digest Files 。這個資料庫的檢索設計係採多途徑檢索；使用人可就議案編號，案由要語、或分類主題等方面查索文摘資料，進而瞭解各種法案的立法精神和旨意，以及法案的主要內容。此資料庫在檢索方面的唯一缺點是任何的檢索必須先從國會的屆次着手，如果不記得其法案係在那一屆國會討論通過的，便不易查找。

㈡國會紀錄摘要資料庫：此國會紀錄摘要資料庫Con - gressional Record Abstract Files 係以索引和摘要方

式提供了自一九七七年第九十五屆美國國會開議以來的國會紀錄摘要，內容包括參議院、衆議院的紀錄、國會新聞稿、以及有關立法活動的紀錄。一九八三年開始，此資料庫的資料可以做到當天更新的程度，因此對於國會紀錄的查考利用，殊為稱便。國會紀錄的查找者，只要利用此資料庫的資訊檢索功能，即可配合縮影版，或印刷本的國會紀錄全文來使用。如此，龐大的國會紀錄可以輕易的掌握在手中，予取予求個人所需的資料。

㈢國會研究資料庫：美國國會圖書館國會研究服務處CRS對於各項法律案的參考資料，均進行專題研究，而每項專業問題的專題研究均以簡要的方式加以陳述出來。此國會研究資料庫Issue Brief File的主要內容就是這些研究提要。每份法案研究的內容均包括編號、法案名稱、案由介說、背景和政策分析、立法經過、有關報告、參考資料等。由於這項相當費人力和智慧的工作，內容豐富，掌握住每一個法律討論案的各方資料，據悉很受國會議員的歡迎。

㈣美國國會圖書館圖書目錄資料庫：自公元一九八一年底開始，美國國會圖書館正式凍結原有的卡片目錄，改以提供電腦化的國會圖書館卡片目錄資料庫Libray of Congress Card Catalog (LOCC / PREM)。此項圖書目錄資料庫可提供一九七〇年以來的美國國會圖書館收藏目錄，可按書名、作者、分類號查索之外，更可以利用主題詞彙查考各種圖書資料。美國國會圖書館收藏豐富圖書目錄的份量也相對的龐大，爲了精確的查到所要的圖書資料，此項資料庫又設計有「限定檢索範圍」的功能，例如一個人要查找海水汚染的資料，可先行限定是那一年的？或者是那一種語文的？或者是否是政府機構的出版品？經過這種種範圍上的確定，可以找到比較正確的資料。美國國會圖書館圖書目錄資料庫是國會圖書館資訊系統中，非常忙碌的一個資料庫。

㈤公共政策論題引敍索引檔：此項資料庫係就美國國會各委員會舉行的聽證會論題資料，包括聽證會的報告、書面資料、報章論述等，亦即各種公共政策論題的引敍檔Citation File (CITN)。公共政策是美國華府論政的風向舵，此資料庫的建立，便是爲了配合人們去瞭解各種公共政策的論題。

㈥全國諮詢中心參考檔：此資料庫係依據美國國會圖書館國立諮詢中心National Refferral Center的資料檔而建立的，其目的在於介紹全美國三千多個公私立研究機構。舉凡研究機構的名稱、地位、負責人員、成立宗旨、研究項目、研究摘要等均收入資料庫，俾提供委託申請，或避免重覆研究的資訊。此資料庫事實上是一部研究機構的指南。

美國國會於一九七二即開始着手發展國會山莊的資訊系統，其間經過許多的努力排除有關的困難，並隨着美國各階層社會紛紛進入資訊時代的需要，而於過去的五年之間，投入了可觀的人力和財力，加快了電腦化資訊的脚步，建立起國會山莊自己的資訊系統，使得國會的立法議事功能，在獲得充份的資訊補給下，更能發揮良好的成績。

美國國會山莊資訊系統之建立，使得國會山莊在扮演美國全國的意見中心、知識中心、政治中心、和文化活動中心等多重軸心角色時，更能藉着充沛和精確的資訊而得心應手。

參考資料

1. Jane Ann Lindley, The Congressional Research Service. LCCRS Report No. 86-1 D. Jan, 1986.
2. Charlers Goodrum & John Kaldal, Automation and the Congressional Research Service, LCCRS Report No. 78-75 D. March, 1981.
3. Gilbert Gude, Annual Report of the Congressional Research Service for Fiscal year 1985, LC CRS, Nov. 1985.

美國蒙特利公共圖書館

蒙特利圖書館屬於小型的公共圖書館，全館配置分為西、中、東三區，以出納台為核心，西區是少年兒童閱覽室，中央區包括辦公室區及成年讀者參考閱覽區，東區除了作為開放式閱覽之用以外，亦收藏國際性圖書，為配合民眾需求，安排許多推廣性的服務活動，整個圖書館堪稱為一個多媒體、多目標的公共圖書館。

蒙特利公園市（Montery Park ）位於洛杉磯郊區，是一個正在新興中的區域。居民約十二萬除白種人外，以講西班牙語的人和華人爲最多。蒙市市街觸目可見到中文的廣告牌及店舖。

蒙特利圖書館位於該市雷孟那南道（S.Ramona Avenue ）三二八號，該館又稱爲布魯傑梅亞紀念圖書館（Bruggemeyer Memorial Library, Montery, CA）就美國圖書館的標準而言，該館屬於小型的公共圖書館，佔地約四百坪，係乙座僅有一層樓的長方形建築，外觀結實和耐用，屬典型的美國公共圖書館建築。館舍的配置頗具特色，尤其在整座建築的中央偏西有一方天井，約佔地三十餘坪大小，四周佈置成頗富東方氣質的庭院景緻；有石山，有松樹，還有一泓小水池，外加該處係採取自然陽光的院子，讀者們可由閱覽室踱步於草坪間由石片舖成的小徑之中，這種設計使得讀者在圖書館內覺得有更多的走動地方，具有憩息片刻，調劑閱覽身心的效用。

和西邊天井庭院平行的則是圖書館的出納台，正對出納台的則是全館的大門及進出口，這座圖書館的建築設計觀念着重實用（見附圖）。

蒙特利市圖書館基本上是一個很精緻的公共圖書館，跟紐約公共圖書館，芝加哥公共圖書館比較起來，堪稱麻雀雖小五臟俱全。根據筆者實地的瞭解，全館的佈置約可分爲西、中、東三大區，而以靠近大門口不遠的出納台爲核心。

出納台以西的區域，佈置成少年兒童閱覽室，服務對象從幼稚園起的適　就學兒童到八年級（約十三歲左右）的學童，並有少年兒童專用的目錄卡片櫃，讓小讀者們練習查閱的習慣，使得讀者自動接受「圖書館利用教育」（User E-ducation　），對於培養一個社會的「圖書館人口」有長遠的影響。少年兒童部也設有說故事專用的房間一間，供作學辦活動之用，圖書館的西區除少年兒童部外，最主要的是小說區和新書區；小說區陳列了大字本圖書、科學小說、文藝

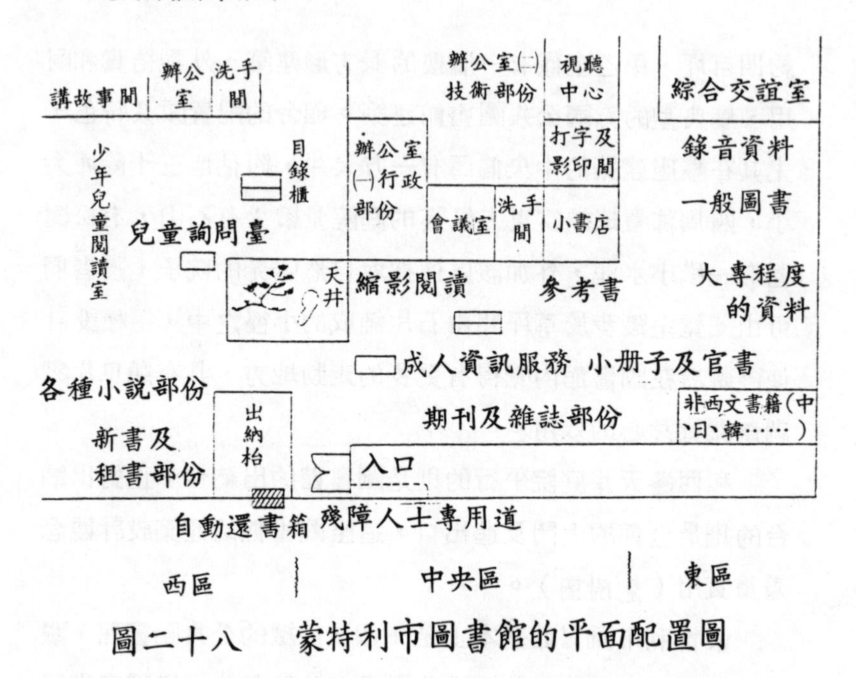

圖二十八　蒙特利市圖書館的平面配置圖

小說、西方世界、通俗小說、神幻小說；新書區包括了新書陳放架及供讀者諸君租閱的暢銷書。小型公共圖書館利用象徵性的租費，提供暢銷書，是一個很好的政策，可以解決圖書館對此類書購置「多少複本」的困擾，由於讀者對於暢銷書的需求太過踴躍，把它劃出正統圖書流通範圍，利用以「以價制量」的方式處理，也不失爲管理暢銷書流通的一個辦法。

該館中央區主要包括了二部份，一爲辦公室區，一爲成年讀者參考閱覽區。辦公室區除辦公室外包括小型會議室、書品小店、打字影印及媒體中心等部份。成年讀者參考閱覽區包括了參考圖書區、諮詢服務區、目錄櫃、縮影閱讀區、期刊及報紙區、小冊子陳放區等部份。中央區佈置得緊密而不淆亂，全部設施都是開放式的，可由讀者自由進出使用，置身其間，實有優游自在的感覺。

圖書館的東區包括了㈠非英文的書籍，當地稱之爲國際圖書收藏部份：含有中文、日文、韓文、西班牙文等書籍分放該處。㈡開放式圖書閱覽部份：含一般性非小說類供自由外借的書籍處，另外還有大專程度的書籍和專業書籍，集中陳放於最東邊。由於多媒體觀念的影響，該館和其他美國公共圖書館一樣。唱片及錄音帶的加強以一間多元性的交誼廳做爲視聽活動，讀者聯誼之用，此種聯誼性活動對於不斷地針對讀者需求，改進業務很有幫助。

蒙特利市圖書館所蒐集的資料包括：參考書、雜誌、政府出版品、普通小說、科學小說、文藝小說、西文語文書籍、非西文語文書籍、大本書（Large Type books）、小册子、特藏、八糎影片、十六糎影片、幻燈片、錄音資料、卡式錄音帶、錄影帶等縮影資料，堪稱是一個多媒體，多目標的圖書館。

蒙特利市圖書館的服務項目包括：電話參考服務、讀者諮詢服務、館際互借、預借圖書、縮影閱讀及複印、借用打字機、影印服務、電傳打字服務、視聽資料設備借用服務、研究和參考服務、提供讀者向洛杉磯其他地區借書的服務、提供會議場所的服務，幾乎圖書館的所有措施，都可以做爲服務項目，「服務至上」也是美國公共圖書館的一個特點和基本精神。

蒙特利市圖書館的推展活動包括：電影放映、舉辦展覽、才藝表演、講演會、書籍及書品禮品代售、學生團體的參觀、兒童故事時間，圖書館之友的活動，舉辦兒童暑期讀者俱樂部等，這些推廣性的活動，使得人們更愛上圖書館，更願意接近圖書館，自然而然也從圖書館借出了更多的書籍和資料。

蒙特利市圖書館的圖書資料流通規則，和我國目前一般圖書館的閱覽規則有相當程度的不同，他們的流通規則主要包括借用資料的種類，借期限制及收費，逾期罰款等三部份，表列如下：

蒙特利市為了配合當地民衆的需要以及方便讀者使用圖書館的各種資源，在行政上安排了若干的措施，頗值得做為研究美國公共圖書館之參考。謹就個人考察所及者，述敍如下：

蒙特利市圖書館資料流通規則

資料種類	借用期限及費用	逾期處理
一新到圖書	借期七天，不能續借，不收費。	逾期每天罰一角
二出租圖書	每天租金一角。	
三一般圖書、雜誌期刊、錄音資料、錄音卡帶	借期二十一天，不收費。	逾期每天罰一角

(四)八糎影片	借期七天，每種收費二角五分。	逾期每天罰一角
(五)十六糎影片	借期一天，每卷收費一天。	逾期每小時罰二角五分
(六)錄影帶	借期一天，每卷收費一元。	逾期每小時罰二角五分
(七)館際互借圖書	收費二角五分，借期另訂。	逾期每天罰一角
(八)預借圖書	收費二角五分。	逾期每天罰一角
(九)影印	每份收費一角五分。	
(十)視聽放映設備	借期以天計，每天五元，借星期六至星期一者，收費以七元五角計算。	
(十一)遺失借書證申請補證	收費一元	
(十二)打字機	電動打字機，每小時收一元，普通打字機每小時二角五分。	

附註：(一)費用以當地幣值美元計算。

(二)此規則是一九八四年八月該館所用者。

(一)設置「還書信箱」，讓讀者只要路經圖書館就可以二十四小時地還書，而不受圖書館出納時間的影響，這項措施亦有間接鼓勵讀者借書的作用。

㈡對於殘障者設有專用輪椅路綫通道，方便其進出，以做到閱讀機會平等的原則。

㈢將圖書館的「熱鬧區」和「安靜區」分開，該館西區爲少年兒童部份，各種小說部份，新書及出租圖書部份，這個部份進進出出的讀友們比較多，也比較頻繁，集中在一起而成爲圖書館的熱鬧區，此區並設有專用的洗手間和專門的管理員辦公室。至於中央區爲對成人服務的區域，是次安靜區，東區則爲研究及閱覽區是爲安靜區。這種措施可以使得一個圖書館成爲有條有絮，熱而不鬧，人人欲往的地方。

㈣密集的舉行兒童說故事節目，培養兒童的各種興趣，也可以爲圖書館培養出長期的讀者和長期的支援者。幾乎所有的美國公共圖書館，都很重視兒童的閱讀問題和閱讀環境。

㈤設有打字機租借、影印服務、書品小店等可以解決讀者，文具的問題和抄讀的問題，促進讀者們的方便感，此措施可增加圖書館的使用人口，如是很有效的培養社區文化氣質，或培養文風的方法。

㈥成立圖書館之友會，引發讀者的參與感，使圖書館獲得主動的支援者，進而可以不斷地改進業務。

㈦重視少數民族的閱讀權力，該館爲了亞洲移民和墨西哥移民之需要，準備了爲數不少的中文、韓文及西班牙文的書刊，這些外國語文的書籍也帶給了該館不少的困難，根據該館的負責人Brian C. Smith告訴筆者，該館已收存近二千册的中文書，但是他們對於中文圖書目錄的卡片製作幾乎無從着手，然而他們還是不斷的新增中文圖書，以滿足日漸增加的中文閱讀者。

蒙特利市公共圖書館和許多美國的公共圖書館一樣，能夠很自然地表現出該地的民間氣質，這種氣質不但深受當地居民的歡迎，也深深的吸引了外來的人。筆者覺得美國的公共圖書館，對當地居民，所扮演的「吾愛吾鄉」的脚色是非常成功的。

美國多倫斯公共圖書館

美國多倫斯公共圖書館位於洛杉磯附近，除設有總館之外，另有分館六所，在館藏發展的工作上，將分工分責式的選書及採訪政策，充分達到圖書館員必須「知書」的基本目的，以孔姆系統處理編目作業，提高標準編目的水準，根據美國國會圖書館機讀目錄架構，建立電腦化的書目資訊網，在技術服務的領域，提昇讀者服務的層面。

多倫斯公共圖書館位於美國加州洛杉磯附近的多倫斯市 City of Torrance。該市係屬洛杉磯以南，長灘北方靠近太平洋的一個市區。圖書館的總館設在多倫斯大道三三〇一號，另有分館六所，筆者曾於一九八一年九月二十日（星期四），到該館總館以及二個分館參觀訪問了一整天，對於該館的書目技術工作留有非常深刻及良好的印象，謹就資料蒐集所得，以及追憶的情況，簡單的敍述如下：

一、分工分責式的選書及採訪政策

多倫斯公共圖書館的館藏發展工作，由該館的「採訪工作委員會」總負其責。根據該委員會的規定，凡是在該館總館或分館的館員，只要職位在(senior librarian)(高級館員)以上的人員，不論其擔任的是那一種的工作，每天至少要寫兩段供該圖書館內部參考用的書評，每週四的上午由圖書館主任(principal librarian)召集採訪委員會議，由每一位高級館員將一週來自己所摘記的書評，提出扼要的報告，以及是否適於購買的具體建議，如果是不適於購買的書，亦可提出「不購買」的建議，經過討論之後，由採訪工作委員會議決議是否訂購該書，或該種刊物，以及購買多少複本，並且決定由總館或六個分館的那一個分館來訂購。他們的這一套措施有幾個益處：

㈠ 充分達到圖書館員必須「知書」的基本目的。

㈡ 促使館員主動的去瞭解，其所服務的讀者會需要那些書刊，以及適合那些書刊。

㈢ 透過會議的溝通，促成館員之間對於館藏發展的共識。

㈣ 使得圖書館除了埋首工作之外，亦必須不斷的充實自己的知識，以不致落後於社會大眾。

多倫斯公共圖書館的購書經費，總館和分館有一定的分配比率，如果僅由某分館所需要的書，由該分館逕行直接購買，如有幾個館均需要，由總館訂購，由於採用電腦系統控制所購預算，故帳目很清楚，但是所有訂購的書，均統一地交給總館的編目組，進行分類編目和書目控制工作。

二、力求劃一的記述編目

多倫斯公共圖書館的編目組於收到由採訪單位或分館送到的新訂書刊後，由館員先檢查美國國業書館所出版的目錄，如果國會圖書館的目錄中已收得該書，則由編目員參考國會圖書館目錄中所記載之內容，略加取捨而製成多倫斯圖書館的編目草片，再正式的納入該館的目錄系統之中。

多倫斯公共圖書館所採用的這乙套記述編目的政策，也是許多美國的其他公共圖書館的最新目標，以孔姆 COM system 系統來處理；把載入美國國會圖書館機讀目錄資料庫中的目錄，LCMARC Catalogue，再運用縮影輸出的方式（即孔姆），列印在 4 × 6 吋大小的縮影單片之上；並分發到美國各地的圖書館供用編目工作中的記述 descriptive 之參考，多倫斯公共圖書館採用這套編目政策，有幾項好處：

㈠ 使圖書館中的原始編目original cataloging降低到最少程度，以節省專業員的時間，俾將人力資源移至參考服務等方面，以直接提昇對讀者服務的品質。

㈡ 使得該館的編目水準，維持一定的標準，俾益於館際書目資訊的交流。

㈢ 增加目錄系統更新資料的效率，使讀者能在較為迅速的情況下，獲知該館的最新書目，亦即提高了編目組的整體效率。

由於多倫斯公共圖書館的編目員，藉著美國國會圖書館孔姆縮影目錄所提供的書目資訊，來進行該館本身的編目工作，圖書館的目錄草片，大部分可在較短的時間之內定稿，換句話說，美國國會圖書館所發行提供的孔姆縮影目錄，對於美國中小型公共圖書館在進行傳統的記述編目上，它的查找率是非常高的，這也是各館願意使用的主要原因，多倫斯公共圖書館就是一個例子。

三、建立電腦化書目系統

目錄草稿完成後，由專人將書目資料包括著者項、書名項、出版項、稽核項、附註項、追尋項、索書號、以及館藏地點等元素性資料，逐一輸入機讀編目格式，多倫斯圖書館的系統，係根據美國國會圖書館機讀目錄的架構所設計的。該館的電腦化書目作業由Kathy Kohn 女士及Robert Ne-whare先生負責發展，運用市政府的電腦主機，用一種名叫Sole Terminal Couputer的硬體設備，在圖書館進行電腦化書目資訊的處理工作，該館的電腦化書目系統有下列幾個特色：

㈠ 書目資料可記錄在價廉物美的軟性磁碟soft disk一般又稱為Floppy 的媒體之中，使於操作和學習，俾使館員人人有訓練及使用的機會。

㈡ 美國國會圖書館機讀目錄格式中的若干部分，予以簡化，以節省程式設計，及系統維護上的負擔，這種措施正如同編目規則亦分為詳細著錄、簡略著錄和標準著錄一樣，視需要而採取實際的運用。

㈢ 建立該館的電腦化運作系統，在總館和分館之間，建立起一個高度適用的書目資訊網，以擴大讀者服務的層面。

以上所記關於美國多倫斯公共圖書館在技術服務工作方面的三件事，在美國其它的中小型公共圖書館，亦有類似的發展，因爲一個國家的圖書館事業，和該國政治、經濟、教育等社會文化背景有很大的關係，在同一個背景之下，自然孕育出相同的氣質。美國公共圖書館所發展出來的特質，也是受其工業文明的文化背景所影響的。

日本東京都立公共圖書館

日本東京都立公共圖書館於一九七三年改組設立於東京都港區，以「都立中央圖書館」及「都立日比谷圖書館」為雙核心，包括六個都立級的大館，二百五十二個圖書分館及閱覽室，以發展東京區域內的區、市、町、村圖書館的合作服務體系為主要任務，為因應資訊時代的需要，特別重視參考諮詢服務，設有「相談係」，替讀者提供必要的資料服務。

圖書館事業可以直接的反映出一個社會在某個時代中的經濟及文化的實力。公共圖書館事業更可以反映出民衆在日常生活中的某些文化層面。日本東京都公共圖書館的發展，與日本的經濟力量，雖然還不能成爲一個合理的比率，但是比起台北市公共圖書館的情況，卻有相當不同的特色。僅將個人見聞，略爲敍述，以供參考。

一、東京公共圖書館簡史

公元一九〇四年東京市議會通過設立公共圖書館之決議，二年後決定將東京市的公共圖書館命名爲「東京市立日比谷圖書館」，又二年於明治四十一年，即公元一九〇八年興建完成佔地一千五百平方公尺的日比谷圖書館，是爲東京都設立公共圖書館的開始。其後日比谷圖書館歷經兩次大災難；一次是天然災害，另一次是人爲災害，天然災害係指發生於大正十二年的東京大地震，人爲災害係指二次大戰末期盟軍對東京的大轟炸。這兩次事故使得日比谷圖書館積存的二十幾萬册圖書，損失殆盡。

二次世界大戰結束後，該館經過四年的復建，日比谷圖書館勉強開館，並於公元一九五七年新建日比谷圖書館於現址即千代田區日比谷公園一～四號館址。這座位於東京市中心區的日比谷圖書館，經過將近十年的發展，一方面由於書庫接近了飽和點，另一方面由於現代化公共圖書館業務發展的需要。而在公元一九六二年有「東京都公共圖書館綜合發展計畫」的計畫，二年後即有另行新設公共圖書館的積極行動。最後於昭和四十八年即公元一九七三年，新設立都立中央圖書館，亦即東京都立圖書館新總館於東京都港區南麻布五一七一十三號的現址。東京都立中央圖書館的興建，使得日本東京公共圖書館的發展，進入了一個新的發展階段，也正式的面對了現代化社會的挑戰。

二、雙子星為核心的服務

日本東京都公共圖書館以「都立中央圖書館」及「都立日比谷圖書館」為雙核心。雖然目前圖書館的行政重心，已經由都立中央圖書館來擔當，但是日比谷圖書館由於它的歷史地位，以及目前服務讀者的地理地位，仍然成為一個強而有力的副中心。東京公共圖書館最令人感到特別的地方就是這種類似雙子星為核心的服務。

東京都立中央圖書館接引原日比谷圖書館的藏書之後，於公元一九七三年正式開館，面積超越二萬平方公尺，包括地下二層，地上五層，整個建築物接近正方形。（地下層樓除停車場外，主要是密集式書庫、採編部門辦公室、裝訂室、及資料處理單位。）目前一九八六年的藏書量接近一百萬册，該館的預定總藏書量為一百六十萬册，每年增加約三萬册的圖書資料，該館設有一千零八十四席的閱覽席，摻和著館內的設施，分佈在地上五層樓的個樓面，各層樓的配置如下：

第一層樓：進館的大廳及進出管制口、全館的總目錄區、普通閱覽室（設有一百四十四席）、普通參考室（設有五十二席，以字典辭典等語文工具書、中文書、各種參考書以及最具特色的日本全國各地的電話簿）、盲人閱覽室（包括點字書及錄音書）、報章閱覽室（包括三百多種報紙、六千多種期刊）另外設有影印服務區（每天上午十一時至下午六時，提供服務），參考部門的辦公室，亦設於此層樓。

第二層樓：闢為社會科學閱覽室，將政治、法律、經濟、管理、統計、社會學、民俗、軍事、商業、交通等類圖書約十餘萬冊，開架陳列，並設有二百二十四席座位於其中。此外，館長室及行政部門的辦公室亦設於二樓。

第三層樓：為圖書展覽室，及人文科學閱覽室。人文科學閱覽室包括哲學、宗教、歷史、地理、藝術等學科的圖書及地圖等資料約二十餘萬冊，並設有三百四十四席閱覽席於其中。另設有二間小型會議室。

第四層樓：為自然科學閱覽室，包括數學、自然科學、醫學、工學、技術、家事、農林學、水產學圖書資料近十萬件，其中日本工業規格ＪＩＳ，以及日本農林規格ＪＡＳ為其特色，並設有一百八十席座位於其中。四樓中央，闢有演講堂，可容一百五十人，另有二個研究室及一個圖書館學研究室。

第五層樓：區分為㈠視聽室：包括二十個專用席位，每日只在下午一時至四時三十分開放。㈡特別文庫室：包括東京誌料、加賀文庫、市村文庫、諸橋文庫、河田文庫、井上文庫、實藤文庫、青淵論語文庫、近藤海事文庫等資料約二十萬件，其中部份特藏係於二次大戰後，向民間收買者，此特藏室，僅設研究席十席。㈢東京資料室：包括整個東京地區的地方資料及文獻，約二萬餘件，此亦為本館之特色之一，東京資料室設有二十個研究席。此層樓另附設職員及讀者的餐廳及販賣部。

東京都立日比谷圖書館，係東京公共圖書館的舊總館，也是東京公共圖書館的發源地，但是自從都立中央圖書館開館後，日比谷圖書館的地位也由總館轉變爲「第一分館」，藏書約二十萬册，而成爲服務東京市民的圖書館副中心。日比谷圖書館的外形呈三角形，包括地下一層、地上五層，總面積一萬平方公尺，書庫爲馬蹄形，全館共設有四百六十二席閱覽席位，其各層主要分配如下：

第一層樓：為讀者出入口及大廳、兒童資料室、以及視聽資料室（含殘障人士資料室）。

第二層樓：為人文科學閱覽室、社會科學閱覽室、出納台及目錄區。

第三層樓：為普通閱覽室及報章期刊閱覽室。

第四層樓：為婦女資訊中心　錄音室、及辦公室包括館長室，另有展覽室。

地下層樓：為演講廳、販賣部及書庫之底層（書庫共計四層)。

日比谷圖書館自從由東京公共圖書館的總館地位改變後，爲加強服務該館人口密集的讀者群，特加強兒童圖書館，婦女圖書館，以及青少年暨學生的閱覽服務，其在日本東京公共圖書館的地位，並不因爲其行政地位的改變，而有所改變，只是公共圖書館的角色變更罷了，這是歷史潮流使得日比谷圖書館受到空間、時間因素的限制不得不如此更張。

三、東京都立中央圖書館

東京都立中央圖書館是東京公共圖書館的新總館，該館係以發展東京區域內的區、市、町、村圖書館的合作服務體系爲最主要的任務以突出其與舊日總館的不同任務。另外該館不設兒童閱覽室，並以十六歲以上的市民爲服務對象，對於參考服務工作則特別重視。目前該館有二百二十八名職員，其中專業館員(司書)有一百四十四人。其人力分布如下：

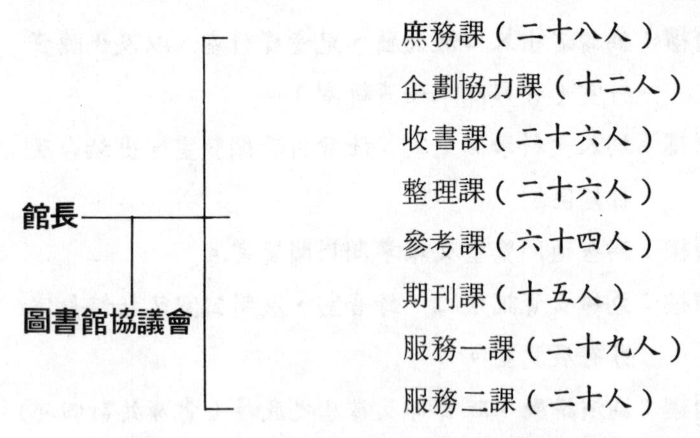

東京都立中央圖書館亦設有類似圖書館事業發展委員會

的單位，名之爲「都立中央圖書館協議會」，由四種成員組織之，包括學校代表、社會教育團體代表、社會教育委員代表，以及社會人士等共計二十人組成之，任期二年，是爲館務發展的高級人力資源。

四、東京公共圖書館特色

日本東京都公共圖書館有二百五十二個圖書館及區閱覽室，其中約二分之一是在最近十年興建的。屬於都立級的大館包括六個即中央、日比谷、江東、青梅、立川、八王子六個都立圖書館，這六個都立圖書館是帶動其他二百多個區市町村圖書館的重點館，而其中又以中央、日比谷，以及新興的江東圖書館爲主力中的主力圖書館。

東京公共圖書館的讀者，各館中以學生人數最多，約分別佔百分之三十至百分之七十。開架式圖書館的損書率約爲百分之零點三八（0.38 ％），清點圖書凡二年未能回館者，列爲遺失。

日本每年出版的新書約有三萬種，東京公共圖書館可以收藏百分之五十到七十五之間。過份尖端的書刊，以及太過於通俗流行者，均不在一般蒐集範圍之內。以東京都立中央圖書館而言，每年有十二、三億日元的經費，其中購書費佔十分之一，餘爲人事費用及維護費用。

日本東京都會公共圖書館，每年約開放二百七十天左右；每週一、每月中、國定假日 、以及年末年初均爲休館日。

(中央圖書館週一休館,日比谷圖書館週日休館,兩館採輪流休館制)。

東京都會公共圖書館對於生理有障礙之人士,提供了相當周全的服務,此亦爲其特色之一。例如坐輪椅者,不但設有專用出入口通道,亦有專人協助,對於不良於視者,則有放大二十倍的放大鏡供其借用。

近年來爲了因應資訊時代的需要,參考諮詢服務是東京各公共圖書館的主要業務之一,爲了協助讀者,在參考課之下,另設有「相談係」即諮詢服務,替讀者提供必要的資料服務。

參考資料

1. 東京都立中央圖書館日比谷圖書館要覽,一九八〇。

2. 東京都立中央圖書館案內,一九八三。

支援沙烏地阿拉伯建設中型學術圖書館

一九八〇年我國應沙烏地阿拉伯要求，協助建設一所現代化的軍事學院，並計劃在校區內設置一所符合國際水準的圖書館，全部的規劃作業分別由建築小組、圖書館資源小組、圖書館內部設計與組織工作小組、系統設備及自動化工作小組負責。此項計劃為我國圖書館界第一件的技術援外工作。

任何工作均需規劃，長期而系統性的工作所需要的規劃則更爲殷切，甚至沒有規劃便無從實行。任何的規劃工作都是一種直接的人力投資，或者可稱是智慧的投資。隨著任務的簡繁規劃工作可由一人完成，或者必須合多人之智慧才能達成。本案例因涉及到整套技術知識的輸出，而在國內並無既存的實例可供直接的引用，其規劃中所需要的新觀念和新技術，必須借助先進地區的引入，故規劃作業的本身，即需要先予設計本報告的重點，即在於說明這項援外計劃在規劃工作階段，所遇到的人力運用調配問題。

一、規劃工作的緣由

近十多年以來，沙烏地阿拉伯共和國在我國工程顧問公司和工程單位的技術支援之下完成了許多的建設，包括機場、高速公路、醫院、及學校，一九八〇年榮工處應該國要求，協助其建設一所現代化的軍事學院，並特別指定在校區內必須擁有一座符合國際水準的圖書館。本人受託爲此項圖書館建設的進行提出基本的設計架構與綱領，以做爲細部規劃的參考。

據簡報人員告知，沙烏地阿拉伯共和國方面對於此項圖書館建設非常倚重我方的全力支援；非但圖書館的建築與設備全權由我國負責承建，設計與裝設；圖書館建築完成後的一切運作，也完全依靠我國的設計模式去管理。計劃中該館的第一批專業圖書館員將商請我國圖書界調派前往，在開館後的三年之內逐漸訓練當地阿拉伯人，或是受雇的巴基斯坦人接管。第一批的館藏預定係採購自歐美的英文科技書刊，這批五萬册的書刊以及連同而產生的目錄系統，亦將在台北事先分别予以建立起來，然後再用整套輸出的方式，移殖到沙烏地阿拉伯共和國去。

這個圖書館的設計架構，只有三項最簡單的原則，略可作爲依據：

㈠該校人數預計將包括學生 1200人，教職員 500-600 人。

㈡圖書館的一切設備，措施和管理方法必須是現代化、系統化、和科學化而能臻於世界水準的。

㈢經費和預算在建館初期沒有任何的限制。

余初不敢接受這項極具有挑戰性的工作，一則因個人當時在圖書館規劃方面的專業知識並不充足，過去亦缺乏設計方面的實際經驗。再則深深明白像這種包括外型整套設備，及全部作業流程的設計規劃，並非任何一個人可以單靠一己之力所能完全勝任的。如果冒然勉強答應，難免疏漏多多，影響績效。然而代表接洽的人士很誠懇的希望本人能開一個頭，並明言這是一件業務情報，不便將這項消息公開出來，這也打斷了向國內專家同行討教之機；幾番思量之後，因考慮到這是我國首度的圖書館援外計劃，這項計劃的成功與否將會影響到國際友誼和聲望。因此，硬着頭答應開這個頭，承挑這份「紙上作業」的規劃工作；連趕了幾個星夜的工作，提出了二份書面報告；乙份是作業規劃人員需求暨規劃工作進度表，亦即本文之主體。另乙份是作業規劃綱要。

二、作業規劃的需求

爲了使這項擬議中的新建圖書館有一個完善的設計與規劃，以及爲了便利建館後的實質作業能夠順利而按步就班地進行。整個建館過程中的每一個具體步驟與事項都必須仔細計劃，並作成中、英文的書面說明，以做日後我國技術人員和沙烏地阿拉伯工作人員之間的共同依據。因此，整個圖書館的規劃作業，除建築小組負責工程的進度之外，必須成立三個不同性質的小組分別執行規劃作業，這三個小組是：

㈠ 圖書館資源小組

㈡ 圖書館內部設計與圖書資源組織工作小組

㈢ 系統設備及自動化工作小組

三個小組分別執行各有關的細節設計，由一位執行秘書居間協調連繫各小組的規劃成果，彙交召集人總其成。由於此項規劃作業是一種腦力和智慧密集的工作，必須仰賴各種專業知識的配合始克完成，因此，將可能面臨的作業規劃人力需求表示如下：（表一）

三、規劃人力需求表

表一　規劃人力需求表

職稱	學（資）歷	工作性質	人數
召集人	應具圖書館學資訊科學碩士以上資格或同等資歷，並有圖書館規劃經驗者	負責統籌及綜理圖書館作業規劃之全部工作	1
執行秘書	應具文科碩士或學士以上資格，中英文均佳，富經驗	協助召集人負責推行、協調監督各小組工作，并負責撰寫書面總報告	1

圖書館內部設計與組織工作規劃專家	應具圖書館學碩士或至少學士以上之學歷，并須具實際圖書館豐富工作經驗。中、英文俱佳	負責督導、設計及規劃內部組織之全部工作	1
系統裝備及自動化工作規劃專家	應具電腦資訊科學，或有關學科之專門學位，并對此門學術具實際工作經驗之技術專家	負責指導統籌與設計本圖書館自動化系統之全部工作	1
圖書館資源規劃專家	應具理工科系及教育之關連性專門學位，并對採購圖書分類及編目具實際工作經驗，中、英文學養均佳	負指導及提供本圖書館所需要之全部圖書，刊物及資料，并負責與外國出版商聯繫之工作（如需要，並負責採購責任）	1
專業助理	應均具與有關工作小組之專門性學位或具同等學位或具同等學歷，并中、英文均佳者	協助推行并切實執行其所屬顧問交付之工作，如各項資料的查核，初步整理，按照顧問指示進行專業連繫，為各小組實際工作之骨幹	5
書記工作人員	具大專以上程度者，中、英文程度俱佳者	工作範圍概括文稿整理、打字、抄寫、連絡、郵電等	

四、規劃工作進度表

整個的規劃作業是一項密集性的作業，其最終的目的在完成乙份 400-500 頁的詳盡規劃說明書。進度的總日程共計 120 天，前置時間 12 天爲籌備時期不計入總日程之內。共分爲六個階段如圖所示（表二）：工作總日程表。

第一階段	第二階段	第三階段	第四階段	第五階段	第六階段
	D+15.	D+25.	D+20.	D+25.	D+35.
12.天	15.天	25.天	20.天	25.天	35.天

表二　規劃工作進度表

第一階段——遴選人員，開始收集各種籌備資料。

第二階段——製定規劃工作期限，分析所收集資料，完成分工進度初稿。

第三階段——按分工的方式進行規劃設計工作，完成各分工規劃的初稿。

第四階段——按第三階段之初稿，草擬執行方案（包括執行步驟與流程，並加以統合評估，檢討得失，並予必要之補充，增刪及修改。

第五階段——分段分點統合溝通分工細節，並整合爲一整體之執行方案。除特殊性的臨時因素外，所有的內容均應作最後的決定，開始著手書面報告。

第六階段——確定最後執行方案，並撰寫書面的總報告 Final Report 以印刷本為準。

這項設計構想提出後不久，個人獲得赴美國芝加哥洛沙里圖書館暨資訊科學研究院深造之機會，而未能繼續接觸。惟我國圖書館界同仁仍然替沙烏地阿拉伯

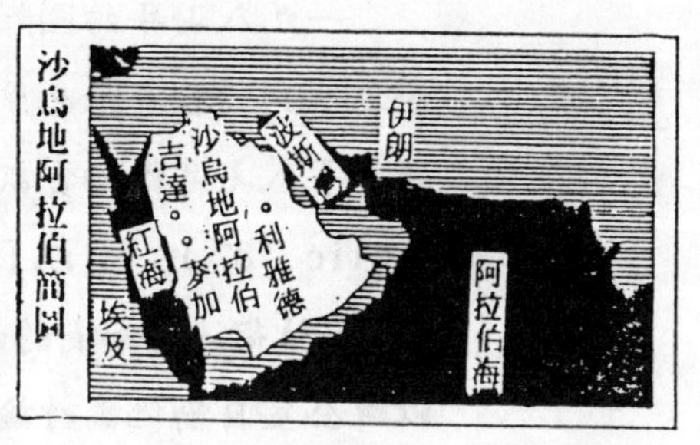

沙烏地阿拉伯簡圖

共和國的此項圖書館建設，提供了進一步的實質服務，本人的初步規劃經有關人士先後轉交慶齡工業研究發展中心，國防部中正理工學院，國立台灣大學等單位在執行時參考。近悉這項建設因受沙烏地阿拉伯方面經濟調整的影響，全部計劃將不能如預期的在一九八五年內完成。然而，此誠辦我國圖書館界三十年來的第一件圖書館專業知識與專業技術的外交工作。

國際資訊管理會議記要

一九八七年的國際資訊管理會議，於奧地利的首都維也納舉行，中心議題是「八七年代的資訊學」(Informatic ″87)，以「最新科技」和「現存技術」為會議的兩大主題，前者以辦公室自動化為討論的範圍，後者以縮影技術為研討的主體，整個會議將各種界面技術與應用實例涵蓋於討論的範圍，使與會人士在智慧與文化上皆獲得很大的肯定與共識。

維也納是一個擁有廿世紀八十年代現代化交通建設的奧地利首都，同時也是一個富於奧匈帝國十九世紀文化氣息的歐洲都市，這種新舊融滙的特質，也正反映在本屆國際資訊管理會議的中心議題之上，中心議題的正式名稱是「八七年代的資訊學」(Informatic ″87)，但是由於本年二月份以來，光碟資料庫Optical Disk的正式上市，光碟資料庫在短短半年之內，成爲國際資訊界的新寵兒，許多資訊工作人員對於這項最新的資訊科技成果，尚不能適應與因應，產生心理排拒者亦有之，大會遂以“ The Old is Forever New ”為口號，勉勵全體與會人員，努力整合「新科技」與「現存技術方法」而成為八七年代資訊學的核心概念。大會也以「最新科技」與「現存技術」兩個軌道來安排各項論題，而形成會議的二大主題，前者以辦公室自動化的最近科技為談論的範圍，後者以新近的縮影技術為研討的主體。整個會議的討論包含了許多的資訊科技與資訊技術的論題，例如：文獻管理及自動化，通訊及傳輸系統，電傳視訊及視訊傳送，光碟系統及光碟技術，小型辦公室自動化系統（SOM），電腦輸出縮影COM，電腦輔助檢索系統CAR，文字處理機應用，軟體及檢索技術，各種界面技術，各種應用實例技術，未來的辦公室，人工智慧等均涵蓋於討論的範圍之內。

一、奧地利會議中心

國際資訊管理會議，本年的年會會場設在奧地利首都維也納市區東北方近郊，可遠眺多瑙河風光的「維也納奧地利中心」（ Austria Centre Vienna ）此專為大型國際會議而預備的場地，係緊鄰聯合國在歐洲的辦公區總部，名為「聯合國城」（ Uno-city ）的西陲。這個整片新興地區建設在著名的多瑙河舊有河道Donan，新闢河道Neve Donan ，以及多瑙運河Alte Donan 三條河道的河肚公園之上，公園的正式名稱叫「多瑙公園」（ Donan-park ）。

「奧地利中心」是一個多功能提供會議場所的措施。共計有十四座正式的會議廳，分佈在三個層面上，每個層面有普通建築二層至二層半的高度空間。主層面Plenary Hall分爲A、B、C三廳，此三廳的空間可以靈活組合，三個廳合成爲一個會議大廳時，可以容坐四千六百五十座席，本次大會卽以主層面的B廳和C廳爲會場。而整座奧地利會議中心可以同時容納九千五百人參加正式會議。本次資訊管理會議亦利用奧地利會議中心第二個層面的中心部份舉辦了資訊科技新設備、新產品的展覽。

由於地主國奧地利係德語語系的國家，大會以德文和英文爲會議語言，並備有現場卽時翻譯的「音譯風」耳機，供每一位與會者選用。大會沒有茶水服務、會場內亦無人用飲料或吸煙，但是在會議廳的外環，靠落地窗的地方，有相當廣潤的空間，供作休憩之用，並有零售部提供飲料服務。

會議廳內部之桌椅，亦爲可組合式的，設計簡樸高雅，質地堅實耐用，空間寬敞舒適，燈光柔和調節，全部座位採階梯式，由主席台爲平面的起點，呈短馬蹄型，向後位階延伸。主席台的背面是鉅幅的銀幕，可配合會議廳兩側視聽工作房之設備，組合成視聽效果極佳的功能。

奧地利會議中心的週邊設備，如衣帽間、咖啡室、研究小間、郵局、電信局、自助餐廳等一應俱全，讓人一步入會場，出席整天的會議，均不必有任何的煩惱，實在是一個理想的開會天地。

二、國際資訊科技新知

大會於十月十二日（星期一）上午十點四十五分正式開始，由大會共同主席喬治、荷夫曼（George Hoffman）和威廉、麥克格羅（Willian McGlone）主持，就國際資訊科技新知，主持一次對談式的專題探討，對談的三位專家包括了兩位美國籍的專家，布哈特（Krzystof Burhart）和拉西（John A. Lusch）以及一位德國籍專家魯取（Herdert Lusch）談論的主題是以最近科技發展對資訊系統所帶來的衝擊，以及對於未來所可能產生的影響，和應有的導向，分別敍述了美國人與歐洲人的看法。他們的一個共同看法，均認爲"人爲因素"（Human factors），決定了是否能以最快的步調，去接受最新的科技。由於科技的進展，年年精進，使得資訊的環境亦不斷的隨之變遷，資訊管理人員在對資訊計劃做出決策時，勢必考慮到"人爲因素"的因應，以確保計劃的成功。

這次大會的開幕專題演講（Keynote Address），未請地主國的行政首長致詞，而改以「國際科技論壇」（International Technology Forum）的對談方式進行，配上大會的翻譯服務，倒是一種別開生面的開幕演講。第二天上午，據大會秘書長艾維登先生告知，開幕式共有五百五十餘人出席。盛況條理井然，氣氛高雅莊嚴。

十二日下午，大會的研討主題爲「縮影科技與光碟」，由法蘭克（ John Frank ）和魯斯查爾（ Edward Ruthchild ）担任主講及主持人。研討的內容在引導資訊管理人員，如何在現有的技術層面上，迎接新技術的來臨，以及說明對於資訊技術之新陳代謝應的的基本概念與衡量準則。出席人員之中，有不少人担心縮影技術會受到光碟資訊的衝擊，而影響了現存資訊系統的運作功能。

光碟技術的應用性發展，雖然已有二、三年的光景，但是大量上市則是今年（一九八七年）二月份的事，而現在可應用的光碟又分爲兩種：一種叫唯讀光碟 CD-ROM（ Compact Disk-Read Only Media ），另一種叫做單書多讀光碟WORM（ Write Once Read Many ）。前者 CD-ROM 因第一次的製作本偏高，後者因標準化流通性問題，正式形成新的競爭場面場面。這種情形對於用慣現有設備的資訊系統管理人員而言，又面臨一次重大的挑戰，出席人員討論熱烈，會議延長了十五分鐘才結束。十二日下午四時舉行本屆大會「資訊展覽」的預展，由 Robert Williams 威廉斯主持。

三、辦公室自動化新知

十月十三日（星期二）開始大會進行分組討論，一組以「辦公室自動化」（ Office Automation ）爲主題，一組以「高級縮影技術」（ Advanced Micrographics ）爲主題。高級縮影技術組的論題包括「縮影技術與檔案管理」、「孔姆縮影系統」、「檔案管理的基本方法」等三項專題。本組的內容是針對國際資訊管理的前身縮影資訊系統人員的老夥伴們所安排的，同時也用以吸引新進人員爲對象。

辦公室自動化組的論題討論「電子文獻管理系統」(Electronic Document Management，簡稱EDMS)，「個人電腦文獻資訊系統」(Personal Computer Document Sys System)，「掃描處理：線條代碼法及光學識別法」Scanning：Bar Code and OCR)以及「人工智慧簡介」(Introduction of Artificial Intellgence)等四項專題，筆者爲蒐集較新的科技知識，以及個人的興趣，選擇參加在C廳所舉行的「辦公室自動化組」的研討。

十三日的第一場會議「電子文獻管理系統」由波爾尼克(Franklin Bolnick)担任主席，正式研討開始之前，主席提臨時動議，撥一分鐘讓與會人士左右鄰座互相認識，剎那間會議氣氛十分地親和感起來，大家也就熱情地就昨天下午「縮影科技與光碟」的研討中，有關光碟可能對縮影技術，構成生存挑戰的問題，又提了出來。波爾尼克先生在回答時認爲，硬體設備的變化是必然的事情，他簡述了縮影技術的演變歷程，以引證他的論點，他認爲最主要的是軟體應用的問題，因此，挑戰隨時都有，但是不足懼。而他的講題：電子文獻管理系統，正是討論從「縮影過渡到光碟」一系列技術性的問題，包括掃描處理、光學儲存與檢索，以及網路技術等。

十三日的第二場會議係以「個人電腦文獻資訊系統」爲

論題，由顧斯泰德（ Harold kurstedt ），及史密斯（ Stephen Smith）兩人主講，內容以如何運用現有的個人電腦來駕御光碟資料庫的檢索CD-ROM'S retieval也有相當簡潔的介紹，整個主體的重點則在於運用個人電腦建立完成容易查找及具有交互查找（ easily index ard cross reference）的索引系統，以達到文獻資訊管理的目的。

十三日的第三場「掃描處理：線條代碼及光學識別」，以及第四場「人工智慧簡介」均係以德語發表，大會有「音譯風」的即時翻譯服務。

本次我國代表團推由本人向大會提出的乙篇英文論文，經向大會秘書長艾維登先生查證，何以未能列入大會議程，渠謂大會確實在會前二週收到該篇文章，他本人覺得甚有價值，但是本屆大會的所有議程在半年前均已事先決定，論文更是八個月前已選定，由於提出問題的時間，實在太倉促，以致無法做適當的程序處理。

本日晚間七時爲我國代表團舉辦的「中華民國酒會」之後，出席的各國人士及僑界代表一行二十餘人，倍受大會重視，也展現了我國參加國際會議所表現的活力！

四、文獻管理系統新知

十月十四日（星期三）是本屆國際資訊管理會議的第三天，大會全天共計安排了七場研討會，分別在會場的B廳和C廳舉行，論題大部份集中於文獻管理系統的新知探討。因興趣的關係，上午在C廳參加了「桌上出版」(Desk Top Publishing)和「系統整合」(System Integration)兩項討論會。前者係由安格羅、西西(Angelo CiCi)主講，後者由蓋瑞、塔布(Gary Tapper)和艾，加布瑞斯(Ian Galbraith)輪流主講。「桌上出版」的概念是由於PC級電腦在排版上的應用成功而衍生的，由於圖像處理能力(graphics capabilities)的提高，同一螢幕上，可同時出版不同的字形字體或圖表，而完成排版的基本功能，再加上偏轉的作用，於是形成了桌上出版的契機。「系統整合」所討論的是：如何把五彩繽紛的各色辦公室自動化措施，規劃在一個架構之下，以期發揮最高的效率，在系統整合的歷程中，機構內外的人力資源，宜充分的結合，以便從智慧與經驗中，擷取最佳方案。

十月十四日下午，大會會場B、C兩廳均以文獻管理系統有關的論題作研討。個人穿梭於兩個會場，聆聽有關的知識與經驗之談。文獻管理處處可見，無論是辦公室的檔案、個人人事資料或業績資料、專利或法律性資料的案例，或者是書信通訊資料，學術紀要及活動等，在在都是文獻管理系統的應用範圍。

五、光碟系統科技新知

十五日下午，在大會的B廳，以討論「光碟系統科技新知」爲主題， 首先由普魯 (Terry Plume) 和魯斯却兒

(Edward Rothchild)兩人就光碟系統的技術，提出了報告由於資料的成長量每年年均高達百分之二十，紙張實在不勝負荷，最近幾年經過不斷的研究發展，高密度的光碟資料庫終於到達了應用的階段，目前CD-ROM和WORM 都已順利推出，可更改性的光碟(erasable optical disk)的技術，最近亦有重大的突破，光碟科技的工業規格如能有一定的標準，則其發展更屬光明。另外由塞格爾(David Seigje)和鮑勃爾(Jacklyn Popivl)就光碟系統科技的應用範圍提出了說明，光碟的材料可由電腦化資料庫轉錄，可由縮影資料轉錄，亦可由普通文件採掃描方式轉錄爲光碟。因此，光碟的應用性是相當廣泛的。這也是光碟系統被看好的原因。

十五日下午大會研討會的最後一場討論，以「文獻管理系統的未來趨勢」(Future Trends in Document Systems)爲論題，邀請了六位資訊專家，採用輪流對談的方式，發表觀念及預估未來的走向情況，這種集體智慧創作的講題，和大會第一天的開幕演講如出一轍，只是更加熱鬧，各家的說法與觀點雖然不一致，但是大家都取得一個共識，那就是：未來的資訊管理系統，無論在軟體的發展方面，或是在硬體的設備方面，一定是走向一個整合性的系統，在一個能夠充份相容的資訊環境之下，新舊設備及系統共爲一個業務目標協同運作。

六、資訊產品大展

本屆資際資訊管理會議，在舉行研討會的同時，亦邀請有關廠商舉辦技術展示與資訊產品大展，以期達到理論實務並重，互相觀摩資訊科技產品的目的。本次配合大會的資訊產產品展示，在奧地利會議中心的主層面展出，參加展示的廠商共計五十二家，分別來自地主國奧地利、美國、英國、西德、義大利、丹麥、荷蘭、瑞士、以色列、法國等國，其中以西德和美國的廠家最多。展示的內容亦非常的豐富。包括資訊處理用的攝影機，CAD/CAM，電腦輸出縮影設備，電腦輔助檢索系統，複印放大機，縮影檢驗機，光學數據文獻排檢系統，唯讀光碟系統，可更改性光碟系統，掃描認讀系統，各種週邊設備系統等，眞是琳瑯滿目，不勝枚舉。由於大會是在中歐的奧地利舉行，歐洲的產品特別多，也更由於歐洲人對於傳統與現代的同等愛好，這些資訊產品，就如同維也納的交通措施一樣（有地下鐵，也有電車），新舊並陳而不紊亂。筆者的參觀以光碟系列的產品與檢索設備為主。

七、文化資訊的交流

除了嚴肅緊張的研討會，和忙碌穿梭的展示會場之外，大會也安排了兩次晚間的聚會。十月十二日晚，由維也納市市長齊爾克（Helmnt Zilk）博士出面，假維也納市政大廳（Vienna City Hall）舉行歡迎餐會，市長先生因忙於競選連任，由副市長代表致歡迎詞，整個市政大廳古色古香，前台更是佈置得花團錦簇，供維也納市立管弦樂團演奏之用，整個餐會長達三個多小時，樂曲悠揚不斷，葡萄酒和啤酒幾乎無限制的供應，讓與會者深深感受了一個具有音樂氣質與佳釀滋味的維也納夜晚，也洗盡了白日工作的辛勞，不禁陶然於市政大廳的夜光裡，步出此廳，街道的寒風吹醒遊客，却不由得不衷心感謝因地主單位的用心安排，而帶來的文化感受，大會的第二次晚間盛會，於十四日假瑪利奧大飯店舉行，以維也納少年合唱團的演唱開啓盛會之序幕，再一次展示了地主城市維也納的文化特質，餐間另有一個現代樂隊，演奏歐美流行歌曲，兩個樂團的表現，好似在證明「傳統」與現代」是可以調和而共存的。瑪利奧大飯店的盛會由國際資訊管理會議，頒發年度獎而達高潮。

國際會議的舉行，而能引致國際人士對於文化資訊的認識與瞭解，那眞是地主國的最大收獲。也是眞正的因爲國際文化交流而做到了成功的「國民外交」。

出席國際會議是智慧之旅，也是知識之旅。舉辦國際會議則是會議的決策，也是知識的決策。

捌、英文論文

現代圖書館學的研究至少包括資訊化、服務化、和國際化的三種傾向。只利用本國文獻的研究是很少的，我國學者的論著中也不乏引用了大量的國外資料與資源，爲了方便國外人士研究我國的圖書館事業，也爲了方便國際人士對於中文圖書資訊若干特色的瞭解，將我國的成果與特色，用國際上通用的文字表達也是很有意義的。

我國台灣地區圖書館自動化資訊服務的發展〈英文稿〉

The Development of Libary Automation and Information Services in Taiwan Region, R.O.C.

1978 — 1984

圖書館自動化資訊服務的發展是一次綜合性的努力，近幾年來，我國的資訊工業無論在硬體設備的研製方面，或是在應用軟體的開發方面，都投入相當的人力,也獲得長足的進步。當前為謀全國資訊事業更為堅實的發展，積極培養資訊人口實為首要的工作，圖書館自動化資訊服務是推廣資訊知識，培養資訊人口，最為直接而有效的方法，各國均極為重視，也正努力發展。

1. INTRODUCTION

In the past seven years, the computing and information techniques have been rapidly improved in the Taiwan area, the need for information services has been increased and the computerization of library operation has become a nation-wide trend.

The nature of computer application in the libraries and information centers of Taiwan, ROC differs from that in the English-speaking countries. Since almost all libraries except school libraries have two cataloging systems: one is for Chinese-material collections, the other is for Western collections, mainly in the English language. These unfamiliar environments make special automation demands upon us. We initiated computerization in the early 70's, first for processing Roman alphabetical materials and later for processing Chinese-vernacular materials.

As we know, there are three major technical fields of the computer-based information system. The first concern's information computer processing, which includes legible characters (or character sets), machine-readable binary codes, etc. The second is associated with data arrangement and file structure, which basically belong to the software field, such as recorded-information, data fields and subfield, and descriptors. The third refers to information sharing system, which consists of data base systems, telecommunication networks, etc. Computer application in library and information services has to be considered by and relies on the various levels of the information organization, e.g., bit coding is the lowest level and system network is the highest level❶.

From a librarian's view, we see that the middle level of the information organization, which includes the field of record arrangement and file structure, is the most significant factor for computer application in the profession. The successful development of the L.C. MARC II

Format had the greatest impact upon library automation, since MARC allows full expression of the nature of the bibliographic entity being described and is structured so the full access is possible; the tag structure of the MARC was designed for maximum flexibility and allows each library to manipulate bibliographic data as it chooses❷.

This paper is intended to emphasize the treatment of the computer-based library information system that is now being engaged and developed in the Taiwan area. Besides the basic concept and background of library automation, the various levels of the information organization-particularly in the Chinese MARC Communication Format--the characteristics of data bases which were created and used in Taiwan area and the nationwide library automation project will be discussed. Some problems and prospects of future development of library automation in the Republic of China will also be included.

2. Information Environment Change and Library Automation

From the historical point of view, one may conclude that the society in human history has been dependent upon knowledge. Whenever we trace back to ancient culture in China, Greece, Rome, or when we see the modern technological civilizations among European countries, Japan, and the United States, we are sure that human civilization was created on knowledge and it's application. As a consequence, knowledge handling is considered a core problem of the cultural development and of the living and vital democracies in the modern world.

2.1 Knowledge Handling

By the late eighteenth century, producing and distributing publications was not only a high technology but also a significant way of handling knowledge. At that time China was a highly developed country. Chinese people had a lot of recorded knowledge and published more books than all of the other countries in the world combined❸. Today, though the method of handling knowledge varies, the production and distribution of information is still a significant factor of any country's academic and economic development. For instance, the United States, nowadays, publishes more newspapers and periodicals than any other country with a daily circulation of 62,223,040 copies❹. And of course the proper knowledge development in U.S. shows that knowledge handling is highly regarded in the country.

2.2 Literature, Document and Data Worlds of Information

There are three information worlds directly involved in knowledge handling and developing. The first information world is the literature world of libraries and archives where information has been put into recorded form in various media such as manuscript, print, microform etc., the second information world is the document world of inofrmation centers, clearinghouses, documentation centers and record centers where information has been collected, analized, coded, and organized, the third information world is the data world of computers, telecommunication, and automated information systems where the information is often numerical❺. The first information world holds and preserves the recorded and ordered knowledge, and provides primary knowledge and services in the circulating wholepiece-media basis, the second information world analyzes and reorganizes the knowledge into the indexable manner, and provides the secondary knowledge services mainly in bilbliography and index basis, the third information world sorts and systhesizes data as the ordered informaiton, and provides the advanced and new knowledge services. These information worlds are interrelated as a cycle chain, and form a basis for the development of human civilization.

2.3 The Future and Library Automation

Daniel Bell in his comprehensive article"Welcome to the Post-Industrial Soceity" points out the importance of the third information world by saying that data-transmission systems are the transforming resource of the post-industrial society, which some developed countries are now going into❻.

Data-transmission system is actually a complementtary dimension to the first and second information world since the conventional library focus on the historical time frame and book/periodical storage medium, while the paperwork or record center forcuses on a more document medium but that can not be retrieved as realtime as machine readable data.

In recent years the accumulation, distribution, and

dissemination of the knowledge (or ordered information) has come as a directive force of innovation and change. Thus, it seems clear that these three information worlds should be brought together organizationally and merged into a total information system; therefore, library automation is a trend in the modern information environments in view that the computer-based library will improve the development of three information worlds and the humand culture at present and in future.

3. Overview of Library Automation

There was little library automation prior to the sixties in the world, up to this time libraries used ADP (Automated Data Processing) equipment such as punch card readers, sorters and collators. In the early seventies, the Library of Congress's MARC II and the National Library of Medicine's MEDLARS were successfully applied in the United States. These achievements are milestones in the development of library computer applications because they focused attention on library automated operations, promoted new efforts, made computerization more visible and more librarians to learn and to use the automation equipment, and also provided the methods and conditions to allow more libraries to participate in automation. MARC is flexible and allows each library to manipulate bibliographic data as it chooses. As a consequence of this computer progress, computer-based operation today is more popular in the whole library community.

3.1 Service Implications of Automation

Since a computer-based system can accept information in a digital form and accurately perform long sequences of repectitive, time-consuming operations on the input over a long period of time, the computerized system is very powerful. Allen Veaner points out that there are, originally, three major reasons for undertaking library automation: (1) to do something less expensively, more accurately, or more rapidly, (2) to do something which can no longer be done effectively in the manual system because of increased complexity or an overwhelming volume of operations; and (3) to perform some function that cannot be now performed in the manual system provided that the administrator actually wants to perform the service, has the resources to pay for it and is not endangering the performance of existing services for which there is an established demand❼. The third reason, which is especially meaningful, is that much of the early automation was in nontraditional areas that they were classed as information retrieval bibliographical publication, selective dissemination of information, abstracting and indexing, and indexes to special collections.

Richard de Gennaro writes in 1981:

> When we first started to use computers in libraries fifteen years ago, we thought we would save money, but we soon learned that there would be no net savings from automation. As library services

> become more efficient and more useful, demand for for them will increase, and while the unit cost of providing any given service will decline, the total cost of satisfying the increased demand will go up❽.

The real advantage of the library automation seems to extend the efficiency of the operation and services in library systems but not save money. On the other hand, while automation takes over the routine tasks of library maintenance, it does not necessarily reduce staff cost, although it does alter staff orientation. Because more business may be generated by an automated library system, the same amount of staff will be needed; personnel must also have the expertise to handle higher positions than before❾.

3.2 Administrative Implications of Automation

Since the late sixties, the increased availability of computers and the improvement in data processing they made possible were only two of the reasons for the rapid development of library automation systems. An additional reason of the development was the growing realization throughout society that the computer could be used effectively for non-numerical work and the marriage of the computer and the library seemed a natural alliance. As Lowell A. Martin demonstrated, "A library is a place for storing knowledge under a system that facilitates identification and retrieval as needed, which is also a definition of a computer"[10].

Basically the computer-oriented library is based on bibliographic information systems. Within a total library system, there are at least five major systems such as Acquisition System, Cataloging System, Serials System, Circulation System and the rapidly developed Reference system. However, the functions of the computer vary. Some new field of library management and administration may be opened. Hayes and Backer place computer applications in libraries into three categories: clerical functions, information storage and retrieval, and operation research[11]. Computers can be applied to the routine clerical functions of technical processing and circulation work in order to reduce the clerical burden and increase the library's ability to perform more work, for example, the multi-media bibliography is making real-time interlibrary loan possible. Computers are also applied to reference work in the field of information storage and retrieval particularly in online information searching such as DIALOG, BRS, and SDC systems, from which we can extract meaning from a text and correlate facts or infer subject relationships from the contehts of articles and books.

Finally, the areas of library operations research and system analysis require the use of the computer as an aid in using the principles of scientific management in library administration[12]. There is no doubt that computer application in the library have brought about a new information environment within which the importance of

Figure 1

LEVELS	EXAMPLES	
I Data Processing	U.S.	R.O.C.
1. Bit Code	EBCDIC, ASCII	CCCII
2. Character Set	The Alphabet	Chinese Character Sets
	A. Lower-case Letter	A. The set of most frequently used characters 4,807
	B. Upper-case Letter	B. The set for general data processing
	C. Special Symbols	C. The others
3. Character Cross Reference	No Need	Phonetic, Character formatic coding methods, etc.
II Data Structure		
4. Data Element Set	Thesaurus of Descriptors	Thesaurus of Descriptors
5. Data Field and Subfield	Descriptors	Descriptors in Chinese and Romanization of English
6. Record	Bibliographic Reference (Item)	Bibliographic Reference (Item)
III Information Sharing		
7. File (or data base)	ERIC, INSPEC, etc.	CERIC, ASTIM
8. System of Data Bases	DIALOG System, etc.	Chinese MARC System (Developing)
9. Network of Systems	Telenet, etc.	Undertaking

library management is enhanced.

3.3 Levels of Sophistication of Computerization

For any computer-based information systems, there are three major fields of the computing technique which was applied in the various levels of the operaion (Figure 1). The first field of the computing technology concerns information processing in which the natural language can convert into machine recognizable form, and keep the work. Information processing needs at least two basic elements including the machine readable binary code (bit code), and the legible character set such as ASCII and EBCDIC in U.S. and CCCII in R.O.C.

The second field is usually constructed on the first field, and is associated with data structure. Within the structure, the element set of data, the data field and subfield, the record format, and even the bibliographic items are the prerequisite factors such as L.C. MARC II format, ERIC Descriptor Thesaurus in the North America, and the Chinese MARC format in the Taiwan area.

The third field of the system concerns the sharing systems that consist of data base systems, and telecommunication networks, etc., such as DIALOG, TELENET in the United States and the initial Chinese MARC data base system or ASTIMS in the Republic of China.

The first field tends to be pure computing technology and does not exist in the print world. The third field is the information sharing network that is known as the interlibrary loan mailing system in the conventional library. From a libarrian's view, we see that the technical problem directly associated with the automation is the arrangement of the bibliographical data or what we call the data structure.

The bibliographical data structure is based on the machine-readable catalog (MARC) format which will be discussed in Chapter six.

4. History of Library Automation in The Taiwan Area

The libraries and information centers in Taiwan initiated computer applications in the early seventies, first in an area of processing Roman alphabets for western materials collections and later in the processing of Chinese vernacular materials.

4.1 Initial Attempts and Experiences

In 1971 the Physics Library of the National Tsing Hua University in Sinchu, Taiwan, used an IBM 1130 to produce a book form catalog of the library, this was the first computerized effort in the country⑬. But, because of the cost, the limited storage and inefficient operation, the project of the Physics Library remained just an experiment and was not expanded.

The second library automation project was conducted by The Chung Shan Institute of Science and Technology in 1972. They decided to computerize the library's operations in order to save clerical and librarian's labor and to make the bibliographic information more readily available to their users, utilized a CDC Cyber-72 computer with a 64K of 60-bit words, and also used secondary storage such as disc drives, tape drives. The project was basically to converse a bibliographic disk pack file from the LC MARC data for the processing of the library's western language collection. Today the system with the IBM 370/138, named the Chung Shan Library Information System, can be tailored to the needs of this particular institute.

In 1973 the third edition of the Union List of Scientific Serials (Limited to the Western Language) in the libraries of the Republic of China was computer processed and eventually was published from computer printout-oriented in 1975. Until now this was a successful case from which both librarians and information scientists gained the experience on how to computerize an information system exactly, such as administrative coordination, the arrangement of technical procedures, and the personnel training plan, etc. The project is now named Periodicals Information Service System (PISS) which is still superintended by the Science and Technology Information Center. The National Science Council NSC has the advantage of PISS, which provides the information services of periodical bibliography and improves library cooperation among the academic and scientific libraries in the Taiwan Area.

4.2 Experiments of Chinese Computer Applications

The idea of using Chinese computer devices to process library materials has been advocated since 1974. The input device used was a large key board with the component type developed jointly by Professor Te-Yao Chiang and the Wang Laboratories Inc.

The first integrated system of cataloging acquisition was experimented with this input device on a Wang 2200 mini computer with software developed by Mr. Ching-Chin Suin Taipei in 1975. Using the same equipment, the National Taiwan University demonstrated this storage and retrieval technique for the Chinese library reference materials during Chinese National library Week in December 1975⑭.

On the terminal screen or printer terminal, the Chinese characters appear as graphics on the terminal, and the 15 × 18, 16 × 18, 24 × 20, 32 × 32 and the 64 × 64 dot matrix are representations of the Chinese characters. The input devices such as the number-code method, phonetic code system and component code mode (also called radical method) in addition to the various out-put devices ranging from 42 Chinese characters (two lines), to 192 characters, 210 characters, 300 characters, and 384 characters (scroll) screen display and various line printers (dot matrix, plotter mode, electrostatic and laser printers) have all made the processing of the Chinese vernacular possible⑮.

These successful experiments greatly encouraged the computer people and the library leaders. They worked harder than ever before in preparing for further library automation. Several data base systems then appeared; examples are the Chinese Educational Resources Information System (CERIS), The Agricultural Science and Technology Information Management System (ASTIMS), and The data base of Union List of Chinese Serials in the R.O.C.

4.3 New Environments of Computerization

In recent years sharing between libraries and computers of standardized maching-readable cataloging records was promoted by the information scientists, particularly Far East Asian Enterprises. This development is not only considered important among East Asian countries, such as the Republic of China, Japan and Korea, but also among the countries that hold largescale East Asian collections such as the United States⑯.

The International Workshop on Chinese Library Automation (IWCLA) was convened in Taipei from February 14 to 19 in 1981. Two hundred librarians, phiologists and computer specialists from around the world attended in order to plan ahead for the development of Chinese library Automation, as well as to exchange opinions about computer applications and Chinese bibliographic services on the international level. The conference was sponsored by the R.O.C. Committee for Scientific and Scholarly Cooperation with the U.S., Academia Sinica, the American Council of Learned Societies, and the Library Association of China. Recent major achievements in Chinese library (or collection) automation were revealed. At least ten computer firms in Taiwan exhibited their I/O devices which were specially designed for the processing of data in Chinese scripts. Included in the exhibits were several library applications. Both the Taiwan Automation Company and IBM had online demonstrations of Chinese Machine-Readable Catalogue.

During the conference some valuable opinions on the Chinese Machine-Readable Catalogue and the communication of MARC among the East Asian countries were expressed, some potential requirements and problems of the MARC usage in East Asian collections were stated and several developments in Chinese Script Library Automation were announced.

This conference resulted in sharing mutual advice with cooperative atmostphere that will establish a new environment for the Chinese bibliographic services on a universal level.

5. Chinese Data Processing and CCCII

5.1 Chinese Language and Data Processing

For five thousand years, the written Chinese language involved thousands of complex characters which began as pictograms and evolved to express abstract notions. So the nature of Chinese characters made it difficult to adopte the chinese language to the computer⓱.

Since the technique of computer is readily available, the only condition is that any information or message has to be converted into machine readable binary code, 8-bit is regularly represented as a Roman aiphabet or a punctuation symbol in computing processing, and 2 or 3 units of 8-bit (or 7-bit) now are used to represent a

Chinese character in the manner of binary code. Theoretically using computing technique to process Chinese characters is not a technical problem but a cost-effective one. Nowadays there are at least three alternatives for inputting Chinese language to machine recognizable conversion. These inputting alternatives are phonetic code systems, numerical code systems, and basic units (or word roots) systems[18].

Phonetic code systems are basically the Romanization systems which include various methods such as Wade-Giles, Yale, Pinyin and liu systems.

Numcrical code systems use Arabic numerals to stand for Chinese character such as Four-corner code, Telegraph code, Three-corner code.

Basic units or word-roots systems are the approach of component expression. On method of this approach now used in both international and domestic operations makes use of the fact that all Chinese characters can be broken down into 215 "radicals", in other words, using 215 radicals one can construct any Chinese word.

The computer people in the Taiwan area now are focussing upon the problems of coordinating communications among computers that use different input ting systems and different internal codes with dissimilar hardware.

5.2 Cross-Reference Data Base for Chinese Characters

As mentioned above, there are many Chinese data processing systems available. But the data processing capability of each system is quite limited. Usually the search keys of Chinese characters that a computer can offer are limited to only one kind, and this search key is directly related to Chinese.

Some year ago a group of computer expers, led by Professor Chung-tao Chang, Professor Jack C.t. Huang, Dr. Chen-Chau Yang, and Dr. Ching-Chun Hsieh, designed a "Cross-Reference Data Base for Chinese Character Indexing" with the following two major advantages:

(1) Via the Cross-reference Data Base, any Chinese data processing system, whether it is a phonetic code system, a numberical system, or even a radical expression system, can communicate to other systems.

(2) Via the Cross-reference Data Base, the public searching system may be opened because almost any Chinese searching approach such as by pronounciation, stroke count, or radical telegraphic code will be used as a direct searching-key.

The information of the Data Base includes the following items of a character: (1) CCCII, (2) Radical, (3) Stroke Sequeace, (4) Stroke Count, (5) component expression (or word. root), (6) Phonetic codes including: Kuo-Yi, Wade-Gile, Yale, Pinyin and liu, (7) Telegraph code, (8) Three-corner code, (9) Four-corner code and (10) Internal codes of various Chinese data processing systems.

It is estimated that the total space required for this data base of approximately 50,000 characters and 15,000 variant forms is less than 15 m bytes. Among all the files, the smallest one is the files for pronunciation indexing. It is only 100 K byte that can cover all the popular pronunciation system, and a part of the system may implement in mini-computer or even in micro-computer.

The block diagram of the cross reference data base for Chinese character indexing is shown in Figure 2.

The cross-reference data base for Chinese character, not yet completed, will be very usefull as a software tool in identifying, finding, or addressing a Chinese character by any input method.

5.3 Chinese Character Code for Information Interchange

For the purpose of processing the Chinese materials in the standard manner of computer applications, the Chinese Character Code for Information Interchange (CCCII) has been continually developed since 1979. The first volume of this task invoiving 4,806 characters (that is the set of the most frequently used characters) was published in April 1980. The second volume of the CCCII consisting of 16,162 characters (the set for general data processing) was announced in February 1981.

The complete CCCII is intended to cover all existing Chinese characters, which are estimated to be more than 80,000. The complete sets will include the traditional forms of characters being used in Taiwan, Hong Kong, and the oversea Chinese communities the simplified chracters adopted on the Chinese mainland and Singapore; and the Chinese characters in circulation in Japan and Korea. The languages of China's ethnic minorities are also considered as an extensive part in the complete CCCII[19].

The Chinese character Code for Information Interchange brings two major efforts; first, it constructs the code structure for the compatibility with the standards of ISO 646 and ISO 2022 in order to make international information sharing possible if a universal telecommunicating network exists.

Secondly, CCCII organized Chinese characters for machine readable binary code. Within each character block, the order of character is arranged according to the Kang-hsi radical sequence first, and then, by it's strokecount. For these characters with the same radical and stroke-count, the sub-arrangement will be made by the following five kinds of stroke-order, (1) a dot, (2) a horizontal stroke, (3) a vertical stroke, (4) a stroke down to the left, and (5) a stroke down to the right[20].

One thing I would mention here is that the sequencial way of the stroke-count and stroke order is also the popular filing rules for the card catalogue in the Chinese library.

Since the CCCII is designed strictly following the standards of ISO 646 and ISO 2022, therefore, it basically requires three 7-bit bytes to represent a character. (Figure 3). However, the computer people point out that by applying similar techniques used in ISO 2022, two 7-bit bytes for each Chinese character will do as well if certain extensive control sequences can be arranged and the CCCII will still completely remain in a

7-bit environment defined in ISO 646[21]. On the other hand, a 7-bit manner can automatically be transfered into an 8-bit manner by following the ISO 2022[22], just as the American Standard Code for Information In tech-ange (ASCII), which was orignally designed for 7-bits processing, can be conversed into 8-bit processing in a minicomputer or microcomputer.

The CCCII seems very effective for processing Chinese library materials, because the characters which are used in literature are much more abundant than in any commercial activities, and a library usually needs to salect and collect both old and contemporary publications, regardless of whether they use ancient, variant, or even simplified characters.

6. Chinese MARC and It's System

6.1 Background and Nature of MARC

MARC is an acronym derived from the phrase Machine Readable Catalog. It is a generic term refering to bibliographic information that has been encoded and transcribed into a machine readable form to permit it's manipulation[23].

In the early sixties, the Library of Congress began to develop a LC MARC format that conducts a standardized format for the transmission of bibliographic data. After an examination of the pilot project for MARC, the success successful development of the LC MARC II Format was announced in 1967[24]. It brought a large impact on the field

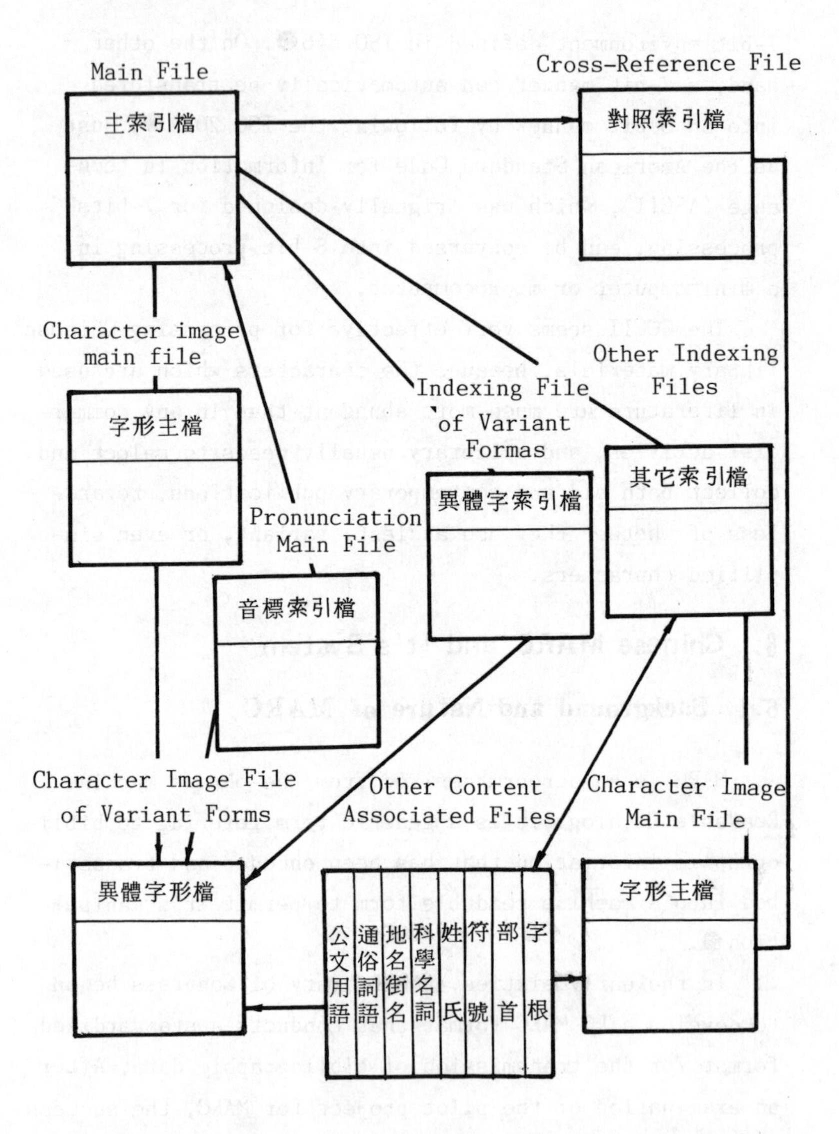

Figure 2 The Block Diagram of the Cross-Reference Data base for Chinese Indexing

Figure 3

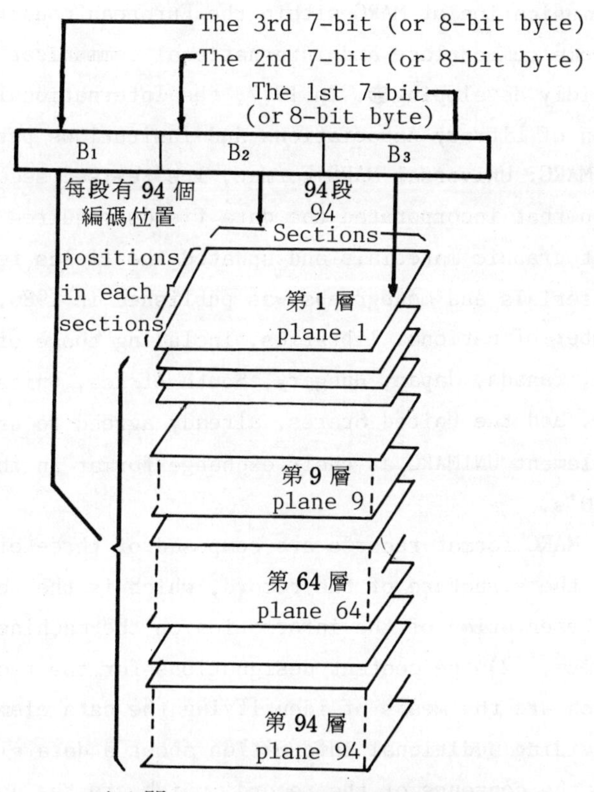

三度空間 94 × 94 × 94 個編碼位置結構圖

The 3-dimensional structure of the whole 94x94x94 code

of library automation in the United States and in other countries.

In 1973, the International Organization for Standardization (ISO) standard ISO 2709 for bibliographic information interchange on magnetic tape, provided a standard format structure for the exchange of bibliographic record in machine-readable form. In 1975, the communication of MARC within the European countries has become commonplace and international communication was rapidly developing㉕. In 1977, the International Federation of Library Associations and Insitutions published UNIMARC: Universal MARC Format, its revised second edition that incorporated the data fields required for cartographic materials and updated the fields relating to serials and monographs was published in 1980. A number of national libraries, including those of Australia, Canada, Japan, Hungary, South Africa, United kingdom, and the United States, already agreed to use and implement UNIMARC as their exchange format in the early 1980's.

MARC format records are composed of three elements: (1) the structure of the record, which is the physical representation of the information on the machine-readable medium, (2) the content designations for the record, which are the means of identifying the data elements or providing additional information about a data element, (3) the contents of the record, which are the data themselves, i.e., the author's name, the title, etc㉖.

Within a MARC format a record is a collection of fields that is treated as a unit, the information on a catalog card constitutes one example of a record. A field of machine-readable form which is usually tagged or identified by a three-digit label contains data elements (data elements are a unit of information, e.g. pagination). Each field is assigned a name which represents the contents of that field, e.g. collation.

There are two kidns of fields: fixed and variable. The former contains a data element which is always expressed by the same number of characters, for example, the date of publication may always be expressed as four numberical characters and the language could be expressed with a three character alpha code. The later contains a data element, the length of which cannot be predetermined, or the variable field may contain more than one data element, e.g. the collation is a variable field, made up of three data elements: pagination, illustration, and size. Another variable field could be the place of publication which is a single data element[27].

According to Common communication Format (CCF), which is supported by several international organizations including UNESCO, UNISIST International Center for Bibilgraphic Descriptions (UNIBID), IFLA, ICSU-AB, and ISO. The contents of data recorded in these fields are:

(1) Title proper and other title information (e.g. subtitles).

(2) Statement of responsibility (e.g. personal and corporate authors).

(3) Edition statement (e.g. revised edition).

(4) Place of publication.

(5) Name of publisher (e.g. issuing body, commercial firm, distributer).

(6) Date of publication (e.g. a single date inclusive of dates for multi-volume publications, open dates).

(7) Numerical and/or date designations for serials.

(8) International standard numbers (e.g. ISBN, ISSN) ㉘.

The Common Communication Format would span both the library and the abstracting, and indexing communities.

6.2 The Chinese MARC Format

The Chinese Machine-Readable Catalogue Format was a newborn child in 1981, having a great impact upon Chinese library automation. The main purpose of Chinese MARC format is to facilitate the standardized handling of Chinese library materials. Its ultimate goal is to achieve universal bibliographic control of Chinese-language materials.

In May 1980, the Chinese MARC working group (CMWG) was formed by the Library Automation Planning Committee (LAPC) and was assigned to design the Chinese MARC format. The CMWG, at first, thoroughly studied and compared the UNIMARC (IFLA, 1980 ed.) and the Library of Congress MARC II format. They then attempted to design the format according to a guiding principle which required developing a structural format for the Chinese publication in a wide applicability to all types of data written in the Chinese language.

During the time of designation 1100 bibliographic records from the Chinese National Bibliography of The National Central library, Library of Congress National Union Union Catalog and the catalog of the National Taiwan University Library were carefully selected and adopted to test the effectiveenss of the format designed. After being prepared for eight months, the Chinese MARC Format for Books, which is the first phase of the total Chinese MARC task, was published and drew both foreighn and domestic attention. Meanwhile, the CMWG accepted some notable opinions from the computer people and the librarians. Therefore, the second edition of Chinese MARC Format of Books was published in June 1981, just four months following the issurance of its first edition.

In May 1984, a new edition which incorporated the data fields for Chinese rare books, and non-book materials was appeared and renamed as the Chinese MARC Format. This new edition consists of two volumes. Volume I covers the scope of compilation and application, definitions of terminology and specifications, outlines of various fields and the structure of formats. Volume II is an appendix which including Chinese MARC Format for output, a list of fields and subfields, Wade-Giles System for Romanization, area, countries, years, language codes, international target audience code etc[29].

Basically, the Chinese MARC is modeled on UNIMARC FORMAT incornorating certain modifications to adjust to the current local requirements. The bibliographic records on magnetic tapes are processed on the basis of ISO-2709 (Documentation Format for Bibliographic Information Information Interchange on Magnetic Tape, 1973 and revised in 1980). The character set used for the Chinese MARC is prescribed by the Chinese Character Code for Information Interchange (CCCII) which is formed with the 7-bit code and is based on ISO-646 (7-bit Coded Character Set for Information Processing Interchange) and ISO-2022 (Code Extension Techniques for use with the ISO-7-bit Coded Character Set[30].

For a fuller description of bibliographic records in the Chinese languages, it is essential to follow the Chinese Cataloging Rules (CCR) which were completed in 1983. CCR to a large extent conforms to ISBD's (International Standard Bibliographic Descriptions) and AARC 2 (Anglo-American Cataloging Rules, Second edition, 1978) principles. The Wade-Gilles romanization is used in the Chinese MARC as the standard transliteration for its bibliographic records. Special attention nas also been given to the needs of non-Chinese speaking environments. This is due to the fact that major fields are designed in. such a way that they could be recorded and searched in Chinese, English, or Wade-Giles transliteration.

Some special features and major characteristics of UNIMARC, such as the consistent meaning of coded data vaiues, subfield identifiers, are retained in Chinese MARC. The ultimate objective of Chinese MARC is to facilitate the processing of Chinese language materials with computers for regional and international information exchange and sharing.

6.3 Structure Characteristics of Chinese MARC

The Chinese MARC allows full expression of the nature of the bibliographic entity being described and it is structured so that full access is possible. One thing that should be mentioned is that although the new Chinese Cataloging Rules (CCR) follow the basic framework of ISBDs, the characteristics of Chinese materials and the tradition of Chinese bibliography dictate the pattern for CCR which in reality has departed to a certain degree from ISBDs. As a consequence of this the tag structure and subfield identifier of the Chinese MARC is designed for maximum flexibilty and allows each library to manipulate bibliographic data as it chooses.

In summation, the Chinese MARC format consists of the following three elements; (1) the structure, (2) the content, and (3) thc content designators. The formal structure indludes: Record label, Directory, Datafields, and Record Separator. In comparison with UNIMARC, the major differences in Chinese MARC are as follows:

(1) To make them compatible with CCR some undefined indicators employed in UNIMARC have been assigned new functions in Chinese MARC to offer flexibility in the format e.g., indicators in field 215 (Physical description).

(2) Subfield identifier "$r" is added to fields 200, 225, and 5xx. This identifier marks titles proper and series title accessable by romanization. Libraries in the United States and Europe may have such need Whereas "$r" may not be a necessity for local libraries where the likelihood for accessing a bibliographic record by transliteration would be at a minimum.

(3) Subfield identifier "$s" is assigned in fields

600, 700, 701, and 703 to identify the dynastic era during which a Chinese ideividual lived in the Ch'ing dynasty or earlier (before A.D. 1911). Because the association of a personal name with the name of a dynasty when he lived is a long observed tradition in Chinese sholarship.

(4) Subfield identifier "$u" is added to fields 3xx for libraries which use the cataloging rules other than CCR to record notes in Chinese, English, or romanization[31].

6.4 The Chinese MARC System

Beginning in the spring 1981, the pilot project of the Chinese MARC data base system was set up by inputting all the newly acquired titles of the National Cantral Library. Seven large libraries, including the National Taiwan university library, the National Taiwan Normal University Library and the National Cheng-chi University Library, agreed to join this cooperative and cataloging-sharing project.

The multi-purpose of this system was firstly that each of the participants not only can utilize the records found in the Chinese MARC data base, but also are required to add bibliographical data into the data base, particularly the data which has not yet been acquired by the National Central Library; the usefulness of all data obtained and the information retrieval is expected to be continously evaluated.

Secondly, the distribution of catalogue cards based

on the Chinese MARC Format was begun in October 1981 by the Chinese MARC Distribution Office, located at the NCL. The system can print out two different arrangements of the catalogue cards for the same book: one is for domestic library, the other for foreign library. Two series samples are shown below:

Besides distributing card catalogues, the Chinese MARC system can also provide book-form catalogu.....in Chinese or English, and bibliographical retrieval by various access points.

As of Winter 1984, the Chinese MARC data base consists of 41,600 entries of Chinese materials including 4,200 Chinese rare books. prospectively, the retrospective records are planned to be converted, and then the Chinese MARC system will enable us to participate in communication with information service systems worldwide.

7. Chinese Data Base Systems

In addition to the Chinese MARC data base which will involve various potential services for both libraries and patrons with cataloging, bibliographical searching, acquistion, and circulation services, etc., there are some very significant Chinese vernacular data bases in the Taiwan area.

7.1 Chinese Educational Resources Information System

The Chinese Educational Resources Information System (CERIS) developed in 1980 from the computerized data base of the *Chinese Educational Abstracts*, which is the outgrowth of the *Index to Educational Periodical Literature. The Index To Educational Periodical Literature* covering the period from 1957-1961 was first published in 1962; from 1978 on, abstracts have been added to the index entries.

The aim of CERIES is to provide accurate, comprehensive, and fast bibliographic information, similar to what is offered by ERIC in the United States㉜. The data base computer contains 1,115 periodicals published in Taiwan and Hong Kong.

The total data base management system was used for organizing the structure of the CERIS data base. Thus, the subject, title, author, journal title, and data constitute the five master datasets. A multi-key retrieval design in both Chinese vernacular and English alphabet can be presented on the Chinese CTR terminals. Hard copies can be produced with a dot-matrix-plotter line printer.

CERIS now has been successfully used as the inhouse system within the National Taiwan Normal University Library.

7.2 NCL's Periodical Data Base

At the beginning of 1980s, the National Central Library in Taipei, Taiwan has engaged in developing two periodical data bases seperately by cooperating with the Wang Laboratories, Inc., and the Executive Yuan's Electronic Data Processing Center, DGBAS. One is the data base of the *Union list of Chinese Serials*, and the other is the data bases of the *Index to Chinese Periodical Literature*㉝.

The data base of the *Union list of Chinese Serials* is the first computer processed Chinese Union List which covers 171 libraries in the country, with a total of 7,452 serial titles prior to 1979. The data field of the *Union List of Chinese Serials* includes the serial code, ISSN, Classification code, title, title stroke order, romanized title, frequency, date of first issue, publishing place, publisher, remarks, holding record.

The data base of the *Index to Chinese Periodicals* was developed with the assistance of the Executive Yuan's Electronic Data Processing Center DGBS, The work was started in June 1980. The *Index to Chinese periodicals* has been published monthly since 1970, and annual cumulative editions since 1977. The monthly edition covers almost 3,000 articles arranged according to classification.

The National Central Library's periodical data bases have been improved in the Winter 1982, when the library have it's own computer facilities. The two data base systems, which are now revised in order to make compatible with the new Chinese bibliographical data base㉞.

7.3 Agricultural Science and Technology Information Management system

The Agricultural Science and Technology Information Management System (ASTIMS) is a successful information system in the field of agriculture, set up by the Agricultural Science Information Center, Taipei.

From January 1979 to December 1980 the Information center completed the following five data bases:

1. FASTEP – Files for Agricultural Science and Technology Personnel.
2. FASTEJ – Files for Agricultural Science and Technology Research Projects.
3. FASTER – Files for Agricultural Science and Technology Research Reports.
4. FASTCL – Files for Agricultural Science and Technology literature in Chinese.
5. FASTEL – Files for Agricultural Science and Technology Literature in English.

In order to develop a more advanced agricultural information service system, the ASTIMS merged and reorganized their data bases in 1983. The system now has three subsystems which include the file for personnel, the file for research project, and the file for AGRI-Thesaurus.

The ASTIMS can be retrieved and searched flexibly in both Chinese and English[35].

8. National Projects and Prospects

8.1 Library Automation Planning Committee

In order to improve library and information services in Taiwan and to keep abreast with the needs of the library community as well as the community abroad, the Library Automation-Planning Committee (LAPC) was established by the Library Association of China and the National Central Library in 1980. With Financial aids from the Ministry of Education and the Executive Yuan, the major responsibility of the Library Automation Planning Committee is to coordinate the development of computer applications among the literature world of libraries and archives, the document world of information centers and the data world of computer and telecommunication, as well as connect these three information worlds together.

The LAPC drafts the National Library Automation Project (NLAP) and carrys out cooperative projects with the following objective.

1. Through joint efforts, to organize a data processing system for improving technical and information services of Chinese language materials,
2. To develop the Chinese Machine Readable Cataloging (MARC) communication format within the confines of international requirements as the standard for cataloging the Chinese publications,
3. To create a data base system for Chinese publications and introduce data bases from overseas to meet the local research and information needs, and
4. To establish a national information network with the coordination of the National Reconstruction Project and the advancement of academic research and development.

The Chinese MARC working group, the Chinese Cataloging Rules Working Group, and the Chinese Subject List

Working Group were formed by the library Automation planning Committee for performing the professional library work. As of December 1984, all three working group have completed their primary projects, the Chinese MARC Format has been abailable as a basis for processing Chinese bibliographic data, the Chinese Cataloging Rules and the Chinese Subject Heading have also been published.

8.2 The National Library Automation Project

The National Library Automation Project emphasizes the related problems of library computer applications at various levels, such as data processing, information structure in data bases, information amnagement, and sharing systems.

The NLAP will be carried out in three stages. The first stage is predominantly the development of Chinese Machine Readable Catalogue and its related research. This includes the revision of cataloging rules for Chinese materials, the application and utilization of International Standard Book Numbers (ISBN) in the Taiwan area, the compilation of a list of subject headings for Chinese materials, and the devlopment of the Chinese MARC Format.

The second stage has two phases; (1) to develop and produce a complete Chinese data base for Chinese materials (including books, periodicals, official documents, technical reports, and research papers) and a retrieval system for Chinese materials by various access points, particularly in subjects; (2) to introduce and adopt the

Western Machine Readable Cataloging system and bibliographical data bases, and to develop various subject data bases for Western-language materials, which are mainly published in the Taiwan area.

The third stage is to plan a national information network which could be tailored to domestic and international information needs, and to develop a multifunctional library management system, within which a new information environment will be created in this country ㊱.

Doubtlessly, the NLAP was the guideline for the development of library automation and information services in the 1980s in Taiwan, R.O.C.

8.3 Problems and Prospects

There are various achievements in computer-based information system in library services. The computerization which now performs in Taiwan is limited to inhouse use. Thebasic facilities for inputting, manipulating and cumulating the Chinese records, as well as creating the bibliographical data base, have been well developed. We, the librarians in Taiwan, have learned from practical experience in the library information system within the past seven years. But as regards developing further services, e.g., the information network or public access services, some obstacles apparently exist within the management and the technology. This is due to the fact that the Republic of China is falling behind the adbanced country at least ten years with respect to the information retrieval systems.

Some valuable cases which were achieved by libraries and information centers in the developed countries can provide further experience for the designation of library information systems in Taiwan. For example, the future development of the Chinese MARC Data Base System should not be limited in cataloging services, it should be extended step by stept to other fields of library services just like the OCLC systems, in the U.S. [37] and three network information centers may be set up in north, south and central Taiwan. Each would service the Chinese MARC Data Base System.

The need of information consumption influences the financial budget of an information service system. The number of information consumers in Taiwan has increased in the past few years. However, the total number of information consumers is still not enough to justify a cost-effective computerized information network. Therefore, a user education and training project, which can motivate general public to utilize the computer-generated information service, should be a matter of concern to the library and information community of the Republic of China. Only agter the general public are well trained to use the computerized information services, will we then have a bright future in the information age.

Any informaiton world-whether a literature world, a document world, or even a data world-can not exist without the complement of other two worlds. Thus, the basic of any computer-based information system must rest in the first instance on an efficient and effective library and documentation infrastructure. An overall information policy which contains the personnel and manpower, the budget and financial resources, the development of processing technology or facilities, the information distribution and consumption, etc.[38], will be the key to the future of library automation development in R.O.C.

Generally speaking, in the first five of the past seven years, the application of data processing technology to the automation of library processing in the Taiwan area was a success. The advances in the application of that technology have been made to such an extent that there now exists in our wake a substantial corpus of experience to ensure further, rapid development.

We recognize that the most significant advantage of library automation in the post years for our society is to have afforded the opportunities for training and cultivating the people to have the knowledge on computerized information.

However, we have learned that computerizing our libraries is more difficult and will take longer than we originally thought, because the integrated bibliographical information system has not yet been completely built up and a practical network for direct access still needs to be developed. Since the computerized information system has not only been treated as a national resource wital to scientific, industrial, and economic progress, but also as a medium for cultural development and human communication. We believe that the computerbased library and information service will play a significant role in the total community in the Republic of China for the years to come.

附　註：

❶ B.C. Vickery, "The Organization of Information Using Computers," *in The Use of Computers in Libraries and Information Center* (London: Aslib, 1976), pp. 25-27.

❷ Micki Jo Young, "Introduction to Minicomputers in Federal Libraries" (Washington, D.C.: Library of Congress, 1978), pp. 22.

❸ Allen Kent, *Encyclopedia of Library and Information Science* (New York: Marcell Dekker, 1967-1982), Volume 22 (1977 ed.) p. 64.

❹ *The Europe Year Book: A World Servey 1982 Ed. Volume* 2 p. 1941.

❺ Evelyn Danies, "1980s Forecast Special Librarians to Information Managers," *Special libraries*, 73 (April 1981), pp. 93-99.

❻ Daniel Bell, "Welcome to Post-Industrial Society," Physics Today (February 1976), pp. 46-47, Also in *Libraries in Post-Industrial Society* (Phoenix,Arizona: Oxyx Press, 1977), pp. 3-7.

❼ Allen B. Veaner, "Major Decision Points In Library Automation," *College and Research Libraries*, 31 (September 1970), pp. 299-311 and 303-304.

❽ Richard DeGennaro, "Libraries and Networks in Transition: Problems and Prospects for the 1980s,"

Library Journal 106 (May 15, 1981), p. 1084.
⑨ Loretta K. Mershon, "A Model Automated Resources File for an Information and Referral Center," *Special Libraries*, 72 (August 1980), pp. 335-343.
⑩ Lowell A. Martin, "The Changes Ahead," *Library Jouenal* 93 (February 15, 1968), pp. 711-712.
⑪ Robert M. Hayes and Joseph Becker, *Handbook of Data Processing for Libraries 2nd Edition* (Los Angeles, California: Melville Publishing Co., 1974), pp. 5-6.
⑫ Sue A. Dodd, "Building and On-Line Bibliographic/ MARC Resources Base for Machine-Redable Data Files," *Journal of Library Automation* 12 (March 1979), p. 20.
⑬ Yu Sung, "Cooperation and Computerization of Science and Technology-Oriented in R.O.C.," *Proceedings of 1st Asian Librarian Conference* (Tam Shui, Twiwan, 1973), pp. 553-574.
⑭ Margaret C. Fung, "Library Automation in the Republic of China," *Journal of library and Information Science* 6 (April 1980), pi.
⑮ Ching-Chun Hsiueh, *Chinese Data Processing in Taiwan, R.O.C.* (Teipei, 1979), pp. 5-6.
⑯ James E. Agenbroad, "Character Sets: Current Status and East Asian Prospects," *Journal of library Automation* 13 (March 1980), p. 18.
⑰ Huei-Fun Lu, "Searching for a Chinese Computer System," *Sinorama* 7 (May 1982), pp. 40-44.
⑱ Library Association of China, Taipei. *Chinese Character Code for Information Interchange Volume 1* (Taipei: The Association, 1980), p. 8.

⓳ Key speech on "International Workshop on Chinese Library Automation," by his excellency C.K. Yen, Former President of the Republic of China, Taipei Taiwan, R.O.C. February 15, 1981.

⓴ Ching-Chun Hsieh and others, "Design and Application of the Chinese Character Code for Information Interchange--(CCCII)," *Journal of Library and Information Science* 7 (October 1981), pp. 129-134.

㉑ Chung-tao Chang and others, "The design of A Cross-Reference Data Base For Chinese Character Indexing" *Journal of Library and Information Science* 7 (October 1981), pp. 145-148.

㉒ ISO Information Center, "Code Extension Techniques for Use With the ISO 7-Bit Code Character Set," in *ISO Standards Handbook 1: Information Transfer* (Switzerland: International Organization for Standardization, 1977), pp. 362-385.

㉓ David 1. Weisbrod, "NUC Reporting and MARC redistribution: Their Functional Confluence and Its Implication for a Redefination of MARC Format," *Journal of Library Automation* 10 (September 1977), p. 18.

㉔ Henriette D. Avram, *The MARC II Format: A communication Format for Bibliographic Data* (Washingtion, D.C.: Library of Congress, 1968), pp. 1-2.

㉕ International Federation of Library Associations and Institutions Working Group on Content Designators, *UNIMARC: Universal MARC Format* (London: IFLA International Office for UBC, 1980), p. XI.

㉖ Ibid., P. v.

㉗ Henrietta D. Avran, John H. Rnapp, and lucia J. Rather, *The MARC II Format: A Communication Format For Bibliographic Data* (Washington, D.C.: Library of Congress Information Systems Office, 1968), pp. 6-7.

㉘ International Federation fo Library Associations and Institutions Working Group on Content Designators, *UNIMARC: Universal MARC Format* (London: IFLA International Office for UBC, 1980), p. X.

㉙ Chinese MARC Working Group, Library Automation Planning Committee. *Chinese MARC Format 2nd ed.* (Teipei: National Central Library 1984), p. 1.

㉚ Lucy Te-Chu Lee and others, "Chinese MARC: It's Present Status and Future Development," *Journal of Library and Information Science* 7 (April 1981), pp. 3-4.

㉛ Chinese MARC Working Group, Library Automation Planning Committee. *Chinese MARC Format*, 2nd ed. (Taipei: National Central Library, 1984, Vol. p. 120, p. 111, p. 103.

㉜ Margaret Fung, "The Chinese Educational Resources Information System--A Case Reprot," in *Papers of the International Workshop on Chinese Library Automation*, Feb. 14-19, 1981, Teipei, pp. D2-D3.

㉝ National Center Library, "The Union list of Chinese Serials in The Republic of China," *Proceeding of the 1980 Library Development Seminar Dec. 1-7, 1980*, Taipei, pp. 452-476.

㉞ Wang, C.K., "Library and Information Services in Taiwan," *Proceedings of the First Asian-Pacific*

Conference on Library Science (March 1983), pp. 63-65.

㉟ Wu, Wan-jiun, "The Agricultural Science and Technology Information Management System," *International Workshop on Chinese Library Automation*, Feb. 14-19, 1981, Teipei, pp. D11-D46.

㊱ *Newsletter of the National Central library* 12 (Spring 1981), pp. 155-157.

㊲ David U Kim, "OCLC-MARC Tapes and Collection Management," *Information Technology and Libraries* 1 (March 1982), p. 22.

㊳ K. Samuelson, H. Borko, and G.X. Amey, *Information Systems and Networks* (Amsterdam; North-Holland, 1977), p. 75.

中英文資料庫文獻索引方法比較研究〈英文稿〉

A Comparative Study of Word Iadexing between Chinese and English Database

英文由於是拼音文字的結構，大部份的英文單字均有明顯的語意，故產生了以關鍵字為索引的方法。而中文單字的結構主要是沿自於象形，每個單字均有其字源上的原始意義，但是字義和詞義截然不同，故應以詞為最基本的索引元素，才能表達出具體的概念。此外，中英文資料庫的基本索引環境也不盡相同，英文資料庫在檢索策略方面所投注的許多努力，其效果在中文資料庫，有一部份可用索引方法的技術加以預先規劃。

I. Introduction

Presently in the area of information profession, there exists a serious un-balanced situation between information recall and precision, particularly in grown databases of phonological languages. Recall and precision, are in an inverse ratio, i.e., the higher the recall, the lower the precision.

Up to now, solutions of the problem seem to emphasize only on how to use various search strategy to modify the retrieval result of information. Few people pay attention to indexing approaches which might be another alternative to resolve the problem.

The author, within this paper, tries to submit some opinions and reviews on the comparative study of word indexing between English and Chinese database. In presenting his view, the author offers a clue to improve the effectiveness of providing information by either Chinese or English database.

II. The Basic Differences of Indexing Background

The key point in an indexing system is the application of method. Within word indexing system, indexing terms are deeply influenced by the characteristics of the language. For different languages, the structure of their indexing terms varies a lot. If we try ot compare Chinese and English, then we will find distinct differences between the structure of indexing terms of these two languages.

1. Indexing Environment of English Database

The indexing environment of English database is

comparatively simpler than that of Chinese database. Since English is a pahonographic language, besides "a" and "i" which are formed by one letter, all the other words are formed by several letters. Almost every word in English has one or more independent meanings, and there is no distinction between the word and the word within a word string. When this linguistic characteristic is applied to indexing system, using "keywords" as indexing terms becomes a natural trend. In the past tow decades, some software packages such as IBM's STAIRS, CDC's BASIS, and UNISYS's TEXTRIEVE are developed and applied to many information retrieval systems. With these powerful tools which index a text file automatically, the KWIC (an acronym from the phrase Keyword-In-Context) becomes the mainstream of indexing system in English database. In an English keyword-in-context indexing system, except a few words like articles, conjunctions and prepositions which have no indexing values, almost every word is a keyword. The words which have no indexing values form a stop list for KWIC. Apparently, in databases of English and other phonographic languages, almost every word is a meaningful indexing term. The situation conducts a simple environment for word indexing.

2. Indexing Environment of Chinese Database

The structure of a Chinese word inherits mainly from pictograph. Every single word has its own original meaning in its etymology. However, meaning of a single word and that of a "word string" are two totally different things. A single Chinese word can have a meaning which is usually independent of the meaning of a word string. In Chinese, meanings of words are usually the results of formed "word string" so that the basic unit of semantics is "word string" (or phrase), not "single word" (or character). Thus, a "word" is not equal to a "phrase". Take "資訊教育" as an example. The meaning of this phrase is composed by two word strings: "資訊" and "教育", not by four single words: "資", "訊", "教", "育". These four Chinese words each has its independent semantic meaning which can be analyzed as follows:

"資"者. 1財貨之總稱, 2取也, 3藉也, 4給也, 以財物與人也, 5天賦之材質、性情, 6身分閱歷也, 7姓也.

"訊"者. 1問也, 2書問也, 3鞫罪也, 4告也, 5通迅, 奮也, 6投棄之義, 7或作訾.

"教"者. 1告也, 2訓誨也, 3諸侯言曰教, 4宗教之省稱, 5猶言使也.

"育"者. 1養也, 2長也, 3生也, 4稚也, 5車枕前曰育, 6育鬻, 賣也.

A single Chinese word has its own idependent and various meanings. In Chinese, a concept is expressed by the meaning of "phrase" which is randomly organized by the meanings of single words. Theoretically, the variations of meanings in a phrase comes from the cross product of meanings of a single word and those of another word. For two words "甲" and "乙", "甲" has 5 meanings, "乙" has 3 meanings, then the phrase composed of "甲" and "乙" can have up to 15 meanings. Therefore, the ratio of meaning of a word to a phrase in Chinese is lower than that of English.

Due to the above mentioned characteristics of Chinese, the keyword in Chinese indexing system must use "phrase" as a basic indexing element in order to express a concrete and fixed concept, and to attain the goal of indexing.

On the other hand, from the view of information processing, there is no space between any two Chinese characters, and each Chinese character is represented by at least 2-byte or 3-byte code that causes no possibility for automatic indexing. Therefore, the KWIC indexing environment of Chinese database is more complex than that in English.

III. Implications of Chinese Index Terms

Chinese index term has its implications in three levels: (1) word meaning groups, (2) composition of phrase meaning, (3) structure of subject terms.

Influenced by the basic characteristics of language mentioned in the previous chapter, Chinese subject indexing must use "phrase" as its basic element. Take " 資訊教育" as an example of subject indexing to analyze the combination of words as follows:

1. Word meaning Groups

In the phrase of "資訊教育", the meanings of these four single words "資", "訊", "教", "育" are shown in Figure 1 (Please see the meanings of these words stated in the previous chapter).

資 1 2 3 4 5 6 7
訊 1 2 3 4 5 6 7
教 1 2 3 4 5
育 1 2 3 4 5 6

Figure 1. Word meaning groups

2. Composition of Phrase Meaning

The subject concept of "資訊教育" uses "資訊" and "教育" these two subsets of phrases as basic semantic unit. For "資訊", its meaning is composed by the combination of the first meaning of "資", 財貨之總稱 , and the first meaning of "訊": 問也. For "教育", its meaning is composed by the combination of the second meaning of "教": 訓誨也, and the first meaning of "育": 養也. The semantic combination of the above mentioned two phrases are shown in the following figure:

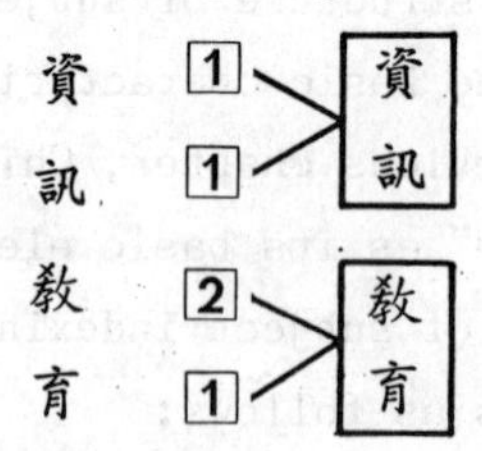

Figure 2. Composition of phrase meaning

3. Structure of Chinese Subject Terms

In the structure of subject indexing, the phrase "資訊教育" is combined by two concepts: "資訊" and "教育" to form an indexing term. The composition of this phrase is shown as follows:

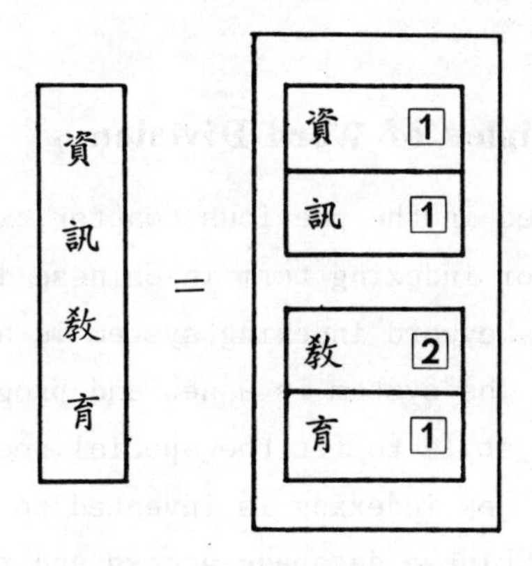

Figure 3. Structure of Chinese subject terms

Hence, the combination of words in Chinese indexing has to go through two levels, i.e., the meanings in phrases. Sometimes a third level is required. It is the process of forming an indexing term by the combination of two or more meanings of phrases, e.g. "資訊教育". The formation of Chinese indexing terms, especially in subject index, reflects the characteristics of the language. Then how do we select the proper phrases from the context of a document? It is also not an easy issue.

IV. Indexing Effort of Chinese Database

According to the indexing experience of Chinese database from LEGISIS (Legislative Information System) developed by the Library and Information Service of Legislative Yuan, Taipei, there are three key elements to affect indexing quality as well as to increase searching precision.

1. The Principles of Word Division

As mentioned in the previous chapter, word division is the source of indexing term in Chinese database. In LEGISIS, multi-keyword indexing system is used to handle word division. The system is a new and progressive indexing method and style to fit the special needs of Chinese language. This new indexing is invented to meet the requirements of Chinese database access and to enhance the effectivenessoof Chinese information retrieval. The following is a basic formula for the handling of indexing terms in the system:

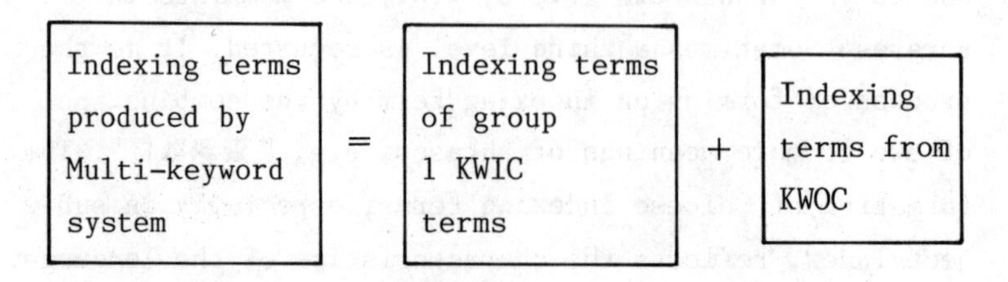

2. The Scope of Index Term in Context

Since index term has great influence on the effect

of information retrieval, consequently, how to judge the best point for a word division in context is an important procedure for index quality control.

To identify an index term in context in Chinese is comparatively easier than that in English because the grammar of the language itself conducts it. In Chinese, there are neither differences between single and plural nouns, nouns and gerunds, nor differences among verb variations because of tense and person.

In LEGISIS, the task of word division is undertaken by library assistants and supervised by specialists of each field. Indexers can easily do the work if they follow the regulations of multi-keyword indexing system.

3. The Effective Range of Each Index Term

In order to reduce information garbage and to pave the way for the precision of information retrieval, it is necessary to set the effective range for word division in information processing. The effective scope of word division means the covering range of an indexing term in context. To set the scope of word division has at least two advantages:

1. avoiding the repeated occurrence of the same terms in the neighbouring context being choosen as indexing terms again. These duplicate terms will produce repeated and useless information, namely, information garbage.
2. regulating the scope of an indexing term, i.e., defining whether it represents a complete sentence,

a paragraph, a section or a chapter. The setting of the scope can be single-layered or multilayered. Single-layered scope means an indexing term precisely represents a sentence, a paragraph or a chapter. Multi-layered scope means some indexing terms represent sentences, some represent paragraphs, and others represent section or chapters. For example, the scope of an indexing term in the database of Chinese Code, which is a subsystem of LEGISIS, is one article, i.e., an indexing term can clearly express one of the subjects of an article. And the functions conducted by such efforts may also be obtained through searching effort in English database.

V. Searching Effort of English Database

The databases that are oriented for public access have been rapidly distributed in English-speaking areas in the past fifteen years. People can gain access to various databases via communication facilities and software packages. For the purpose of improving the effectiveness of information retrieval, some searching techiniques are/were developed. e.g., the organization of searching key, the combination of searching steps, the identification of search range, the specific search of fixed data item, and other efforts like truncation, etc.

1. The Organization/Combination of Searching Key

The application of the famous Boolean logic operators

marches out a very important step in searching effort. In an information retrieval process, Boolean operators, including AND, OR, NOT, can organize searching keys into a whole search statement for retrieving related information. Each search statement may represent a complete concept as to what objects are exactly to be searched.

On the contrary, without Boolean operators, people can not search with a complex concept in one retrieval process. Besides, there are some "word string operators" such as (F) and (W) in DIALOG system that also have partial functions for the organization of searching key. Details of such operators will be discussed in section 5.2.

On the other hand, Boolean operators can also link various search steps for the same database access. This combining function uses a secondary searching element for a further result of information retrieval.

With Boolean operators, the organization/combination of searching key is a useful technique for setting up an ideal searching element that may cause more precise information from a database.

2. The Identification of Search Range

In English database, almost all words in a record can be searched, therefore the recall of an information access is usually not just a few and the precision of information retrieval sometimes is low. The reasons for this situation are as follows:

1. irrelevant information may be retrieved because

the words are in an inverted order. E.g., the search key is "electric vehicle", but the following record may be retrieved: "vehicle of electric power company......".

2. The rate of falsedrops may be high because the distance of word stringe within a sentence, a or a record is either too far or too close. E.g., the search key is "Margaret Thatcher", if the distance between "Margaret" and "Thatcher" is not specified, the following record may be retrieved: "The is the first day of school for Margaret Smith. Her teacher Mr. Thatcher......".

To solve the issue of word distance and word order in text, the word proximity operators are applied in English database, In DIALOG system, there are two typer of proximity operators:

1. for word order, "W", "nW" and "not W" are used.
2. for word distance, the operators are grouped by their usages. To avoid the word distance that is too far, there are "N" , "F", "S", "L" and "C" operators. To avoid the word distance that is too close, there are "not N", "not F", "not S" and "not L" operators.

Obviously, the technique of word proximity is an exact identification of search range.

3. The Specific Search of Fixed Data Items

In addition to the above efforts, there is another effort for increasing the precision of information retrieval, namely, the search of fixed data item. The search is based on the sorting function of computer operation.

There are two kinds of operators for fixed field search, one is suffix operator, the other is prefix operator. If a person uses suffix search, he/she needs to establish the search key first, then he/she has to use the operator to identify the specific field. An example is that using "Handicap/ti" means the search statement is for searching " Handicap" in title field only.

If a person uses prefix search, it is necessary for him/her to set up the name of the data item first. then he/she has to use an operator to connect the searching key. For example, to create a statement for searching the publication year of 1987 only, people can directly type "py = 1987" into the computer.

The specific search of fixed data item can save computer time as well as enhance the accuracy of information retrieval.

VI. Conclusion : Indexing Technique Versus Searching Technique

For the effectiveness of providing information by a database, indexing and retrieval functions are complementary parts of each other.

Within a process of information access, it is a necessary approach to utilize searching techniques such as Boolean logic, truncation, and word proximity to get the exact information from databases. However, if people rely only on search strategy and all kinds of operators to adjust the result of information access, they have to inevitably spend more time and cost when they are in front of a terminal.

As the two sides of a coin, the indexing technique applied in a database will provide some functions in advance so that relevant information can be directly conducted by one access. Otherwise, similar result of a retrieval may also be gained after some searching modifications.

Comparatively, the application of indexing technique in database lengthens the preparation time of information processing. But to look at the matter from another angle, the task raises the quality of database and enhances the precision and effectiveness of information retrieval.

To view the whole situation of information retrieval and database service, it seems that we, the information professionals, have to put forth our effort in both indexing and searching at the same time. The approach that synthesizes the merits of indexing and searching technique should become the best way to solve the problem of recall and precision in both English and Chinese databases.

中文資訊服務新境界

THE NEW FRONTIERS IN CHINESE INFORMATION PROFESSION AND SERVICE: SOME EXPERIENCES FROM THE LEGISIS PROGRAM

I. Introduction

With a view to improving library and information services and keeping in step with the needs of libraries in the local and international environments, the Committee on the Computerized Information Management was established by the Library and Information Service, Legislative Yuan in 1984, to initiate the Legislative Information Project with the purpose of accomplishing the following objectives.

(A) To set up an integrated LEGISIS (LEGISlative Information System) which includes various databases of Chinese materials.

(B) To represent the contents of full-text documents for Chinese materials through a multi-keywords indexing technique.

(C) To improve the access method of information storage and retrieval system for promoting the use of Chinese materials.

(D) To extend Chinese information service through building a well-designed environment of user interface.

The purpose of this paper is to describe how the Chinese information system developed under LEGISIS program has brought the processing of the Chinese language to meet the above objectives.

II. Overview of LEGISIS

To enhance its information services provided to the legislators, the Library & Information Service has developed a series of computerized information system from existing legal documents and legislative records. The goal of the LEGISIS is to make the most use of the information resources available in the library, and therefore to serve more effectively to the legislative inquiries. To serve this purpose, several systems have been developed and operated, including Legislators' Interpellation Information System, Periodical Literature Information System, Chinese Code Full-Text Information System, Chinese Code Amendments Information System, and Legislative News Index Information System. In addition, several microcomputer application systems and foreign access databases are also joined in the LEGISIS.

1. Legislators' Interpellation Information System

This system provides a computerized information retrieval with multiple access points. It contains the most updated as well as retrospective records in the database. The database can be searched by date, subject, people, etc., more than 14 access points, and all of the access points can be combined by Boolean operators to get a narrower or broader result. The system also provides online statistics by person, subject, and category. Several kinds of statistical printouts are offered, and some of them have been distributed to the legislators' office periodically.

2. Periodical Literature Information System

This system establishes a bibliographic database of periodical articles and research reports in law, politics, economics, financial, public administration, and technical education, etc. It is designed with two versions of user interfaces, i.e. command-driven and menu-driven. The former is to be used by the experienced users to do interactive and quick searches; the latter is for the laypersons to search the database by themselves. The system contains nine access points, including categories, subjects, keywords, authors, journals, etc. All of the access points can by combined by Boolean operators, and the keywords can be expanded by the truncation.

3. Chinese Code Full-text Information System

This system provides the complete contents of the R.O.C.

laws, including their titles, texts, associated articles, enacting dates, amending dates, subjects, and purposes, etc. The system has several kinds of searching methods, by using the titles, chapter section names, or articles numbers to conduct searching for text of the codes, or by using the Chinese Keyword-string In Context (Chinese KWIC), or important legal terms to find out relevant status.

4. Chinese Code Amendments Information System

This information system contains all of the Codes amended by the Legislative Yuan since 1969, the year when the government promulgated the Central Codes Standard. The information in this system contains the main reason for each amendment of the codes. It can dynamically offer legislators the facts or opinions to compare and study different editions of the Codes for better understanding of their amendatory history, as well as supporting them to make the decision for the current or future legislation.

5. Legislative News Information System

This is a computer-assisted system to edit and retrieve the legislative information extracted from daily newspapers on a hyper-media basis, in order that the Legislative News Information Index can be searched and published more efficiently in keeping up with the timeliness of current news, and provide more timely and effective information service on important events to the legislators. The system also provides down loading and CD-ROM information retrieval service.

6. Legislative Proceeding Information System

This information storage and retrieval system tracks the records of legislators speaking in the sittings meeting and committee meeting of the whole Yuan. The name of legislator, the meeting and session number, date, subject, category, keyword, and the person who replies can be used as access points to find out the desired information. The number of various subjects and the number of the legislators who spoke about the same subject can be analyzed and calculated online.

III. Indexing-Implication of Chinese Information System

According to the indexing experience of Chinese database from LEGISIS (LEGISlative Information System) developed by the Library and Information Service of Legislative Yuan, there are three levels to affect indexing quality as well as to increase searching precision, i.e. category, subject, and keyword. All of the databases in LEGISIS use these three elements as basic index and other access points as the additional index.

1. Category

The Category key has hierarchical levels. User can retrieve information by using different levels, either with Chinese word or with the code. A dozen of main items with hundreds of detailed sub-items are organized under the category system of LEGISIS.

2. Subject

The subject key is used with the indexing method of controlled vocabulary. Information with the same subject concept is scattered in the database. The subject term can lead to the retrieval of a cluster of information with the same subject, not to one single record of information. Each subject is assigned according to the thesaurus of LEGISIS.

3. Keyword

The keyword key is used with the indexing method of natural language. All of the terms are extracted to represent the content of a bibliographic record or to represent a paragraph of the document by an indexer of abstractor, but not from a controlled vocabulary, as opposed to subject.

As for the database index, it is an index designed to help users find the most appropriate database among various databases so as to promote the effectiveness of information retrieval. To consider the barrier of Chinese typing, these three basic indexes can be used to print out the hard-copy bibliographic products for popular distributions.

The indexing application of a Chinese database differs from that of a western language database since the indexing system is conducted and influenced by the information processing as well as by the language itself. However, in Chinese data processing, there is no space between any two words (characters), word division (word string or phrase) is the basic unit of searching key in Chinese semantics. Therefore, the indexing methods in LEGISIS are "word string (phrase) in context" and "conceptual indexing". The difference of these two methods looks a little vague. The only apparent distinction is the relativity of "small idea" and "large concept". Besides, the former follows natural language and the latter is under control.

To accommodate the conversion of this indexing theory, LEGISIS contributes a new designation for a chinese indexing system named "multikeyword indexing system", which is the combination of the Keyword-Division-In-Context and Keyword-Division-Out-of-Context indexing systems. The fundamental theory and application of this new indexing system can enhance the performance of both online and hard copy indexing system in Chinese information service and promote the development of a Chinese full-text retrieval system. The indexing application system achieved another contribution that is to make Chinese permuted index possible.

In order to have the effect of indexing, there must be a selection and judgement of word division. The quality of word division depends on the combination of "phrases" and has great influence on the effect of information retrieval. The task of word division may lengthen the time of preparing in information processing. But to view the matter from another angle, the task raises the quality of online database and enhances the precision and effectiveness of information retrieval. In LEGISIS, the task of word division is undertaken by library assistants and supervised by the information specialists of each database.

IV. Access Implication of Chinese Information System

Each information system in LEGISIS has two versions of the access mode, i.e. command-driven and menu-driven. Traditionally, command modes have been accepted by the information specialist, because commands are not only simpler to implement but also easier to update and modify than menus. If the developer needs to increase additional function to a system, he can do it simply by adjusting command parameters through the interpreter.

The problem of the command mode is that users must memorize command names and learn the rules that regulate its usages, otherwise he or she can't operate the system. For the occasional users or the recruiters of a complex system, this can be very unpleasant and time-consuming.

From users viewpoints, menus have several advantages. They require little or no training, enabling inexperienced users to be much more productive. They present the complete range of choices available at any time during system use, and users need not memorize the detailed rules for the appropriate use of a system.

The main advantage to menus is that their design contains lots of considerations on human engineering. Developers must consider the whole system completely so that all options needed at any stage are available. However, this may conflict with the design goal that some experts mentioned of not introducing more than nine concepts at a time.

Furthermore, no matter how well a menu system is organized, experienced user often find that eventually, the menu hierarchy gets in the way as they proceed in the hierarchy, they may soon reach at a point from which they would either like jump to the bottom of the hierarchy immediately and begin work or use a command interface that bypasses the menu hierarchy. For building a friendly access environment, the LEGISIS decided to have the following two alternatives for information retrieval specialists as well as laypersons.

With menu mode, the system can help the experienced user by providing an advanced-user option. This option can be selected and remain inactive before actual system use or explicitly displayed on the highest-level menu. In either case, the option allows a user to enter commands that are not specifically displayed on the menu and immediately jump to lower-level menus or invoke functions at the lowest level.

With command mode, LEGISIS can help the inexperienced users by providing a command called MENU, which displays a list of options that are available at a given time. From this specific command, people can trace the commands and their explanations that are used in the system for continuous searching. Both the menu and the command driven modes are complementary to each other.

V. Usage Implication of Chinese Information System

The user interface is a subject of great importance in the fields of information science and technology. With the growing complexity of computer-based services and the increasing sophistication in the nature of user's needs for information, interface systems that provide more efficient and effective access to information are the order of the day.

Recognizing the importance of the user interface, LEGISIS makes use of a collection of sophisticated tools for building a well-designed environment of user interface, including online help, user document, and training program.

1. Online Help

The LEGISIS is also capable of providing a wide range of online help, from functional guide to error message. The following paragraphs discuss various types of online helps on the system.

(a) Functional Guide

This approach puts traditional user documentation online. With retrieval mechanisms, both of the functional guide and user documentation are identical, and the problem of maintaining cosistency between the two is greatly alleviated.

The amount of information displayed on screen has its limitations, this is very inconvenient for an experienced user, because even if what he needs is just to conduct a specific aspect of a command, he still has to read through the full contents of the document in order to find out the applicable information. System developers can alleviate this problem by incorporating more sophisticated retrievals for a command.

Another problem is that online help sometimes comforts the user with a solid block of text, which is neither helpful nor reassuring. Online help should be styled so that users can immediately recognize the significance of the format and grouping of words. It is better to start each sentence on a new line than to present users with block-type paragraphs.

The main purposes of the online guide in the LEGISIS are to provide a compact information for better understanding the most important functions, as well as to be a quick-reference for browsing the system.

(b) Command Assistance

Command assistance is the most Common type of online help on a public accessible database system. Since LEGISIS is mainly a Chinese information retrieval system, we need to use some key-pad (or Function Key) to serve the system, therefore, the definition of command assistance prints two kinds of meaning. One is the regular command such as break, print; the other is the Chinese key-pad, e.g. Function Key No. <8> for date, Function Key No. <2> for multi-fields search.

The user of LEGISIS requests any command assistance either by insuring a Help command, or pressing a explanation <help> key. To provide the interpreted command is also a trait of the LEGISIS.

(c) Error Messages

Considering that the error messages are extremely brief, LEGISIS also provides explanations for error message. One of the most difficult problems for a new user of a system is simply getting started. Command lists and descriptions do little help for those new users because in many systems, the amount and depth of the information provided is quite overwhelming. What a new user needs is a step-by-step tutorial and exercise as well as the opportunity to try out various commands. And it does not damage data, files, or cause any inconvenience to other system users.

(d) Other Online HELP

The following are some other types of online help that the LEGISIS provides to users:

* Question or prompt assistance—Explain a displayed question or prompt.
* Example presentation—Demonstrates example of a valid input.
* Definition assistance—Explains a term.
* Menu assistance—Presents a list of acceptable commands.
* Database News—Displays current information of interest to system users.

2. User Document

The information industry has a reputation for producing document that resembles that of the legal profession in being obscure, jargon-ridden, and Fits only for other professionals. As a result, many good computer systems are perceived as poor systems simply because of its poor user document.

This situation must be improved if computers are to be employed to their full potential. Users, expecially those with little computer experience, can not be expected to figure out for themselves what should be done with a system in a particular circumstance, nor should they be obliged to tolerate imprecise instructions. Fortunately, documentation is improving, in part because consumers buying off-the-shelf microcomputers have expressed intolerance of anything less than clear explanations.

In the Legislative Yuan, database document has two distinct potential users: the new reader who knows nothing about the system, and the experienced reader who uses the document only for occasional reference. A very detailed and fundamental tutorial or reference handbook would be mandatory for the former, whereas a quick pocket guide supplemented by detailed error procedures would suffice for the latter. Our goal is to produce both instructions in such a way as to help beginners progress easily from the reference manual to pocket guide.

Therefore, user document can take two kinds of forms: reference handbooks and pocket guides. A reference handbook is always required, even when the other techniques are also used. Since such a manual is frequently read out in sequence, the information in it must be easy to find. Thus, good organization and a detailed index are important in making these lengthy volumes less boring and more usable.

The pocket guide is designed for the experienced user who needs to refresh their memories. It takes the form of a pamphlet with brief instructions.

3. Training Program

In the case of a new system, user document alone is rarely enough, since there are so many people to be trained within a short period of time. The LEGISIS has several other options for training users of a new system. We can teach them one by one, which tends to be the quickest way to teach each individual user. In Contrast, a group situation, some of the trainees may miss certain critical points. We can also take advantage of the chain effect: we instruct one group and each person in that first group goes on to teach others. By this way, however, it is difficult to maintain control of the training qualities. The LEGISIS also uses video tape or slide presentations to enhance its training effectiveness. These can be the inexpensive means in training a large number of people, but it may not have the motivation effects which the personal instruction should have.

Another option, computer-based-training is also an efficient way to train users. This training course uses video display terminal to instruct users at their own pace, starts from fundamental courses to more advanced level. Although computer-based-training is quite expensive to develop, it may become cost-effective if the organization has to train a large number of users or if the users are geographically scattered, or if high user turn over is the norm.

VI. Prospections of LEGISIS and Chinese Information System

LEGISIS has developed a broad range of computer systems and information services used in the day-to-day activities of the bills and the committees. In fact, over eight information systems have been established and already operational in Legislative Yuan.

During the first developmental period, LEGISIS had tested many professional techniques. Through these tests and evaluations, system designers of the LEGISIS have found the following three benefits: (1) it takes less effort to construct and modify the user interface management than by traditional techniques; (2) different interfaces supporting various user proficiencies and preferences can be constructed within a single application system; (3) a single homogeneous interface that accesses several application systems can be constructed.

With our experiences in developing LEGISIS, We have gained some implications of Chinese Information Systems. In view of the future, the development of Chinese information system should endeavor toward the following aspects: (1) to exchange the experiences under the cooperation and collaboration with each other; (2) to establish an integrated, commonused, friendly and widely-accepted environment among the various Chinese systems as well as the institutions; (3) to share the resources and information for supporting the research and development as well as for supporting the public services.

REFERENCES

1. Legislators' Interpellation Information System/LEGISIS Working Group. Taipei : Library & Information Service, Legislative Yuan, 1990. (LEGISIS Requirement Specifications Series, No. 1)

2. Periodical Literature Information System/LEGISIS Working Group. Taipei: Library & Information Service, Legislative Yuan, 1990. (LEGISIS Requirement Specifications Series, No. 2)

3. Chinese Code Full-Text Information System/LEGISIS Working Group. Taipei: Library & Information Service, Legislative Yuan, 1990. (LEGISIS Requirement Specifications Series, No. 3)

4. Chinese Code Amendments Information System/LEGISIS Working Group. Taipei: Library & Information Service, Legislative Yuan, 1990. (LEGISIS Requirement Specifications Series, No. 4)

5. The Multi-keyword Indexing System on Chinese Code Full-text Retrieval System/Karl Min Ku. First Pacific Conference on New Information Technology. Bangkok, 1987.

6. A Comparative Study of Word Indexing between Chinese and English Database/Karl Min Ku. Journal of Library Association of China, 1988.

參考書目

一、中文部份

㈠圖　書

自動化書目的資訊服務 / 徐小鳳著
-- 臺北：學生書局，民 73

多媒體圖書館的資源與經營 / 陸毓興著
-- 臺北：書藝書局，民 73

我國資訊系統之建立與探討 / 林孟眞著
-- 臺北：文史哲出版社，民 71

現代圖書館系統綜論 / 黃世雄著
-- 臺北：學生書局，民 74

參考資訊服務 / 胡歐蘭著
-- 臺北：學生書局，民 71

資訊科學導論 / 張鼎鍾編譯
-- 臺北：學生書局，民 73

圖書館學與資訊科學之探討 / 張鼎鍾著
-- 臺北：學生書局，民 71

圖書館學與資訊科學常用字彙 / 李德竹編
-- 新竹：楓城出版社，民 73

(二)期刊論文

中文索引法 / 江德曜
無線電技術季刊，19（3）：91-99, 民 69

由圖書館哲學觀點窺自動化作業之歸趨 / 高錦雪
臺北市立圖書館館訊，4（1）：7-9, 民 75

字串處理在圖書館作業電腦化之應用 / 黃鴻珠
教育資料與圖書館學，21（4）：410-429, 民 73

自動化的聯想 / 沈寶環
臺北市立圖書館館訊，4（1）：1-6, 民 75

自動化資訊網與國家建設 / 張鼎鍾
圖書館事業合作與發展研討會會議紀要，351-356, 民 69

書目資料建檔與圖書館自動化作業 / 胡歐蘭
中國圖書館學會會報，37 ： 111-119, 民 73

淺談索引典的結構、編製與應用趨勢 / 李惠中

中國圖書館學會會報，37：115-127, 民74

資料庫管理系統與圖書館作業 / 陳妙智
中國圖書館學會會報，38：57-55, 民75

資訊工業與資訊管理 / 林孟眞
社教月刊，10：99-104, 民71

資訊網路的現在與未來 / 賈玉輝
書府，6：24-29, 民74

資源共享——圖書館事業的新趨勢 / 沈寶環
中國圖書館學會會報，37:9-20, 民74

電腦輔助的文字及辭彙查詢系統 / 謝清俊
華文世界，29：20-24, 民72

電腦輔助檢索縮影系統 / 薛理桂
縮影研究，1(2)：21-23, 民72

微電腦與圖書館 / 黃世雄
教育資料與圖書館學，21(3)：300-307, 民73

圖書資訊網研究計劃報告 / 楊健樵
圖書館學與資訊科學，11(2)：159-206, 民75

談比較圖書館學 / 陳　豫
耕書集，62：7, 民73

縮影在自動化中的地位／吳相鏞
教育資料與圖書館學，22（1）：91-101, 民73

縮影媒體的運用趨勢／黃世雄
教育資料與圖書館學，19（3）：292-299, 民71

縮影資訊涵義及特性／王會均
縮影研究，3（3）：255-258, 民74

二、英文部份

(一)圖　書

1) Bingham, J. E. *Scientific Management of Library Operations*. 2nd ed. Metuchen, NJ: Scarerow Press, 1983.
2) Chapman, Edward. *Library System Analysis Guidelines*. New York: John Wiley & Sons, 1981.
3) Gane, Christ. *Research Library and Technology*. Chicago, IL: University of Chicago Press, 1983.
4) Lancaster, F. W. *Measurement of Library Services*. New York, NY: Bingley, 1980.
5) Rice, James. *Introduction to Library Automation*. Littleton, CO: Libraries Unlimited, 1984.
6) Riggs, Donald E. *Strategic Planning for Library Managers*. Phoenix, AZ: Oryx Press. 1984.
7) Rockell, Carlton, *Practical Administration of Library*. New York, NY: Harper & Row, 1981.
8) Soergel, Dagobert. *Organization of Information*. New

York, NY: Academic Press, 1985.
9) Stanley, J. S. *Handbook of Information Data Processing for Libraries*. 3rd ed. White Plains, NY: Konwledge Industry Publication, 1984.
10) Warner, Edward. *The Electronic Library and Bibliographic Data Base*. Metuchan, NJ: Scarerow Press,1983.

(二)期刊論文

1) Borgman, C. (1984). Computer-Microform Retrieval System. *Annual Review of Information Science & Technology*, 19: 21-53.
2) Bruning, I. (1983). An Information Processing Approach to a Theory of Reader Instruction.*ECT Journal*, 31(2) : 91-101.
3) Cuadra, A. (1982). Reference Use of Online Public Access Catalog. *Library Research*, 4(9): 235-277.
4) D'Elia, G. & Walsh, S. (1984). A Measurement of Reference Service. *Library Quarterly*, 53(2): 109-133.
5) Dickson, G. (1986). Understanding the Effectiveness of Communication for Reference Service. *Communication of the ACM*, 29(1): 40-47.
6) Douglass, W. (1985). Introduction to Permuted Title Indexing. *Journal of Information Science*, 12: 289-297.
7) Fidel, R. (1984). The Case Study: the Automation of Library of Congress. *Library & Information Science Research*, 6: 27-49.
8) Jones, K. (1984). Proposals for R&D in Data Based System. *Journal of Information Science*, 11: 139-

147.
9) Kidson, J. (1985). Three Paths to End-User Searching, *Library Quarterly*, 55(2): 133-150.
10) Kowalski, K. (1984). Evaluation of Bibliographic Data Base Operation. *Journal of Information Science*, 11: 57-64.
11) Marchionini, G. (1985). Electronic Information Services: an Exploratory Study, *AEDS Library*, 21(1): 10-19.
12) Pungitiore, V. (1986). Development of Comparative Librarianship. *Library and Information Science Research*, 8: 67-81.
13) Saundra, C. (1984). The Sharing Network: Local, Multi-type Library Organization. *Library Quarterly*, 55(1): 71-88.
14) White, H. (1982). Citation Analysis of Indexing File Use. *Library Trends*, 20(3): 467-477.

著作目錄

專　書

1. 圖書館學問題探討　新竹市　楓城出版社　民65　208
2. 圖書館採訪學　臺北市　台灣學生書局　民68　192頁
3. 縮影技術學　臺北市　技術引介社　民68　516頁　(與沈曾圻合撰)
4. 圖書館學問題探討　新竹市　楓城出版社　民70　277頁(再版)
5. 現代圖書館學探討　臺北市　台灣學生書局　民77　426頁
6. 立法期刊文獻資訊系統　臺北市　立法院　民79　108頁
7. 法律全文資訊系統　臺北市　立法院　民79　97頁
8. 立法委員質詢與答復資訊系統　臺北市　立法院　民79　135頁
9. 法律沿革資訊系統　臺北市　立法院　民79　91頁
10. 主題檢索詞典系統　臺北市　立法院　民79　87頁

單　篇

1. 科學與資料處理　中央日報　民60.1　版12
2. 談「目錄片排列法」　中國圖書館學會會報　23期　民60.

12　頁50－52

3. 書評淺論　大華晚報　民60.12.6　版10

4. 孔姆系統對資料處理的影響　第一次全國圖書館業務會議記要　國立中央圖書館　民61.3　頁165－169

5. 書評之型式寫作與內容　大華晚報　民61.7.10　版10.

6. 克特氏著者表與書號　中國圖書館學會會報　24期　民61.12　頁53－55

7. 談專利資料的處理　中央日報　民62.6　版12

8. 期刊採訪的作業基礎　國立中央圖書館館刊　新6卷2期　民62.9頁31－38

9. 全國西文科技圖書聯合目錄(書評)　中國圖書館學會會報　25期　民62.12　頁45－46

10. 資料服務的合作　中央日報　民63.2.25　版9

11. 館際合作與資料服務　國立中央圖書館館刊　新7卷1期　民63.3　頁154－158

12. 縮影資料的成長及其趨向　新聞學　3期　民63.6　頁98－103

13. 發展圖書館事業的幾個問題　大學雜誌　76期　民63.8　頁9－12

14. 縮影資料的基本研究(上、中、下)　教育資料科學月刊　7卷1－3期　民63.12－64.2　共10頁

15. 評價期刊資料的線索　出版家　44期　民64.11　頁28－29

16.目錄控制的新途徑　中國圖書館學會會報　27期　民64.12　頁23－28

17.傳播的種類(上、下)　小世界週刊　575－576期　民65.1　版2

18.從幾個角度看資料的意義　教育資料科學月刊　9卷4期　民65.3　頁29－30

19.圖書館學五大法則引論　國立中央圖書館館刊　新9卷1期　民65.6　頁20－23

20.淺談指南與手冊　教育資料科學月刊　10卷3期　民65.11　頁22－23

21.認識縮影資料　中國圖書館學會會報　28期　民65.12　頁52－60

22.傳播原理與圖書館服務　中國圖書館學會會報　29期　民66.11　頁176－182

"Principles of Mass Communi cation and Library Service"

Bulletin of the Library Association of China No.29 1977 P176-182.

23.國際標準圖書館號碼的意義與運用　國立中央圖書館館刊新10卷2期　民66.12　頁36－45

24.縮影式的圖書　讀書人雜誌　1卷4期　民67.4　頁11－13

25.圖書館的交換業務　教育資料科學月刊　13卷4期　民67.6　頁29－32

26.知識傳播與圖書館服務　中國圖書館學會會報　30期　民67.12　頁66－77

"Dissemination of Knowledge and Library Service" 1978

Bulletin of the Library Association of China No.30 1978 P66-77.

27.資訊的概念　教育資料科學月刊　15卷1期　民68.3　頁26－27

28.大專生活與圖書館　社會發展　3期　民68.3　頁8－9

29.漁業科技論文分類方法介紹及利用　漁業科技資訊利用研討會會議手冊農業科學資料服務中心　民68.4　頁44－72

30.圖書館採訪工作之意義　教育資料科學月刊　16卷1期　民68.9　頁7－15

31.縮影技術的發展及其運用模式　縮影研究專刊　民68.9　頁5－8

32.漁業資料分類方法之比較　教育資料科學月刊　17卷1期　民69.3　頁12－14

33.「香港中山圖書館中文參考書目錄」介紹　書評書目　90期　民69.10　頁122－126

34.問答式的知識傳播服務　中國圖書館學會會報　32期　民69.12　頁44－49

"The Questioning /Answering Type of Communication

Service for Knowledge"
Bulletin of the Library Association of China No.32 1980 P44-49.

35.利用縮影技術處理珍善本文獻　國立中央圖書館館刊新13卷2期　民69.12　頁61－64

36.資訊與文化發展(上、下)　中央日報　民69.12.26－27 版12

37.資訊工業與圖書館事業之發展　資訊與電腦　8期　民70.2　頁4－9

38.資訊工業與圖書館事業之發展　圖書館事業合作與發展研討會會議紀要國立中央圖書館　民70.6　頁75－94
"Information Indnotry and Librarianship Development Proceedings of the 1980 Library Development Seminar December 1-7, 1980 p75-94

39.縮影事業與資訊工業　縮影研究　3期　民70.9　頁46－52

40.中國圖書館學會概況　教育學術團體資料彙編　民70.12　頁543－553

41.圖書採購、登錄、閱覽　中華百科全書　8期　民71.12 頁264－267

42.英文文獻中有關中華國書館學及資訊科學的書目分析（英文稿）　第一屆亞太圖書館研討會　民72　頁455－460

"The Bibliometrics of Chinese Librarianship and Information Service on English Literature." The First Asian Pacific Conference on Library Science. Cultural and Social Centre for the Asian and Pacific Region Seoul, Korea. National Central Library, Republic of China, Mar.13－19, 1983, p.455－460

43.縮影技術在資訊時代中的角色與意義　縮影研究　1卷1期　民72.3　頁6－9

44.掌握資訊時代的羅盤：運用縮影技術時面臨的幾種抉擇　資訊與電腦　3卷10期　民72.4　頁48－52

45.國際圖書館界的一道慧光(藍甘納薩圖書館學五法則)　圖書館學刊　12期　民72.9　頁50－54

46.電腦科技對圖書館資訊事業的影響　中國圖書館學會會報　35期　民72.12　頁145－150

47.縮影圖書館　縮影研究　2卷1期　民73.3　頁10－11

48.我國台灣地區二十年來的縮影研究文獻　縮影研究　2卷2期　民73.6　頁41－52　（與江紀祖合撰）

49.資訊時代的傳播媒體　世界新聞專科學校學報　1期　民73.8　頁81－86

50.圖書館資源示意圖——很值得推廣的知識推廣工作　臺北市立圖書館館訊　2卷1期　民73.9　頁2－6

51.一九八四年國際資訊管理會議研討會出席記要　縮影研

究2卷3期　民73.9　頁11－14

52.爲什麼圖書館要自動化？　中國圖書館學會會務通訊　41期　民73.11　頁16

53.美國國會山莊的資訊系統　慶祝藍乾章教授七秩榮慶論文集　文史哲出版社　民73.12　頁257－264

54.資訊意義的領域　縮影研究　2卷4期　民73.12　頁20－22 55.中華民國國會工作人員訪問韓國考察報告　立法院院聞月刊　13卷1期　民74.1　頁59－63

56.台灣地區圖書館自動化暨資訊服務的發展1978－1984（英文稿）

一九八五年國際資訊管理會議Information Management Congress IMC台北國際會議論文"The Development of Library Automation and Information Services in Taiwan Region, R.O.C. 1978－1984"　縮影研究　3卷1－3期　民74.3－9　共23頁

57.專題書目與圖書館資源示意圖　書藝　22期　民74.6頁22－23

58.圖書館朝向自動化發展的資訊理念　中國圖書館學會會報　37期　民74.12　頁129－133

59.美國洛杉磯蒙特利公共圖書館的讀者服務　臺北市立圖書館館訊　3卷2期　民74.12　頁10－13

60.支援沙烏地阿拉伯建設中型學術圖書館規劃工作的人力運用計劃　書農　2期　民74.12　頁10－13

61.美國多倫斯公共圖書館的技術服務工作　書藝　23期民75.5　頁11－12

62.圖書館可否買武俠小說?　中國圖書館學會會務通訊　50期　民75.5　頁17－19

63.現代圖書館學的理念　中國圖書館學會會報　38期　民75.6　頁3－6

64.甲骨文淺探　圖書館學刊　15期　民75.6　頁14－17

65.索引聯用系統在中文資料庫上的設計與運用　圖書館事業合作發展研討會論文集　國立中央圖書館　民75.8　頁18－1～18

66.圖書館朝向自動化發展的層面與挑戰　臺北市立圖書館館訊　4卷1期　民75.9　頁10－12

67.論圖書館學的成長及發展　世界新聞專科學校學報　2期　民75.10　頁145－150

68.中文資料庫的索引設計與運用　資訊縮影管理　3期　民75.12　頁40－48

69.圖書館學的慧果:讀「圖書館哲學之研究」　中國圖書館學會會報　39期　民75.12　頁201－202

70.立法研究與資訊服務　書農　3期　民75.12　頁74－77

71.日本東京都立公共圖書館簡介　台北市立圖書館館訊　4卷3期　民76.3　頁85－88

72.專家學者談管理資訊系統(座談會)　資訊傳真雜誌系統版　68期　民76.3　頁79－82

73.法規文獻全文資訊檢索系統　公共安全與資訊管理學術研討會資訊管理組論文集　民76.4　頁5－11（與江守田合撰）

74.圖書館自動化有關文獻的書目剖析　圖書館學刊（輔大）16期　民76.5　頁65－68

75.立法資訊系統文獻詞彙索引方法　中國圖書館學會會報40期　民76.6　頁101－106

76.多元詞語索引法系統在中文法律全文檢索系統上的應用（英文稿）
"The Multi -Keyword Indexing System on Chinese Code Full-Text Retrieval System" First Pacific Confereme on New Information Technology for Library & Information professionals. Proceedings edited by Ching-Chih Chen, Micro Use Information, Bangkok, Thailand- June 16-18, 1987, p143-154

77.教育資料庫ERIC的昨日、今日與明日　資訊縮影管理　6期　民76.9　頁54－61　（與陳攸華合撰）

78.中英文資料庫文字索引的比較研究（英文稿）
"A Comparative Study of Word Indexing Between Chinese and English Database. "蔣慰堂先生九秩榮慶論文集　中國圖書館學會　民76.11　頁137－147

79.臺灣地區圖書館館際合作的努力與現況　臺北市立圖書館館訊　5卷2期　民76.12　頁60－67

80.圖書館公共關係業務現況調查　中國圖書館學會會報　41期　民76.12　頁139－152　（與江守田合撰）

81.國際資訊管理會議出席記要　立法院院聞月刊　16卷12期　民76.12　頁6－29

82.概念索引的基本概念　中國圖書館學會會報　42期　民77.6　頁13－20

83.中英文資訊儲存暨檢索系統比較研究（英文稿）　中國圖書館學會會報　43期　民77.12　頁97－106

84.「立法索引詞彙」概述　書農　5期　民77.12　頁28－29

85.中文主題檢索詞典　中國圖書館學會會報　44期　民78.6　頁127－136　（與施碧霞合撰）

86.宏觀圖書館的組織與管理　沈寶環教授七秩榮慶祝賀論文集　臺灣學生書局　民78.6　頁155－159

87.美國國會圖書館自動化作業研究(1－3)　臺北市立圖書館館訊　7卷1－3期　民78.9－79.3　共20頁

88.立法資訊工作的發展及瞻望　中國圖書館學會會報　45期　民78.12　頁47－62

89.宏觀圖書館參考服務　台北市立圖書館參考問題選粹　8輯　民78.12　頁9－12

90.立法資訊系統之策略性發展（英文稿）The strategic development of the legislative information system　亞太地區國會圖書館台北國際會議紀實　民79.5　頁118－130

91.立法院主要特色及其立法資訊服務(英文稿)Primary features of legislative yuan and its library & information service 亞太地區國會圖書館台北國際會議紀實 民79.5 頁131－135

92.亞太地區國會圖書館臺北國際會議紀要 中國圖書館學會會報 46期 民79.6 頁145－150

93.立法資訊系統的建立 中國圖書館學會會報 47期 民79.12 頁123－137

94.中文資訊專業暨服務新境界(英文稿) 圖書館暨資訊科學新境界國際研討會論文集 民80 頁605－616

"The New Frontiers in Chinese Information Profession and Service: Some Experiences from the LEGISIS Program." The International Confernce on New Frontiers in Library and Information Services (Volume).National Central Library, Republic of China, May 9-11, 1991, p.605-616

95.立法院全面推動電腦化系統暨辦公室自動化計劃 立法院院聞 19卷6期 民80.6 頁10－15

96.中華民國「法律沿革全書」 立法院院聞 19卷7期 民80.7 頁29－30

97.中華民國「法律主題條文彙編」 立法院院聞 19卷9期 民80.9 頁18

98.立法期刊文獻資訊系統 立法院院聞 19卷10期 民80.

11 頁17－18

99.立法委員質詢與答復資訊系統 中國圖書館學會會務通訊 81期 民80.11 頁8－9

100.立法院與巴基斯坦國會的接觸 立法院院聞 20卷1期 民81.1 頁26－28

101.國會行政的角色與分際(1) 立法院院聞 20卷2期 民81.2 頁8－9

102.立法新聞資訊系統 立法院院聞 20卷3期 民81.3 頁5－8

103.「立法院資訊系統網路連線啓用典禮」紀要 立法院院聞 20卷4期 民81.4 頁9－11

104.立法資訊系統的開發策略 國立中央圖書館台灣分館館訊 8期 民81.4 頁8－14

105.全球第一個發展成功的綜合性立法新聞資訊系統 書農 9期 民81.12 頁28－31

106.電腦化立法資訊服務的發展策略（英文稿） 一九九二年國際圖書館協會 聯盟第五十八屆大會論文 刊於美國出版「資源分享與資訊網路」學刊 民81.9 "Developmental Strategies of Computerized Legislative Information Services." Resource Sharing & Information Networks, Vol. 9(2)1994 p127－134

107.八十一年立法院職員澳紐新國會考察團考察報告（上、下） 立法院院聞 21卷5,6期 民82.5,6 頁10－

22,28－37　共二十三頁

108.國會行政的角色與分際(2)　立法院院聞　21卷7期　民82.7　頁11－12

109.出席「聯合國國際圖書館聯合會暨國際國會圖書館會議」報告　立法院院聞　21卷10期　民82.10　頁36－39

110.全文資料庫與全文檢索　書苑20期　民83.4　頁1－17

111.立法資訊系統暨連線網路使用情況分析　中國圖書館學會會報　53期　民83.12　頁53－60

112.西班牙的新政國會　立法院院聞　22卷3期　民83.3　頁14－20

113.現代化檔案管理的基本設計　資訊傳播與圖書館學　1卷3期　民84.3　頁57－64

114.國會神聖　立法院新聞簡訊　第0160期國會論壇　民84.7　版4

115.行政革新　立法院新聞簡訊　第0161期國會論壇　民84.7　版4

116.民主殿堂　立法院新聞簡訊　第0162期國會論壇　民84.7　版3

117.國會形象　立法院新聞簡訊　第0164期國會論壇　民84.7　版4

118.尊重的態度　立法院新聞簡訊　第0168期國會論壇　民84.8　版4

119.再論尊重的態度　立法院新聞簡訊　第0174期國會論壇

民84.10　版4

120.另一種國會外交　立法院院聞　23卷12期　民84.12　頁2－7

121.立法院組織法修正方向　立法院院聞　24卷7期　民85.7　頁9－10

122.與日本「國會春秋」發行人對談　立法院院聞　24卷9期　民85.9　頁85－88

123.第四屆亞太地區國會圖書館協會澳洲雙年大會會議公報暨開幕閉幕致詞　立法院院聞　24卷11期　民85.11　頁33－36

124.立法院修憲委員會成立經過及其運作　立法院院聞　25卷1期　民86　頁18－30

125.我國立法院聽證制度初探　立法院院聞　25卷4期　民86　頁46－49

126.行政革新的知行建設　立法院院聞　25卷6期　民86　頁18－23

127.參加第四屆「亞太地區國會圖書館協會APLAP」一九九六年雙年會報告立法院院聞　25卷7期　民86　頁66－83

128.中共人民代表大會及其制度之研究——結構功能的初步分析　立法院院聞　25卷8期　民86　頁3－19

129.國會語言　立法院院聞　25卷10期　民86　頁16－18

130.論立法院圖書資訊服務（英文稿）　一九九六年澳洲坎培拉亞太地區國會圖書館協會第四次大會論文　刊於美

國出版「世界圖書館」學報　共十七頁　"The Current Status of the Library and Information Service in the Legislative Yuan"　World Libraries　1996 fall　Vol.7　p.19-35

131.論立法與資訊（英文稿）　一九九六年北京國際圖書館協會聯盟第六十二屆大會會場論文　刊於該聯盟出版品第八十三輯　共二十頁　"The Combination of Legislation and Information"　Parliamentary Libraries and Information Services of Asia and the Pacific (IFLA Publication 83)　1997　p.20-39

132.立法參考服務的挑戰與展望　一九九七年海峽兩岸圖書館學交流研討會論文刊於中國圖書館學會會報　59期　民86.12　頁99－107

國家圖書館出版品預行編目資料

現代圖書館學探討

／顧　敏著. --增訂一版, --臺北市：
臺灣學生，1998[民87]
面：　公分
參考書目：面
ISBN 957-15-0885-3(精裝).
ISBN 957-15-0886-1(平裝)

1.圖書館學

020　　87006241

現代圖書館學探討（全一冊）

著作者：顧　敏
出版者：臺灣學生書局
發行人：孫善治
發行所：臺灣學生書局
臺北市和平東路一段一九八號
郵政劃撥帳號〇〇〇二四六六八號
電話：二三六三四一五六
傳真：二三六三六三三四
本書局登記證字號：行政院新聞局局版北市業字第玖捌壹號
印刷所：宏輝彩色印刷公司
地址：中和市永和路三六三巷四二號
電話：二二二六八八五三

定價　精裝新臺幣四七〇元
　　　平裝新臺幣四〇〇元

西元一九九八年五月增訂一版

02008

ISBN 957-15-0885-3（精裝）
ISBN 957-15-0886-1（平裝）